BESTSELLER

Clive Cussler posee una naturaleza tan aventurera como la de sus personajes literarios. Ha batido todos los récords en la búsqueda de minas legendarias y dirigiendo expediciones en pos de recuperar restos de barcos naufragados, de los cuales ha descubierto más de sesenta de inestimable valor histórico. Asimismo, Cussler es un consumado coleccionista de coches antiguos, y su colección es una de las más selectas del mundo. Sus novelas han revitalizado el género de aventuras y cautivan a millones de lectores. Entre ellas deben destacarse *Dragón*, *El tesoro de Alejandría*, *Cyclops*, *Amenaza bajo el mar*, *El triángulo del Pacífico*, *Iceberg*, *Rescaten el Titanic*, *Sáhara*, *El secreto de la Atlántida* y *La cueva de los vikingos*, su última novela hasta la fecha.

Biblioteca
CLIVE CUSSLER

Vixen 03

Traducción de
Aníbal Leal

⊞ DeBOLS!LLO

Título original: *Vixen 03*
Diseño de la portada: Departamento de diseño de Random
   House Mondadori
Fotografía de la portada: © FotoStock

Segunda edición en este formato: junio, 2006

© 1978, Clive Cussler Enterprises Inc.
   Publicado por acuerdo con Peter Lampack Agency, Inc.,
   Nueva York
© de la traducción: Aníbal Leal
© 1996, Random House Mondadori, S. A.
   Travessera de Gràcia, 47-49. 08021 Barcelona

Printed in Spain – Impreso en España

ISBN: 84-9793-367-2 (vol. 244/8)
Depósito legal: B. 29.612 - 2006

Fotocomposición: Lozano Faisano, S. L. (L'Hospitalet)

Impreso en Novoprint, S. A.
Energía, 53. Sant Andreu de la Barca (Barcelona)

P 833672

En memoria del curso de 1949
de la Escuela La Alhambra que jamás se reunió

OLVIDO

Aeropuerto Buckley, Colorado - Enero de 1954

El Boeing C-97 Stratocruiser parecía una cripta. Quizá esta impresión se debía a la fría noche de invierno, o tal vez provenía de las ráfagas de nieve que formaban una mortaja helada sobre las alas y el fuselaje. Las luces parpadeantes de la cabina y las sombras fugaces del equipo de mantenimiento solo contribuían a exagerar la escalofriante escena.

Al mayor Raymond Vylander, de la fuerza aérea, no le gustó mucho lo que veía. Miró en silencio cómo se alejaba el camión cisterna, para desaparecer en la oscuridad de la tormenta. La rampa de carga fue retirada de la cola del gran vientre parecido al de una ballena, y después las puertas del depósito se cerraron lentamente, cortando un rectángulo de luz que revelaba un montacargas. Desvió la mirada y contempló las líneas generales de luces blancas que limitaban la pista de tres mil trescientos metros de longitud del aeropuerto Buckley de la aviación naval, situado en las llanuras de Colorado. La espectral luminiscencia se adentraba en la noche y se desdibujaba gradualmente detrás de la cortina de nieve.

Volvió lentamente la mirada y examinó el rostro cansado que se reflejaba en el cristal de la ventana. Tenía la gorra echada hacia atrás, de modo que revelaba una densa cabellera castaño oscuro. La espalda del hombre estaba encorvada, y el rostro denotaba la expresión tensa del corredor de cien metros que espera la señal de partida. Su reflejo, que traspasaba el cristal para confundirse con las líneas del avión, hizo que Vylander se estremeciera involuntariamente. Cerró los ojos tratando de apartar su atención de la escena, y se volvió para mirar el interior de la habitación.

El almirante Walter Bass, que estaba sentado sobre el borde de un escritorio, plegó con cuidado una carta meteorológica; después se pasó un pañuelo por la frente sudorosa e hizo una seña a Vylander.

—La tormenta está alejándose de la ladera oriental de las Rocosas. Creo que saldrá usted de la zona de mal tiempo en las proximidades de la divisoria continental.

—Siempre que consiga que ese pájaro de gordo trasero despegue del suelo.

—Lo conseguirá.

—Despegar con un avión pesado, un tanque lleno de combustible y un cargamento de treinta y cinco toneladas adicionales, en medio de una ventisca, y con un viento de treinta nudos a cinco mil pies, no es exactamente juego de niños.

—Todos los factores han sido sopesados —replicó fríamente Bass—. Cuando las ruedas dejen el suelo, todavía le quedará un margen de casi mil metros de pista.

Vylander se dejó caer en una silla como un globo desinflado.

—Almirante, ¿vale la pena arriesgar el pellejo de mis hombres? Dígame, ¿qué diablos es tan importante para la Marina norteamericana que ha sido necesario buscar de urgencia un avión de la fuerza aérea, en mitad de la noche, para llevar esa basura a una isla del océano Pacífico?

Durante un momento Bass enrojeció, pero después su expresión se suavizó. Cuando habló, lo hizo amablemente, casi con tono de disculpa.

—Es muy simple, mayor. Esa basura es una carga de prioridad absoluta destinada a un programa de pruebas supersecretas. Como su Stratocruiser era el único transporte pesado en un radio de mil millas que podía ejecutar la tarea, la fuerza aérea aceptó prestarlo a la Marina. Y de paso lo incluyó a usted y a su tripulación en el paquete; y eso es todo.

Vylander dirigió una mirada penetrante a Bass.

—No quiero parecer insubordinado, almirante, pero eso no es todo, ni mucho menos.

Bass rodeó el escritorio y se sentó.

—Debe usted considerarlo un vuelo de rutina, y nada más.

—Le agradecería, señor, que me diese una pista y me aclarase qué contienen esos cilindros que pusieron en el depósito del avión.

Bass evitó la mirada de su interlocutor.

—Lo siento, pero se trata de material muy secreto.

Vylander sabía cuándo estaba derrotado. Con gesto de fatiga se puso de pie, cogió la carpeta de plástico que contenía el plan de vuelo y los mapas, y caminó hacia la puerta. De pronto, se detuvo y se volvió.

—Si tuviéramos que hacer un aterrizaje de emergencia…

—Si sobreviene una emergencia en vuelo —dijo Bass con expresión solemne—, busque una zona despoblada.

—Eso es mucho pedir.

—No estoy formulando un pedido. ¡Estoy dando una orden! Usted y su tripulación no deben abandonar el avión entre este campo y su lugar de destino, bajo ningún concepto.

El rostro de Vylander se ensombreció.

—Entonces, eso es todo.

—Una cosa más.

—¿Qué?

—Buena suerte —dijo Bass, y sus labios se curvaron en una tensa sonrisa.

Fue una sonrisa que no agradó a Vylander; no le agradó en absoluto. Abrió la puerta y sin contestar salió al frío de la noche.

En la cabina de mando, tan hundido en el asiento que la coronilla estaba casi treinta centímetros debajo del cabezal, el teniente Sam Gold, copiloto de Vylander, estudiaba una lista de control de vuelo. Detrás, a su izquierda, el capitán George Hoffman, navegante, jugueteaba con un transportador de plástico. Ninguno prestó atención a Vylander, que entró por la puerta que comunicaba con el depósito del avión.

—¿Ya ha trazado el curso? —preguntó Vylander a Hoffman.

—Todo el jodido trabajo preliminar fue ejecutado por los expertos de la Marina. Sin embargo, no concuerdo con la preferencia de esos mamones por ciertos paisajes. Quieren que viajemos sobre la región más desolada del Oeste.

En el rostro de Vylander se dibujó una expresión de inquietud que no pasó inadvertida a Hoffman. El mayor miró por encima del hombro los enormes cilindros de metal asegurados en el depósito, y trató de adivinar su contenido.

Vino a interrumpir su contemplación el rostro inmóvil, al estilo de Buster Keaton, del sargento Joe Burns, ingeniero de vuelo, que se asomó por la puerta de la cabina.

—Mayor, todo listo y preparado para el gran salto a lo desconocido.

Vylander asintió sin apartar los ojos de los cilindros.

—Muy bien, hagamos despegar esta cámara de horrores.

El primer motor arrancó, y muy pronto lo siguieron los tres restantes. Después se desconectó la unidad auxiliar de energía, se retiraron los tacos que aseguraban las ruedas, y Vylander comenzó a dirigir el avión sobrecargado hacia el extremo de la pista principal. Los guardias de seguridad y la cuadrilla de mantenimiento se alejaron, en busca de la tibieza de un hangar cercano, mientras las ráfagas de viento provocadas por las hélices les golpeaban la espalda.

El almirante Bass estaba de pie en la torre de control de Buckley, y contemplaba al Stratocruiser arrastrarse como un animal preñado sobre el campo barrido por la nieve. Tenía un teléfono en la mano, y su voz informó con serenidad.

—Puede decir al presidente que Vixen 03 se prepara para despegar.

—¿Cuándo calcula que llegará? —preguntó la voz severa de Charles Wilson, secretario de Defensa.

—Si se tiene en cuenta una escala de reabastecimiento en Hickam Field, Hawai, Vixen 03 debe llegar al área de prueba aproximadamente a las catorce, hora de Washington.

—Ike nos citó para mañana a las ocho. Insiste en un informe detallado de los próximos experimentos, y un informe inmediato del vuelo de Vixen 03.

—Partiré enseguida para Washington.

—No necesito recordarle, almirante, lo que ocurriría si el avión cayese en una ciudad importante o en sus cercanías.

Bass vaciló durante lo que pareció un momento prolongado y terrible.

—Sí, señor secretario, en efecto sería una auténtica pesadilla.

—La presión del múltiple y la cupla están un poco bajas —anunció el sargento Burns. Observaba el panel de mandos con la intensidad de un hurón.

—¿Hay problemas? —preguntó Gold, esperanzado.

—Lo siento, teniente. En el aire enrarecido de las montañas de Denver los motores de combustión interna no funcionan como al nivel del mar. Teniendo en cuenta la altura, las indicaciones de los instrumentos están bien.

Vylander contempló la línea de pavimento de la pista. La nevada era menos intensa, y casi alcanzaba a ver la señal que indicaba la mitad del camino. El corazón comenzó a latirle más rápido, como si quisiera armonizar con los rápidos movimientos de los limpiaparabrisas. Dios mío, pensó, si apenas parece más grande que una pista de tenis. Como si estuviera en trance, extendió la mano y cogió el micrófono.

—Control Buckley, aquí Vixen 03. Listo para partir.

—Adelante, Vixen 03 —La conocida voz del almirante Bass resonó en los audífonos—. No olvide enviarme una nativa de pechos generosos.

Vylander se limitó a dar la señal de partida, soltó los frenos y dio potencia a los cuatro motores.

El C-97 apuntó contra la nieve su nariz bulbosa y empezó a avanzar dificultosamente sobre la larga cinta de pavimento, mientras Gold comenzaba a anunciar con voz monótona la velocidad cada vez mayor.

—Cincuenta nudos.

Demasiado pronto se encendió un anuncio luminoso con un número tres.

—Nos quedan tres mil metros —canturreó Gold—. Velocidad, setenta.

Las luces que limitaban la cinta blanca pasaban borrosas junto a los extremos de las alas. El Stratocruiser avanzaba y los poderosos motores Pratt-Whitney ponían en tensión las monturas, y las hélices de cuatro paletas se batían contra el aire enrarecido. Las manos de Vylander atenazaban el volante, los nudillos blancos por el esfuerzo, los labios murmurando una mezcla de plegarias y maldiciones.

—Cien nudos… nos quedan dos mil trescientos metros.

Los ojos de Burns no se apartaban del panel de mandos y estudiaban cada oscilación de las agujas, listos para descubrir los primeros signos de dificultades.

Hoffman no podía hacer más que permanecer sentado, impotente, mirando cómo el camino se disolvía en lo que a él se le antojaba una velocidad excesiva.

—Ciento veinticinco.

Ahora Vylander intentaba asegurar los controles, pues el terrible viento atacaba las superficies de control. Un hilo de sudor descendió por su mejilla izquierda y una gota cayó sobre su pierna. Con el rostro sombrío, esperó que el avión comenzara a elevarse, pero aún parecía como si una mano gigantesca presionase sobre el techo de la cabina.

—Ciento treinta y cinco nudos. Despedíos del indicador de los dos mil seiscientos metros.

—Arriba, nena, arriba —rogó Hoffman mientras los anuncios de Gold comenzaban a sucederse rápidamente.

—Ciento cuarenta y cinco nudos. Nos quedan mil metros. —Se volvió hacia Vylander—. Acabamos de pasar el punto de no retorno.

—Vaya con el margen de seguridad del almirante Bass —murmuró Vylander.

—Nos acercamos a los últimos setecientos metros. Velocidad ciento cincuenta y cinco.

Vylander podía ver las luces rojas al extremo de la pista. Tenía la sensación de estar timoneando una roca. Gold lo miraba nerviosamente, anticipando el movimiento de los codos que significaba que el mayor había movido los controles para iniciar el despegue. Vylander permanecía inmóvil, inmutable como un saco de cemento.

—Oh, Dios mío... la señal de los trescientos metros... ahí viene, ahí viene... ha pasado.

Vylander movió suavemente los controles. Durante casi tres segundos que parecieron una eternidad, no ocurrió nada. Pero después, con dolorosa lentitud, el Stratocruiser se elevó del suelo y comenzó a subir, apenas cuarenta metros antes del final de la pista.

—¡Arriba el tren! —ordenó con voz ronca.

Transcurrieron unos instantes de inquietud hasta que el tren de aterrizaje entró en su cámara, y Vylander pudo sentir un leve aumento de la velocidad en el aire.

—Tren arriba y cerrado —dijo Gold.

A ciento treinta metros se elevaron los alerones, y los hombres que ocupaban la cabina emitieron un suspiro de alivio, mientras Vylander viraba hacia el noroeste. Las luces de Denver pestañearon a babor, pero el cielo encapotado pronto las ocultó. Vylander no disminuyó su vigilancia hasta que la velocidad de la máquina sobrepasó los doscientos nudos y el altímetro mostró que el avión estaba a más de mil metros del suelo.

—Arriba, arriba —suspiró Hoffman—. Reconozco que durante un rato alimenté ciertas dudas.

—Como todos —dijo Burns, sonriendo.

Apenas atravesó las nubes, y después de estabilizar el Stratocruiser a cinco mil metros, con rumbo oeste, hacia las Rocosas, Vylander dijo a Gold:

—Tome los mandos. Voy a revisar la carga.

Gold lo miró. En general, el mayor no entregaba los mandos cuando apenas se había iniciado el vuelo.

—Sí, señor —dijo Gold, mientras se instalaba frente a los mandos.

Vylander aflojó el cinturón del asiento y la correa de seguridad, y entró en el depósito de la máquina; pero previamente se aseguró de que la puerta de comunicación con la cabina de mando estaba cerrada.

Contó treinta y seis relucientes cilindros de acero inoxidable, firmemente sujetos a las planchas de madera del puente. Comenzó a examinar con cuidado la superficie de cada cilindro. Buscó las habituales marcas militares a lápiz, que solían indicar el peso, la fecha de fabricación, las iniciales del inspector, las instrucciones de manejo. No había nada.

Después de casi quince minutos pensó renunciar al intento y regresar a la cabina, cuando de pronto vio una pequeña placa de aluminio que había caído entre las planchas. Una de las caras tenía un adhesivo, y Vylander experimentó un sentimiento de alborozo cuando vio que la placa encajaba en una mancha pegajosa del acero inoxidable, el lugar donde había estado pegada. Examinó la placa a la débil luz del depósito, y revisó con cuidado la cara limpia. La minúscula leyenda grabada confirmó sus peores temores.

Permaneció un momento con los ojos fijos en la placa de aluminio. De pronto, un sacudón de la máquina lo arrancó de su ensimismamiento, corrió hacia la puerta de comunicación y la abrió bruscamente.

Estaba llena de humo.

—¡Máscaras de oxígeno! —gritó Vylander. Apenas podía ver a Hoffman y a Burns. Gold estaba completamente envuelto en una bruma azulada. Se abrió paso hasta el asiento del piloto y buscó su propia máscara y arrugó la nariz al percibir el olor acre de un cortocircuito eléctrico.

—¡Torre Buckley, aquí Vixen 03! —gritaba Gold a un micrófono—. Tenemos humo en la cabina. Pedimos instrucciones para aterrizaje de emergencia.

—Tomo los mandos —dijo Vylander.

—Muy bien.

—Gold obedeció sin vacilar.

—¿Burns?

—¿Señor?

—¿Qué demonios pasa?

—No puedo asegurarlo, con tanto humo. —La voz de Burns sonaba hueca bajo la máscara de oxígeno—. Parece un cortocircuito en el sector del radiotransmisor.

—Torre Buckley, aquí Vixen 03 —insistió Gold—. Maldita sea, contestad.

—Es inútil, teniente —jadeó Burns—. No pueden oírlo. Nadie puede oírlo. El interruptor de circuito del equipo de radio seguramente lo impide.

A Vylander le lloraban tanto los ojos que apenas podía ver.

—Iniciaré el regreso a Buckley —anunció tranquilamente.

Pero antes de que pudiese completar el giro de ciento ochenta grados, el C-97 comenzó a vibrar bruscamente, al unísono con un ruido de desgarramiento metálico. El humo desapareció como por arte de magia, una bocanada de aire helado irrumpió en el pequeño espacio, atacando como un enjambre de avispas la piel expuesta de los hombres. El avión temblaba como si fuera a desarmarse.

—¡Se ha desprendido una paleta de hélice del motor tres! —gritó Burns.

—Mierda, jamás… ¡Cortad el motor tres! —rugió Vylander—. Y detened lo que queda de la hélice.

Las manos de Gold se movieron veloces sobre el panel de mando y pronto cesó la vibración. Con el corazón oprimido, Vylander comprobó ansioso los instrumentos. Se le aceleró el pulso, y un temor cada vez más profundo comenzó a apoderarse de él.

—La paleta de la hélice ha atravesado el fuselaje —informó Hoffman—. Hay una rasgadura de metro y medio en la pared del depósito, y un embrollo de cables y líneas hidráulicas.

—Eso explica adónde fue a parar el humo —comentó secamente Gold—. Salió al exterior cuando la cabina perdió presión.

—También explica por qué los alerones y el timón no responden —agregó Vylander—. Podemos subir y bajar, pero no virar ni inclinarnos.

—Tal vez podamos girar abriendo y cerrando los carenajes de los motores uno y cuatro —sugirió Gold—. Por lo menos, lo suficiente para retornar a Buckley.

—No podemos llegar a Buckley —dijo Vylander—. Sin el motor tres estamos perdiendo altura a razón de treinta metros por minuto. Tendremos que aterrizar en las Rocosas.

El anuncio fue recibido con un silencio de asombro. Vylander vio y casi pudo oler cómo se acentuaba el miedo entre los miembros de su tripulación.

—Dios mío —gimió Hoffman—. No podremos hacerlo. Chocaremos contra una montaña.

—Todavía tenemos potencia y cierto control sobre el aparato —dijo Vylander—. Y ya salimos de la tormenta, de modo que al menos vemos nuestro curso.

—Agradezcamos al cielo sus pequeñas mercedes —gruñó Burns.

—¿Cuál es el rumbo? —preguntó Vylander.

—Dos-dos-siete sudoeste —respondió Hoffman—. Nos hemos desviado casi ochenta grados del curso señalado.

Vylander se limitó a asentir. No había más que decir. Concentró todos sus esfuerzos en mantener el equilibrio del Stratocruiser. Pero no había modo de evitar el rápido descenso. Incluso usando toda la fuerza de los tres motores restantes, el avión excesivamente cargado no podía conservar la altura. Gold y él solamente podían contemplar imponentes el lento y sostenido deslizamiento hacia el suelo, a través de los valles rodeados por las montañas de cuatro mil quinientos metros de las Rocosas de Colorado.

Pronto alcanzaron a ver los árboles que asomaban entre la alfombra de nieve que cubría las montañas. A más de cuatro mil metros las cúspides irregulares comenzaron a perfilarse a mayor altura que los extremos de las alas. Gold encendió las luces de aterrizaje y buscó desesperadamente campo abierto para descender. Hoffman y Burns permanecieron sentados e inmóviles, tensos, esperando el choque inevitable.

La aguja del altímetro indicó menos de tres mil trescientos metros. Tres mil metros. Era un milagro haber descendido tanto sin que una pared de roca hubiese interrumpido bruscamente el vuelo. De pronto, casi directamente frente a ellos, los árboles se abrieron y las luces de aterrizaje revelaron un campo liso, cubierto de nieve.

—¡Un prado! —gritó Gold—. ¡Un hermoso y maravilloso prado alpino cinco grados a estribor!

—Lo veo —confirmó Vylander, y logró el necesario desvío del Stratocruiser manipulando las aletas de los carenajes del motor y las válvulas.

No había tiempo para cumplir el formalismo de la lista de control. Debía jugarse a todo o nada; un aterrizaje de manual con el tren fuera de funcionamiento. El mar de árboles desapareció bajo la nariz de la cabina, y Gold cortó el encendido y los circuitos eléctricos mientras Vylander frenaba el Stratocruiser a escasos seis metros sobre el suelo. Los tres motores restantes se apagaron, y la gran sombra oscura del suelo se elevó rápidamente y se cerró sobre el fuselaje que bajaba.

El golpe fue menos brutal que lo que ellos habían esperado. El vientre del avión tocó la nieve y rebotó suavemente, una, dos veces, y después se asentó como un esquí gigantesco. Vylander no habría podido decir cuánto tiempo continuó el deslizamiento angustioso e incontrolado. Los breves segundos pasaron como minutos. Y después, el avión caído se detuvo torpemente, y hubo un silencio profundo, mortalmente insonoro y ominoso.

Burns fue el primero en reaccionar.

—¡Dios mío… lo hemos conseguido! —murmuró con voz temblorosa.

Con el rostro ceniciento, Gold miró a través del parabrisas. Solo vio una superficie blanca. Un manto impenetrable de nieve había recubierto el cristal. Se volvió lentamente hacia Vylander y abrió la boca para decir algo, pero la voz se ahogó en su garganta.

Una fuerte vibración sacudió de pronto al Stratocruiser, y siguió el ruido agudo, estridente, del metal torturado, desgarrado y retorcido.

La superficie blanca de las ventanas se disolvió en una densa pared de oscuridad fría, y después no hubo nada... absolutamente nada.

En su oficina del Cuartel General Naval de Washington, el almirante Bass estudió distraídamente un mapa que indicaba el curso programado para el Vixen 03. Lo conocía de memoria; sus líneas estaban inscritas en los cansados ojos, en las pálidas y hundidas mejillas del marino; pesaban sobre la encorvada espalda. Durante los últimos cuatro meses Bass había envejecido prodigiosamente. Sonó el teléfono, y el almirante descolgó el auricular.

—¿Almirante Bass? —dijo una voz conocida.

—Sí, señor presidente.

—El secretario Wilson me dice que usted desea suspender la búsqueda del Vixen 03.

—Es cierto —dijo en voz baja Bass—. Creo que no tiene sentido prolongar la agonía. Los aviones de la Marina, la fuerza aérea y las unidades terrestres del Ejército han rastreado cada centímetro de tierra y mar a cincuenta millas a cada lado de la ruta del vuelo programado para el Vixen 03.

—¿Qué opina usted?

—Que los restos descansan en el fondo del océano Pacífico —contestó Bass.

—¿Cree que se apartó de la costa Oeste?

—Sí.

—Ojalá esté en lo cierto, almirante. Dios nos ayude si cayó en tierra.

—Si así hubiera sido, ya lo sabríamos —dijo Bass.

—Sí. —El presidente vaciló—. Creo que ya lo sabríamos.

—Otra pausa—. Archive el asunto Vixen 03. Entiérrelo, y muy hondo.

—Así lo haré, señor presidente.

Bass devolvió el auricular a la horquilla y se recostó en su sillón. Era un hombre derrotado al final de una carrera profesional prolongada, y en otros aspectos distinguida.

Volvió a mirar el mapa.

—¿Dónde? —dijo en voz alta—. ¿Dónde estás? ¿Adónde demonios has ido?

No hubo respuesta. Jamás se recogió un indicio acerca de la desaparición del infortunado Stratocruiser. Era como si el mayor Vylander y su tripulación se hubiesen hundido en el olvido.

I
VIXEN 03

1

Colorado - Septiembre de 1988

Dirk Pitt se desperezó, emitió un profundo y largo bostezo y cobró conciencia de lo que lo rodeaba. Había llegado al oscurecer a la cabaña en la montaña, y las llamas del fuego encendido en el gran hogar de piedra, y la luz que provenía de las lámparas de queroseno de olor acre no le habían permitido obtener una imagen muy favorable del interior, con sus superficies de pino rugoso.

Fijó los ojos en un viejo reloj Seth Thomas colgado de una pared. La noche anterior había dado cuerda al reloj, y lo había ajustado; le pareció que era lo que correspondía hacer. Después miró la maciza cabeza cubierta de telarañas de un ciervo, que lo miraba con ojos vidriosos y polvorientos. Un poco más lejos se abría una amplia ventana que ofrecía una impresionante imagen de la irregular cadena montañosa de Sawatch, en las profundidades de las Rocosas de Colorado.

Cuando al fin el sueño se disipó del todo, Pitt debió afrontar su primera decisión del día: permitir que sus ojos se regodearan con la grandiosidad del paisaje, o deleitarse con el cuerpo de suaves contornos de la representante por Colorado, la señorita Loren Smith, que estaba sentada, desnuda, sobre una alfombra de retazos, consagrada a sus ejercicios de yoga.

Por supuesto, Pitt optó por la representante Smith.

Ella estaba sentada, con las piernas cruzadas, en la postura del loto, inclinándose hacia atrás y apoyando en la alfombra los codos y la cabeza. Pitt llegó a la conclusión de que los tensos montículos sobre el pecho bien podían avergonzar a las cumbres de granito del Sawatch.

—¿Cómo llamas a esa contorsión indigna de una dama? —preguntó.

—El Pez —replicó ella, sin moverse—. El propósito de este ejercicio es endurecer los pechos.

—Desde un punto de vista masculino —dijo Pitt con expresión burlonamente pomposa—, no apruebo los pechos duros como piedra.

—¿Los prefieres caídos y flojos? —Los ojos violeta de la joven se desviaron hacia Pitt.

—Bien… no precisamente. Pero quizá un poco de silicona aquí y allá…

—Ese es el problema con la mentalidad masculina —replicó ella, mientras se sentaba y se echaba hacia atrás los largos cabellos color canela—. Los hombres creen que todas las mujeres deberían tener pechos grandes como globos, como esos insípidos ejemplares que aparecen en las páginas centrales de algunas revistas.

—Ojalá así fuera.

Ella lo miró con severidad.

—Pues lo siento. Tendrás que arreglártelas con los míos, que son talla pequeña. Es lo único que tengo.

Él extendió la mano, rodeó el torso de la joven con un brazo musculoso, y la arrastró, parte sobre la cama y parte fuera de ella.

—Colosales o pequeños —se inclinó y besó tiernamente cada uno de los pezones— que ninguna mujer acuse de discriminación a Dirk Pitt.

Ella se incorporó y le mordió la oreja.

—Cuatro días juntos y solos. Ni llamadas telefónicas, ni reuniones, ni cócteles, ni ayudantes que me apremien. Me parece increíble. —Su mano se deslizó bajo las mantas y acarició el vientre del hombre—. ¿Qué te parece un poco de deporte antes del desayuno?

—Ah, la palabra mágica.

Ella esbozó una sonrisa perversa.

—¿Cuál? ¿Deporte o desayuno?

—Pienso en lo que dijiste antes, cuando hacías yoga. —Pitt saltó de la cama y empujó a Loren; ella cayó hacia atrás y sus caderas esculturales golpearon la cama—. ¿Cuál es el lago más próximo?

—¿Lago?

—Por supuesto. —Pitt rió al ver la expresión confusa de Loren—. Donde hay un lago, hay peces. No podemos perder todo el día en la cama cuando una hermosa trucha está esperando que le ofrezcamos la carnada.

Ella inclinó la cabeza, dubitativa, y lo miró. Él estaba de pie, con su metro ochenta y cinco de altura, el cuerpo esbelto bien bronceado, excepto la faja blanca alrededor de las caderas. Los largos cabellos negros enmarcaban un rostro que parecía exhibir una permanente expresión de severidad, pero que al mismo tiempo era capaz de distenderse en una sonrisa que podía transmitir un sentimiento profundo. Pero ahora él no sonreía. Sin embargo, Loren conocía bien a Pitt, y podía leer el regocijo en las arrugas alrededor de sus ojos increíblemente verdes.

—Macho grande y engreído —le dijo—. Estás burlándote de mí.

Loren se incorporó bruscamente, con la cabeza golpeó a Pitt en el estómago y lo arrojó sobre la cama. Pero ella no se engañó ni un instante con su presunta fuerza. Si Pitt no hubiese relajado el cuerpo y aceptado el golpe, ella habría rebotado como una pelota.

Antes de que Pitt pudiese protestar, Loren se puso a horcajadas sobre él y sus manos le oprimieron los hombros. Él se puso tenso, colocó las manos alrededor de la cintura de Loren y pellizcó su cadera blanda y suave. Ella sintió la erección bajo su cuerpo, y el calor del hombre pareció irradiar a través de la piel femenina.

—Conque pescar —dijo ella con voz ronca—. La única caña que tú sabes manejar no tiene hilo.

Desayunaron a mediodía. Pitt se duchó y vistió, y regresó a la cocina. Loren estaba inclinada sobre el fregadero, frotando vigorosamente una sartén ennegrecida. Tenía puesto solo un delantal. Él permaneció de pie en el umbral, mirando el balanceo de sus pechos pequeños, y abotonándose lentamente la camisa.

—Me gustaría saber qué dirían tus electores si pudiesen verte ahora —dijo él.

—Al demonio con mis electores —respondió Loren, con una mueca perversa—. Mi vida privada no les concierne.

—Al demonio con mis electores —repitió solemne Pitt, y realizó unos trazos en el aire como si estuviera escribiendo—. Otra faceta de la vida escandalosa de la pequeña Loren Smith, representante de Colorado, uno de los estados agobiados por el pecado y la corrupción.

—Eso no me parece divertido. —Loren se volvió y lo amenazó con la sartén—. En mi estado no se hacen negocios turbios, y yo soy la última persona del Congreso a quien podría acusarse de aceptar sobornos.

—Ah… pero tus excesos sexuales. Piensa en lo que los periodistas podrían decir de eso. Yo mismo podría denunciarte y escribir un *bestseller.*

—Mientras no mantenga a mis amantes con dinero oficial, o los agasaje con mi cuenta de gastos del Congreso, nadie puede decir una palabra.

—¿Y qué dices de mí?

—Pagaste la mitad de las provisiones, ¿recuerdas? —Loren secó la sartén y la depositó en el armario.

—¿Cómo puedo vivir de las mujeres —dijo Pitt con tristeza—, si tengo por amante a una egoísta?

Ella le rodeó el cuello con los brazos y le besó el mentón.

—La próxima vez que conozcas a una mujer en un cóctel en Washington, sugiero que pidas el estado de su cuenta.

«Santo Dios —recordó Loren—, esa terrible reunión organizada por el secretario de Recursos Naturales.» Loren odiaba la vida social de Washington. A menos que se celebrara una reunión que afectase los intereses de Colorado, o que se relacionara con sus propias tareas, ella solía volver a casa después del trabajo, para atender a un gato llamado Ichabod y sentarse frente al televisor.

De pie, a la luz parpadeante de las antorchas distribuidas por el jardín, había atraído magnéticamente hacia su persona los ojos de Loren. Ella lo miró descaradamente, mientras sostenía una conversación política con otro miembro del Partido Independiente, el señor Morton Shaw, de Florida. Loren sintió que el pulso se le aceleraba. Eso ocurría rara vez, y ella se preguntó por qué ahora. No era apuesto, por lo menos al estilo de Paul Newman, y sin embargo su persona sugería un carácter viril y decidido, y eso la había atraído. Era alto, y ella prefería a los hombres altos. Él estaba solo, sin hablar con nadie, y observaba a la gente con expresión de auténtico interés más que de hastiado distanciamiento. Cuando advirtió la mirada de Loren, se limitó a mirarla con una expresión franca.

—¿Quién es esa estatua que está allí, en la sombra? —preguntó a Morton Shaw.

Shaw se volvió y miró a la dirección indicada por Loren. Pestañeó cuando reconoció al hombre, y se echó a reír.

—¿Dos años en Washington y no sabe quién es?

—Si lo supiera no preguntaría —dijo ella altivamente.

—Se llama Pitt. Dirk Pitt. Es director de proyectos especiales de la Agencia Nacional de Investigaciones Marinas… Es el hombre que dirigió la operación de rescate del *Titanic*.

Loren pensó que había sido estúpido no haber relacionado al hombre con el episodio. Su fotografía y el relato del exitoso rescate del famoso transatlántico habían aparecido en todos los diarios y medios de difusión durante semanas. De modo que ese era el hombre que había afrontado lo imposible, y triunfado en la empresa. Se disculpó con Shaw y se abrió paso entre la gente para acercarse a Pitt.

—Señor Pitt —dijo, y fue todo lo que alcanzó a decir. Una ráfaga movió en ese momento las llamas de las antorchas, y el movimiento de la luz se reflejó en los ojos de Pitt. Loren sintió en el estómago una fiebre que solo había sentido una única vez, cuando era muy joven y se había enamorado de un esquiador profesional. Se sintió agradecida porque la escasa luz disimulaba el sonrojo que sin duda le había teñido las mejillas.

—Señor Pitt —repitió. No atinaba a pronunciar las palabras apropiadas. Él la miró, esperando. Encuentra una forma de empezar, estúpida, se increpó Loren. Finalmente, atinó a hablar—. Ahora que ya rescató al *Titanic*, ¿cuál es su próximo proyecto?

—Uno muy interesante —dijo él, y sonrió con expresión cálida—. Mi próximo proyecto me traerá muchísima satisfacción personal, y pienso disfrutarlo intensamente.

—¿Y en qué consiste?

—En seducir a la representante Loren Smith.

Loren lo miró con los ojos abiertos.

—¿Bromea?

—Nunca tomo en broma el sexo con una deslumbrante política.

—Es usted ingenioso. ¿El partido opositor le encomendó esa tarea?

Pitt no contestó. La cogió de la mano y la hizo cruzar la casa, llena de miembros de la élite de Washington, en dirección a la salida, hasta su propio automóvil. Ella lo siguió sin protestar, por curiosidad más que por sumisión.

Cuando él salió con el automóvil a la calle bordeada de árboles, ella se decidió a preguntar:

—¿Adónde me lleva?

—Primer paso —sonrió animoso—, encontrar un bar acogedor donde podamos distendernos y comunicarnos nuestros deseos más íntimos.

—¿Y segundo paso? —preguntó ella, en voz baja.

—Una excursión por la bahía de Chesapeake, en una lancha deportiva con alerones.

—Ni hablar.

—Creo que la aventura y la excitación siempre consiguen transformar a las bellas representantes en mujeres insaciables.

Después, mientras la tibieza del sol matutino se derramaba sobre la lancha, Loren habría sido la última persona en el mundo dispuesta a discutir la teoría de la seducción formulada por Pitt. Observó con satisfacción sensual que los hombros de Pitt mostraban las marcas de los dientes y las uñas femeninos, y que eso probaba la teoría.

Loren apartó los brazos del cuello de Pitt y lo empujó hacia la puerta delantera de la cabaña.

—Ya hemos jugado bastante. Tengo que despachar mucha correspondencia antes de que vayamos mañana a Denver a hacer compras. ¿Por qué no vas a pasear, o a hacer algo por el estilo? Después prepararé una sabrosa cena, y pasaremos otra velada perversa calentándonos junto al fuego.

—Creo que yo estoy completamente pervertido —dijo él mientras se estiraba—. Además, los paseos al aire libre no me interesan demasiado.

—En ese caso ve a pescar.

Él la miró.

—Nunca acabaste de explicarme dónde puedo pescar.

—A medio kilómetro, pasando la colina que está detrás de la cabaña. El lago de la Mesa. Papá solía pescar allí sus mejores truchas.

—Por tu culpa, salgo tarde.

—Lo siento —repuso ella.

—No traje mis utensilios de pesca. ¿Tu padre dejó alguno?

—Bajo la cabaña, en el garaje. Solía guardar allí sus cosas. Las llaves de la puerta están sobre la repisa de la chimenea.

La cerradura estaba deteriorada por la falta de uso. Pitt mojó con saliva la llave y la hizo girar con toda la fuerza que se atrevió a emplear. Al fin, la cerradura cedió, la vieja doble puerta se abrió con un chirrido. Después de esperar un momento para adaptar los ojos a la oscuridad, entró y miró alrededor.

Había un polvoriento banco de trabajo, y todas las herramientas colgaban ordenadamente en sus respectivos lugares. En varios estantes vio recipientes de distintos tamaños, algunos con pinturas y otros con clavos y distintas herramientas.

Pitt encontró bajo el banco una caja con los elementos de pesca. Necesitó más tiempo para encontrar la caña. Alcanzó a distinguir una en un rincón oscuro del garaje. En el camino se interponía lo que parecía ser una máquina voluminosa, cubierta por un lienzo. No pudo alcanzar la caña de pescar, de modo que trató de pasar sobre la máquina. El objeto se movió bajo el peso de Pitt, y el hombre cayó hacia atrás, aferrándose al lienzo en un inútil esfuerzo por recobrar el equilibrio antes de que ambos fueran a parar al sucio suelo del garaje.

Pitt maldijo, se sacudió el polvo y miró lo que le impedía pasar la tarde dedicado a la pesca. Una expresión de extrañeza se dibujó en su rostro. Se arrodilló y pasó la mano sobre los dos voluminosos objetos que había descubierto por accidente. Luego se puso de pie, salió del garaje y llamó a Loren.

La joven se asomó al balcón.

—¿Qué problema tienes?

—Baja un momento.

De mala gana, ella se puso una chaqueta beige claro y bajó. Pitt la condujo al interior del garaje y señaló.

—¿Dónde encontró tu padre estas cosas?

Ella se inclinó y aguzó la vista.

—¿Qué es?

—El artefacto redondo y amarillo es el tanque de oxígeno de un avión. El otro es la pieza del morro de un avión, con ruedas y neumáticos. Todo muy viejo, a juzgar por el grado de corrosión y suciedad.

—Esto es nuevo para mí.

—Sin duda lo viste antes. ¿Nunca vienes al garaje?

Loren meneó la cabeza.

—No he entrado aquí desde que me presenté a las elecciones. Es la primera vez que vengo a la cabaña de papá desde que él murió en un accidente, hace tres años.

—¿Oíste decir alguna vez que un avión cayera cerca de aquí? —preguntó Pitt.

—No, pero eso no significa que no haya ocurrido. Rara vez veo a mis vecinos, así que no tengo muchas oportunidades de enterarme de los chismes locales.

—¿Dónde están?

—¿Quiénes?

—Tus vecinos más próximos. ¿Dónde viven?

—Bajando el camino, en dirección a la ciudad. El primer recodo hacia la izquierda.

—¿Cómo se llaman?

—Raferty. Lee y Maxine Raferty. Él es jubilado de la Marina. —Loren cogió una mano de Pitt y la apretó fuertemente—. ¿Por qué tantas preguntas?

—Curiosidad, y nada más. —Él alzó la mano de Loren y la besó—. Te veré a la hora de probar esa extraordinaria cena. —Se volvió y comenzó a descender por el camino.

—¿No vas a pescar? —preguntó ella.

—Siempre he odiado ese deporte.

—¿No quieres el jeep?

—Recuerda que me recomendaste un paseo al aire libre —gritó Pitt por encima del hombro.

Loren miró hasta que Pitt desapareció en un bosquecillo de pinos, y meneó la cabeza ante los caprichos incomprensibles de los hombres. Luego subió deprisa a la cabaña para protegerse del frío de comienzos del otoño.

2

Maxine Raferty tenía todo el aspecto de las mujeres del Oeste. Era corpulenta y llevaba un holgado vestido estampado; usaba gafas sin montura y sus cabellos plateados estaban sujetos por una red. La encontró sentada en el porche del frente de una cabaña de madera de cedro, leyendo una novela policíaca de bolsillo. Lee Raferty, un hombre alto y delgado, estaba en cuclillas, engrasando los engranajes del eje delantero de una vieja y maltratada camioneta International. En ese momento Pitt venía subiendo a la cabaña y los saludó.

—Buenas tardes.

Lee Raferty retiró de la boca un cigarro apagado y muy masticado, e hizo un gesto con la cabeza.

—Hola.

—Hermoso día para hacer ejercicio —dijo Maxine, examinando a Pitt por encima del libro.

—La brisa fresca ayuda —repuso Pitt.

Ambos rostros mostraban cordialidad, pero también la cautela de la gente de campo frente a los forasteros que se inmiscuyen en sus asuntos, sobre todo si es gente con aspecto de venir de la ciudad. Lee se limpió las manos con un trapo grasiento y se acercó a Pitt.

—¿Podemos servirle en algo?

—Pueden, si ustedes son Lee y Maxine Raferty.

La respuesta arrancó de su silla a Maxine.

—Somos los Raferty, sí.

—Me llamo Dirk Pitt. Soy invitado de Loren Smith, la señorita que vive al final del camino.

Anchas sonrisas reemplazaron a las expresiones inquietas.

—Por supuesto, la pequeña Loren Smith —dijo Maxine, sonriente—. Aquí todos nos sentimos muy orgullosos de ella, ahora que es nuestra representante en Washington.

—Pensé que quizá ustedes podrían darme alguna información acerca de la región.

—Con mucho gusto —contestó Lee.

—No te quedes ahí inmóvil como un árbol —dijo Maxine a su marido—. Trae algo de beber a este hombre. Parece tener sed.

—Por supuesto; ¿quiere una cerveza?

—Gracias —dijo Pitt, sonriendo.

Maxine abrió la puerta principal y empujó a Pitt hacia el interior.

—Quédese a almorzar. —Era más una orden que una invitación, y Pitt no tuvo más remedio que asentir.

La sala de la casa tenía techo alto, sostenido por vigas, y

un dormitorio en la planta de arriba. El decorado era un caro conglomerado de adornos y muebles. Pitt tuvo la sensación de que había regresado a la década de 1930. Lee fue a la cocina y volvió muy pronto con dos botellas abiertas. Pitt no pudo dejar de advertir que las botellas no tenían etiqueta.

—Espero que le agrade la bebida preparada en casa —dijo Lee—. Me llevó cuatro años conseguir la combinación justa entre demasiado dulce y demasiado amargo. Tiene casi un ocho por ciento de alcohol.

Pitt la probó. Era diferente de lo que había esperado. Si no hubiese percibido un leve saborcillo a levadura, habría dicho que el producto era apto para la venta comercial.

Maxine puso la mesa y les invitó a acercarse. Luego llevó una fuente de ensalada de patatas, una cazuela de habas horneadas, y una fuente de finas rebanadas de carne. Lee reemplazó las botellas de cerveza, que se habían vaciado rápidamente, por otras dos, y empezó a pasar los platos.

La ensalada de patatas estaba perfectamente aderezada. Las habas horneadas venían con una capa de bechamel. Pitt no pudo identificar la carne, pero le supo deliciosa. A pesar de que había almorzado con Loren apenas una hora antes, el aroma de la comida casera lo indujo a comer con voracidad.

—¿Hace mucho que viven aquí? —preguntó Pitt.

—Solíamos venir de vacaciones a las montañas Sawatch ya a finales de los cincuenta —dijo Lee—. Y nos mudamos aquí después que me retiré de la Marina. Yo era buzo. Pero me intoxiqué con nitrógeno a causa de la descompresión, y me jubilé antes. Veamos, seguramente fue durante el verano del setenta y uno.

—Setenta —dijo Maxine, corrigiendo a su marido.

Lee Raferty hizo un guiño a Pitt.

—Max nunca olvida nada.

—¿Sabe de algún avión caído en un radio de quince kilómetros?

—Nada. —Lee miró a su esposa—. ¿Qué me dices, Max?

—Pero ¿Lee, en qué piensas? ¿No recuerdas al pobre

médico y su familia, los que se mataron cuando su avión cayó detrás de Diamond? ¿Cómo están las habas, señor Pitt?

—Excelente —dijo Pitt—. ¿Diamond es una localidad próxima?

—Solía serlo. Ahora no es más que un cruce de caminos y un rancho abandonado.

—Ahora lo recuerdo —dijo Lee, mientras se servía una segunda porción de carne—. Uno de esos aviones pequeños. Se quemó por completo. No quedó nada. El sheriff del distrito necesitó más de una semana para identificar los restos.

—Fue en abril de 1974 —dijo Maxine.

—Me interesa un avión más grande —explicó Pitt—. Un avión de pasajeros. Probablemente cayó hace treinta o cuarenta años.

Maxine miró al techo. Finalmente, meneó la cabeza.

—No, no sé nada de un desastre aéreo tan importante. Por lo menos, no por aquí.

—¿Por qué lo pregunta, señor Pitt? —quiso saber Lee.

—En el garaje de la señorita Smith encontré piezas de un viejo avión. Seguramente su padre las puso allí. Pensé que quizá encontró algo en las montañas.

—Charlie Smith —dijo Maxine—. Dios se apiade de su alma. Solía idear planes para enriquecerse, y para eso tenía más imaginación que un estafador con subvención.

—Quizá compró esas piezas en un almacén de desechos de Denver, para construir uno de sus inventos que jamás funcionaban.

—Según parece el padre de Loren era un inventor fracasado.

—Así podríamos definir al pobre Charlie. —Lee se echó a reír—. Recuerdo una vez que quiso producir un lanzador automático para pescar. El condenado lanzador dirigía la carnada a todas partes, menos al agua.

—¿Por qué dice «el pobre Charlie»?

En el rostro de Maxine se dibujó una expresión dolorida.

—Supongo que a causa del modo horrible en que murió. ¿Loren no le habló nunca de eso?

—Me dijo únicamente que había ocurrido hace tres años. Lee indicó la botella casi vacía de Pitt.

—¿Otra cerveza?

—No, gracias. He bebido suficiente.

—La verdad es que Charlie voló —dijo Lee.

—¿Voló?

—Creo que con dinamita. Nunca se pudo aclarar. Lo único que se consiguió identificar fue una bota y un pulgar.

—El informe del sheriff decía que fue otro de los inventos fracasados de Charlie —agregó Maxine.

—¡Y una mierda! —gruñó Lee.

—Cuida tus expresiones. —Maxine dirigió una mirada reprobadora a su marido.

—Esa es mi verdadera opinión. Charlie sabía más que nadie de explosivos. Fue experto militar en demoliciones. Caray, si desactivó bombas y granadas de artillería por toda Europa durante la Segunda Guerra Mundial.

—No le haga caso —dijo Maxine—. A Lee se le metió en la cabeza que Charlie fue asesinado. Ridículo. Charlie Smith no tenía ningún enemigo. Su muerte fue accidental.

—Todos tienen derecho a su opinión —dijo Lee.

—¿Un poco de postre, señor Pitt? —preguntó Maxine—. He preparado unos crepes de manzana.

—Gracias, no podría comer ni un bocado más.

—¿Y tú, Lee?

—Tampoco tengo hambre —gruñó Raferty.

—No se preocupe, señor Raferty —dijo Pitt con expresión conciliadora—. Según parece la imaginación me juega malas pasadas. Pero encontrar piezas de un avión en medio de las montañas… Naturalmente, pensé que provenían de un accidente.

—A veces los hombres sois muy infantiles. —Max dirigió a Pitt una sonrisa maternal—. Confío en que el almuerzo le haya agradado.

—Era digno de un gourmet —dijo Pitt.

—Debí haber cocido un poco más esas ostras de las Rocosas. Estaban un poquito crudas. ¿No te pareció, Lee?

—A mí me gustaron.

—¿Ostras de las Rocosas? —preguntó Pitt.

—Sí, ya sabe —dijo Maxine—. Testículos de toro fritos. Lee insiste en comerlos por lo menos dos veces por semana.

—Es una carne excelente —dijo Lee, sonriendo.

—Quizá no tan excelente —murmuró Pitt, mirándose el estómago, y preguntándose si los Raferty tendrían bicarbonato. Lamentaba no haber ido a pescar.

3

A las tres de la madrugada Pitt estaba completamente despierto. Acostado en la cama, con Loren arrebujada junto a él, y mirando por las ventanas la silueta de las montañas, su mente repasaba imágenes que se sucedían como un calidoscopio. La última pieza de lo que había resultado un enigma perfectamente verosímil rehusaba encajar en su lugar. El sol comenzaba a clarear por el este cuando Pitt salió de la cama, se puso unos pantalones cortos y salió silenciosamente.

El viejo jeep de Loren estaba aparcado en el sendero. Se acercó al vehículo, cogió una linterna de la guantera, y entró en el garaje. Apartó el lienzo y estudió el tanque de oxígeno. Tenía forma cilíndrica, y Pitt llegó a la conclusión de que medía unos setenta y cinco centímetros de longitud y cuarenta y cinco de diámetro. Tenía la superficie rayada y abollada, pero lo que atrajo particularmente su interés fue el estado de las agarraderas. Después de varios minutos desvió la atención hacia el tren de aterrizaje delantero.

Las ruedas gemelas estaban unidas por un mismo eje, fijado a los cubos como el rasgo transversal de una T al eje central. Los neumáticos tenían el perfil cilíndrico, y el dibujo mostraba poco desgaste. Tenían una altura de casi noventa centímetros, y aunque pareciera extraño todavía contenían aire.

Crujió la puerta del garaje. Pitt se volvió y vio a Loren espiar hacia el interior. Dirigió sobre ella el haz de luz. La joven vestía únicamente un peinador de nailon azul. Se había recogido los cabellos, y su rostro reflejaba una mezcla de temor e incertidumbre.

—¿Eres tú, Dirk?

—No —dijo él, sonriendo en la oscuridad—. Es tu lechero montañés.

Ella suspiró aliviada, se adelantó y aferró el brazo de él.

—No sirves para actor. Bien, ¿qué haces aquí?

—Estas cosas me inquietan. —Dirigió el haz de luz a los restos del avión—. Ahora sé la razón.

Loren permaneció inmóvil, temblando en ese garaje sucio y polvoriento bajo la cabaña silenciosa.

—Estás viendo una tormenta en un vaso de agua —murmuró—. Tú mismo lo dijiste: los Raferty te dieron una explicación lógica de cómo estos restos llegaron aquí. Es probable que papá los comprara en un almacén de desechos.

—No estoy tan seguro de ello —dijo Pitt.

—Siempre estaba comprando cosas viejas —arguyó Loren—. Mira este garaje; está repleto de sus extrañas invenciones inconclusas.

—Inconclusas, sí. Pero por lo menos hizo algo con las cosas restantes. En cambio, nunca tocó el tanque de oxígeno, ni el tren delantero. ¿Por qué?

—No hay nada misterioso en eso. Quizá papá murió antes de poder usarlos.

—Quizá.

—De modo que todo está aclarado —observó ella—. Volvamos a la cama antes de que muera de frío.

—Disculpa, pero aún no he terminado.

—¿Qué falta aún?

—Digamos que un guijarro en el zapato de la lógica —dijo él—. Mira esto, las agarraderas del tanque.

Loren se inclinó sobre el hombro de Pitt.

—Están rotas. ¿Qué esperabas encontrar?

—Si esto fue retirado de un avión viejo en un almacén de desechos, las agarraderas y los cierres de las líneas tendrían que estar cortados con pinzas o con un soplete. En cambio, aquí la ruptura fue obra de una fuerza terrible. Lo mismo puede decirse del tren delantero. El puntal se dobló y cortó exactamente debajo del amortiguador hidráulico. Pero es extraño: la rotura no ocurrió instantáneamente. La mayor parte del borde abollado está gastado y corroído, y en cambio una pequeña parte del extremo superior parece nueva. Se diría que el daño principal y la rotura final estuvieron separados por varios años.

—¿Y qué demuestra todo eso?

—Nada impresionante. Pero en todo caso indica que estas piezas no vienen de un almacén de desechos.

—Bien. ¿Satisfecho?

—No del todo. —Desplazó el tanque de oxígeno, lo sacó del garaje y lo depositó en el jeep—. No puedo mover solo el tren delantero. Tendrás que ayudarme.

—¿Qué te propones?

—Dijiste que atravesaríamos las montañas, porque necesitas hacer compras en Denver.

—¿Y bien?

—Pues que mientras tú haces tus compras, llevaré estas cosas al aeropuerto Stapleton, y encontraré a alguien que pueda identificar el avión de donde provienen.

—Pitt, no eres Sherlock Holmes. ¿Por qué te tomas tanto trabajo?

—Me entretiene. Estoy aburrido. Tú puedes ocuparte de tu correspondencia política. Yo estoy cansado de hablar todo el día con los árboles.

—Gozas de mi atención concentrada durante la noche.

—No solo de sexo vive el hombre.

Ella lo miró, fascinada, mientras Pitt movía dos tablas largas y las apoyaba contra la parte trasera del jeep.

—¿Preparada?

—No puede decirse que esté vestida para la ocasión —dijo ella con voz fría y carne de gallina.

—Entonces quítate eso, para no ensuciarlo.

Loren colgó de un clavo su peinador, intrigada acerca de la razón por la cual las mujeres instintivamente satisfacen los caprichos infantiles de los hombres. Después, los dos —Pitt con pantalones cortos, la representante Loren Smith completamente desnuda— empujaron y llevaron el tren delantero sobre la improvisada rampa, y al fin consiguieron meterlo en la parte trasera del jeep.

Mientras Pitt aseguraba las puertas del jeep, Loren permanecía de pie, bajo las primeras luces del alba, y se miraba la tierra y la grasa que le manchaban los muslos y el vientre, preguntándose qué la había inducido a conseguirse un amante chiflado.

4

Harvey Dolan, inspector principal de mantenimiento del Distrito Aéreo de la Administración Federal de Aviación, miró a contraluz sus gafas, y como las halló limpias, las ajustó sobre la nariz.

—¿Dice que los encontró en las montañas?

—A unos cincuenta kilómetros al noroeste de Leadville, en las montañas Sawatch —contestó Pitt. Tenía que hablar en voz muy alta para que su interlocutor lo oyese por sobre el estrépito de la grúa móvil que estaba transportando el tren delantero y el tanque de oxígeno del jeep al enorme hangar de inspección del distrito.

—Difícil sacar conclusiones —dijo Dolan.

—Pero usted puede proponer una conjetura más o menos informada.

Dolan se encogió de hombros, como rehusando el compromiso.

—Se podría comparar este caso con el del policía que encontró a un niño extraviado. El policía puede afirmar que es un niño con dos brazos y dos piernas, y que tiene dos años de edad. Las ropas del niño fueron compradas en J. C. Penney, y sus zapatos son de Buster Browns. Dice que su nombre de pila es Joey, pero no sabe su apellido, su dirección, ni el número de teléfono. Señor Pitt, estamos en la misma situación que ese policía.

—¿Puede traducir su analogía a detalles concretos? —preguntó Pitt, sonriendo.

—Por favor, observe —dijo Dolan, que había adoptado una actitud profesional. Extrajo del bolsillo un bolígrafo y lo movió como un puntero—. Tenemos ante nosotros el tren delantero de aterrizaje de un avión; un avión que pesaba treinta y cinco a cuarenta toneladas. Era un aparato de hélice, porque los neumáticos no fueron fabricados para soportar la tensión del aterrizaje de alta velocidad del avión a reacción. Asimismo, el diseño del puntal de conexión es de un tipo que no se construye desde la década de 1950. Por consiguiente, este aparato tiene entre treinta y cuarenta y cinco años. Los neumáticos vienen de Good Year y las ruedas de Rantoul Engineering, de Chicago. Pero con respecto a la fabricación del avión y a su propietario, me temo que no tenemos mucho en que basarnos.

—De modo que ahí termina el asunto —dijo Pitt.

—Usted se desalienta demasiado fácilmente —observó Dolan—. En el puntal hay un número de serie perfectamente legible. Si podemos determinar el tipo de avión para el cual fue fabricado este modelo especial de tren delantero, es bastante sencillo rastrear el número a través del fabricante, y determinar el tipo de avión.

—Según usted lo explica, parece fácil.

—¿Hay otros fragmentos?

—Solo lo que usted ha visto.

—¿Por qué los ha traído aquí?

—Imaginé que si alguien podía identificarlos, debía ser la Administración Federal de Aviación.

—De modo que nos pone en un aprieto, ¿eh? —dijo Dolan, sonriendo.

—Sin malicia —replicó Pitt, retribuyendo la sonrisa.

—No hay muchos elementos —insistió Dolan—, pero uno nunca sabe; quizá tengamos suerte.

Con el pulgar hizo un movimiento descendente, apuntando a un lugar que mostraba un círculo de pintura roja, sobre el piso de cemento. El operario de la grúa móvil hizo una señal con la cabeza y bajó la pala que sostenía las piezas. Después, dio marcha atrás a la grúa, realizó un giro de noventa grados y se alejó ruidosamente hacia otro extremo del hangar.

Dolan levantó el tanque de oxígeno y lo hizo girar en sus manos, como un conocedor que admira un vaso griego; después volvió a depositarlo en el suelo.

—No hay modo de rastrear esto —dijo—. Varios fabricantes continúan produciendo tanques estandarizados como este para veinte modelos diferentes de avión.

Dolan comenzó a interesarse en su tarea. Se arrodilló y examinó cada centímetro cuadrado del tren delantero. En determinado momento pidió a Pitt que lo ayudase a mover el artefacto. Pasaron cinco minutos sin que el hombre pronunciase palabra.

Finalmente, Pitt rompió el silencio.

—¿Le dice algo?

—Bastante. —Dolan se enderezó—. Pero desgraciadamente no es fácil de descifrar.

—Fue un tiro a ciegas —dijo Pitt—. Me siento culpable de haberle traído este enigma.

—Descuide —repuso Dolan—. Para eso me paga el gobierno. La Administración Federal de Aviación tiene archivados docenas de aviones cuyo destino nunca pudo aclararse. Si se nos ofrece la oportunidad de resolver un caso, la aprovechamos de buena gana.

—¿Cómo haremos para determinar la estructura del avión?

—Generalmente pedimos la ayuda de técnicos investigadores de nuestra división de ingeniería. Pero creo que dispararé un tiro a ciegas y tomaré un atajo.

Phil Devin, jefe de mantenimiento de United Airlines, es una enciclopedia viviente en la materia. Si alguien puede decirnos de qué se trata, es precisamente él.

—¿Tan eficiente es? —preguntó Pitt.

—Se lo aseguro —dijo Dolan con una sonrisa de suficiencia—. Así es de eficiente.

—Por cierto que no es usted fotógrafo. La iluminación es pésima.

Un cigarrillo sin filtro colgaba de los labios de Phil Devin mientras estudiaba las fotografías Polaroid que Dolan había tomado del tren delantero. Devin parecía un actor cinematográfico de carácter: el vientre abultado y una voz que parecía un gimoteo.

—No he venido aquí para participar en un concurso de fotografía artística —replicó Dolan—. ¿Puede o no decirnos algo acerca de estas ruedas?

—Me parecen más o menos conocidas… quizá el tren de un viejo B-29.

—Eso no nos sirve.

—¿Qué pretende después de mostrarme un montón de pésimas fotos? ¿Una identificación absoluta e irrefutable?
—Sí, había esperado algo así —replicó Dolan sin inmutarse.

Pitt comenzaba a preguntarse si tendría que arbitrar una pelea. Devin advirtió la mirada inquieta en los ojos de su visitante.

—Cálmese, señor Pitt —dijo y sonrió—. Harvey y yo tenemos una norma: nunca nos tratamos cortésmente en horas de trabajo. Pero apenas dan las cinco, interrumpimos la pelea y nos vamos a beber una cerveza.

—Y generalmente pago yo —observó con sequedad Dolan.

—Los empleados del gobierno están en mejores condiciones para afrontar gastos —dijo Devin.

—Acerca del tren delantero… —dijo Pitt, tratando de reencauzar la conversación.

—Oh, sí, creo que puedo decir algo. —Devin se puso pesadamente de pie, se apartó del escritorio y abrió un mueble archivo repleto de gruesos libros encuadernados con plástico negro—. Antiguos manuales de mantenimiento —explicó—. Probablemente soy el único loco de la aviación comercial que aún los conserva. —Retiró sin vacilar un volumen sepultado bajo el montón y comenzó a hojearlo. Después de unos instantes encontró lo que buscaba, y depositó sobre el escritorio el libro abierto—. ¿Creéis que es suficientemente parecido?

Pitt y Dolan se inclinaron y examinaron la fotografía de un tren delantero en primer plano.

—El diseño de las ruedas, las piezas y las dimensiones —Dolan tocó la página con el dedo— son exactamente los mismos.

—¿Qué avión es? —preguntó Pitt.

—Un Boeing Stratocruiser —contestó Devin—. En realidad, no erré demasiado cuando supuse que era un B-29. El Stratocruiser se basaba en el diseño del bombardero. La versión de la fuerza aérea se llamó C-97.

Pitt volvió las páginas y encontró una fotografía del avión en vuelo. Un avión de aspecto extraño: su fuselaje de dos puentes tenía la configuración de una gran ballena de vientre doble.

—Recuerdo haberlos visto de niño —dijo Pitt—. Pan American los usaba.

—Y también United —dijo Devin—. Volábamos a Hawai. Era un avión excelente.

—¿Y ahora qué? —dijo Pitt, volviéndose hacia Dolan.

—Ahora envío a Boeing, en Seattle, el número de serie del tren delantero, así como el pedido de que lo comparen con el avión original. También llamaré a la Junta Nacional de Seguridad del Transporte, en Washington, que podrá informarme sobre si se perdió algún Stratocruiser comercial en el territorio continental de Estados Unidos.

—¿Y si se descubre que así fue?

—La Administración Federal de Aviación iniciará la investigación oficial del misterio —dijo Dolan—. Y después veremos qué ocurre.

5

Pitt pasó los dos días siguientes en un helicóptero alquilado, cruzando las montañas y ampliando el área de búsqueda. Dos veces él y el piloto identificaron lugares donde habían ocurrido accidentes, pero en definitiva se descubrió que eran catástrofes perfectamente conocidas. Después de varias horas en el aire —las asentaderas entumecidas a causa de la inmovilidad, y el resto del cuerpo agotado por la vibración del motor y el maltrato infligido por los pozos de aire y las corrientes cruzadas—, Pitt se sintió realmente agradecido cuando divisó la cabaña de Loren, y el piloto aterrizó en un prado cercano.

Los esquís se hundieron en la hierba, y las paletas dejaron de ronronear y finalmente se detuvieron. Pitt desabrochó el cinturón de seguridad, abrió la portezuela y salió del helicóptero, regodeándose en una serie de movimientos destinados a estirar sus músculos.

—¿Mañana a la misma hora, señor Pitt? —El piloto tenía acento de Oklahoma, y cabello corto.

Pitt asintió.

—Iremos hacia el sur, y examinaremos el extremo inferior del valle.

—¿Piensa pasar por alto las laderas que hay encima de la línea boscosa?

—Si un avión hubiese caído en campo abierto, en treinta años habrían tenido tiempo de sobra para encontrarlo.

—Nunca se sabe. Recuerdo que un reactor de la fuerza aérea destinado a entrenamiento cayó en la ladera de una montaña, cerca de San Juan. El impacto provocó una avalancha y los restos sepultaron al avión. Las víctimas continúan bajo la roca.

—Supongo que esa es una posibilidad remota —dijo Pitt con expresión fatigada.

—Si desea conocer mi opinión, es la única posibilidad. —El piloto se interrumpió para sonarse la nariz—. Un avión pequeño y liviano puede caer entre los árboles y permanecer oculto toda la eternidad; pero no es el caso de un aparato de cuatro motores. Los pinos y los tiemblos no pueden disimular un desastre de tal magnitud. Y aunque lo hubieran hecho, es indudable que a estas horas un cazador ya lo habría hallado.

—Estoy dispuesto a escuchar cualquier teoría que explique los hechos —dijo Pitt. Por el rabillo del ojo vio a Loren que salía de la cabaña y atravesaba corriendo el prado. Pitt cerró la portezuela y con un gesto de la mano se despidió del piloto. Se volvió y no se molestó en mirar hacia atrás cuando el motor volvió a rugir. El aparato se elevó y zumbó sobre los árboles.

Loren se arrojó en brazos de Pitt, sin aliento a causa de la carrera en el aire enrarecido de la montaña. Se la veía vivaz y vibrante con sus ajustados pantalones blancos y el jersey rojo de cuello alto. Su rostro bien dibujado parecía resplandecer, iluminado por el sol del atardecer, y la luz oblicua acentuaba el efecto tiñendo de oro la piel femenina. Él la alzó y giró sobre sí mismo, y pegó su boca a la de Loren, mientras miraba aquel par de bellos ojos violeta que le devolvían la mirada. Nunca dejaba de divertir a Pitt el hecho de que Loren mantenía abiertos los ojos cuando besaba o hacía el amor, porque según afirmaba no deseaba perderse nada.

Finalmente, alzó la mano para indicar que estaba sin aliento, y apartó a Pitt, mientras arrugaba la nariz.

—¡Uf!, hueles mal.

—Lo lamento, pero permanecer todo el día bajo la cubierta plástica de un helicóptero es como deshidratarse en un invernadero.

—No necesitas disculparte. El olor almizclado de los hombres produce un efecto catastrófico sobre las mujeres. Por supuesto, el hecho de que también huelas a gasolina y aceite no es muy favorable.

—En ese caso, te abandono inmediatamente y me encamino hacia la ducha.

Ella echó una ojeada a su reloj.

—Después. Si nos damos prisa, todavía podemos alcanzarlo.

—¿Alcanzar a quién?

—A Harvey Dolan. Llamó.

—¿Cómo? Tú no tienes teléfono.

—Solo sé que un guardabosque vino y dijo que debías llamar a Dolan a su oficina. Que era importante.

—¿Dónde hay un teléfono?

—¿Dónde? En casa de los Raferty.

Lee estaba en la ciudad, pero Maxine de buena gana facilitó el teléfono a Pitt. Lo instaló frente a un viejo escritorio y le pasó el auricular. La operadora se mostró eficiente, y menos de diez segundos después Dolan estaba al otro extremo de la línea.

—¿Cómo demonios se le ocurre hacerme una llamada a cobro revertido? —gruñó.

—El gobierno puede pagar —dijo Pitt—. ¿Cómo pudo hacerme llegar su mensaje?

—La banda ciudadana de la radio de mi automóvil. Envié una señal desde un satélite de comunicaciones hasta la estación de guardabosques del Parque Nacional de Río Blanco, y les pedí que retransmitieran el mensaje.

—¿Ha conseguido algo?

—Algunas buenas noticias, y otras no tan buenas.

—Dígamelas por ese orden.

—La buena noticia es que me contestaron de Boeing. El tren delantero fue instalado como equipo original en el avión número 75.403. La noticia no tan buena es que ese avión pasó a poder de los militares.

—Entonces lo recibió la fuerza aérea.

—Así parece. En todo caso, la Junta Nacional de Seguridad del Transporte no registra la pérdida de un Stratocruiser comercial. Siento decirle que solo puedo llegar hasta aquí. En adelante, si quiere continuar investigando como ciudadano privado, tendrá que acudir a las fuerzas armadas. La seguridad aérea militar cae fuera de nuestra jurisdicción.

—Eso haré —replicó Pitt—. Aunque sea para calmar mis propias fantasías acerca de aviones fantasma.

—Supuse que diría algo así —observó Dolan—. De modo que me tomé la libertad de enviar una carta (en su nombre, por supuesto) preguntando acerca de la situación actual del Boeing 75.403, al inspector general de Seguridad de la base

Norton de la fuerza aérea, California. Cierto coronel Abe Steiger se pondrá en contacto con usted apenas descubra algo.

—¿Cuál es la función de este Steiger?

—En esencia, es mi contraparte militar. Realiza investigaciones acerca de las causas de los accidentes de la fuerza aérea en la región occidental.

—Entonces, pronto tendremos la respuesta a este enigma.

—Así parece.

—¿Usted qué opina, Dolan? —preguntó Pitt—. Su opinión sincera.

—Bien… —empezó cautelosamente Dolan—, no le mentiré, Pitt. Personalmente, creo que su avión perdido aparecerá en los archivos de un negociante de chatarra que compra desechos oficiales.

—Y yo que había pensado que este era el comienzo de una bella amistad.

—Usted quiso saber mi opinión.

—Harvey, le agradezco su ayuda. La próxima vez que vaya a Denver lo invitaré a almorzar.

—Nunca rechazo una comida gratis.

—Bien, ya nos veremos.

—Un momento. —Dolan respiró hondo—. Si yo acierto y hay una razón muy sencilla que explica la aparición de ese tren delantero en el garaje de la señorita Smith, ¿qué hará?

—Tengo la extraña sensación de que no será así —replicó Pitt.

Dolan colgó el auricular y permaneció sentado, mirándolo fijamente. Un extraño escalofrío le recorrió la espalda y le puso la carne de gallina. La voz de Pitt había sonado como si viniera de ultratumba.

6

Loren retiró la vajilla y llevó al balcón una bandeja con dos jarros de café humeante. Pitt estaba sentado en una silla que se apoyaba en las dos patas traseras, y descansaba los pies sobre la barandilla. A pesar del fresco aire de una noche de septiembre, llevaba un jersey de manga corta.

—¿Café? —preguntó Loren.

Como quien sale de un trance, él se volvió y la miró.

—¿Qué? —Después murmuró—: Disculpa, no te oí llegar.

Los ojos violeta lo estudiaron.

—Pareces un poseído —dijo Loren, pero sin saber muy bien por qué.

—Tal vez estoy volviéndome psicótico —Observó Pitt con una leve sonrisa—. Empiezo a ver aviones caídos en cada uno de mis pensamientos.

Ella le entregó una taza, y rodeó la otra con sus manos, para calentárselas.

—Esa tonta basura de papá. Desde que llegamos solamente piensas en eso. Has exagerado todo del modo más absurdo.

—No le encuentro sentido. —Pitt hizo una pausa y sorbió el café—. Llámalo la maldición de Pitt; no puedo abandonar un problema hasta que encuentro la solución. ¿Te parece extraño?

—Supongo que hay gente que se siente obligada a hallar respuestas a lo desconocido.

Él continuó hablando con aire distraído.

—No es la primera vez que he tenido un profundo sentimiento intuitivo acerca de algo.

—¿Y siempre aciertas?

Pitt se encogió de hombros y sonrió.

—A decir verdad, mi porcentaje de éxitos es aproximadamente uno de cada cinco.

—Y si se demuestra que los restos que trajo papá no provienen de un avión caído cerca de aquí, ¿qué harás?

—Lo olvidaré y volveré al mundo de las cosas prácticas.

Lo invadió un sentimiento de quietud. Loren se acercó y se sentó en sus rodillas, tratando de absorber el calor del cuerpo masculino en la fresca brisa que soplaba de las montañas.

—Todavía tenemos doce horas antes de abordar el avión que nos llevará de regreso a Washington. No deseo que nada eche a perder nuestra última noche. Por favor, vamos a acostarnos.

Pitt sonrió y le besó suavemente los ojos. Equilibró en sus brazos el peso de la joven y se puso de pie, alzándola con la misma facilidad con que habría podido levantar una gran muñeca rellena. Después la llevó al interior de la cabaña.

Decidió sensatamente que no era el momento apropiado para informarle que ella tendría que regresar sola a la capital de la nación; que él pensaba continuar allí y proseguir con su investigación.

7

Dos noches después, un Pitt deprimido estaba sentado a la mesa de la cabaña y examinaba una serie de mapas topográficos. Se recostó en la silla y se frotó los ojos. Lo único que había obtenido con sus esfuerzos era una amiga irritada y una abultada cuenta de la empresa que le había alquilado el helicóptero.

Oyó ruido de pasos. Subieron los peldaños que conducían al balcón principal, y poco después se recortaba en la ventana una cabeza totalmente afeitada y un rostro de amistosos ojos pardos y enorme bigote estilo káiser Guillermo.

—Eh, los de la casa —saludó la voz que parecía llegar de un par de botas de gran tamaño.

—Adelante —contestó Pitt, sin ponerse de pie.

El cuerpo del hombre era robusto y ancho, y Pitt pensó que debía llevar la aguja de la báscula a los ciento diez kilogramos. El desconocido extendió una mano carnosa.

—Usted debe de ser Pitt.

—Sí, lo soy.

—Bien; no me ha costado mucho encontrarlo. Temí haber equivocado el camino en la oscuridad. Yo soy Abe Steiger.

—¿El coronel Steiger?

—Olvide el título. Según puede ver, he venido vestido como un caminante.

—No esperaba que respondiese personalmente a mi pregunta. Una carta habría sido suficiente.

Steiger sonrió ampliamente.

—A decir verdad, no quise que el precio de un sello me robase el placer de una interesante excursión.

—¿Una interesante excursión?

—Estoy matando dos pájaros de un tiro, por así decirlo. Primero, debo pronunciar una conferencia la semana próxima en la base Chanute de la fuerza aérea, Illinois, acerca del tema de la seguridad aérea. Segundo, usted se ha instalado en el centro de la región minera de Colorado, y como me encanta explorar regiones naturales, me he tomado la libertad de venir con la esperanza de recoger un poco de oro antes de ir a leer mi conferencia.

—Le doy la bienvenida a esta casa.

—Señor Pitt, acepto su hospitalidad.

—¿Ha traído equipaje?

—Está fuera, en un coche alquilado.

—Tráigalo, y yo prepararé café. —Y, agregó, como si acabara de ocurrírsele—: ¿Querrá cenar?

—Gracias, pero comí algo con Harvey Dolan antes de venir aquí.

—Entonces, ¿ha visto el tren delantero?

Steiger asintió y mostró un viejo portafolios de cuero. Abrió el cierre y entregó a Pitt una carpeta plegada.

—El informe acerca del Boeing de la fuerza aérea C-97, 75.403, comandado por un mayor Vylander. Puede examinarlo. Si tiene preguntas que hacer, llámeme.

Tras instalarse en un dormitorio vacío, Steiger volvió a reunirse con Pitt frente a la mesa.

—¿Esto satisface su curiosidad?

Pitt apartó los ojos de la carpeta.

—Este informe dice que el 03 desapareció sobre el Pacífico durante un vuelo de rutina entre California y Hawai, en enero de 1954.

—Así lo indican los registros de la fuerza aérea.

—¿Cómo explica la presencia del tren delantero aquí, en Colorado?

—No es un gran misterio. En algún momento de la vida útil del avión el tren delantero probablemente fue reemplazado por uno nuevo. No es un hecho inusual. Los mecánicos descubrieron una falla en la estructura. Un aterrizaje muy brusco agrietó el puntal, o quizá lo dañaron al remolcarlo. Hay una docena de razones diferentes que explicarían una sustitución.

—¿Los registros de mantenimiento muestran que hubo algo parecido?

—No, no dicen nada.

—¿No le parece un tanto extraño?

—Quizá irregular, pero no extraño. El personal de mantenimiento de la fuerza aérea se caracteriza por su habilidad en las reparaciones mecánicas, no por su capacidad para llevar archivos administrativos.

—Este material también indica que jamás se descubrieron rastros del avión o de su tripulación.

—Reconozco que en ese sentido la situación es un poco desconcertante. Los registros indican que la búsqueda fue muy intensa, mucho más que los procedimientos normales de rescate en aire y mar establecidos por las normas. Y sin embargo, las unidades combinadas de la fuerza aérea y la Marina no consiguieron absolutamente nada. —Steiger hizo un gesto de agradecimiento cuando Pitt le entregó una humeante taza de café—. Pero esas cosas ocurren. Nuestros archivos abundan en casos de aviones hundidos en el olvido.

—Hundidos en el olvido. Muy poético. —Era indudable cinismo lo que expresaba la voz de Pitt.

Steiger hizo caso omiso del tono sarcástico y sorbió su café.

—Para un investigador interesado en la seguridad aérea, cada desastre no resuelto es una espina clavada. Somos como los médicos que pierden un paciente en la mesa de operaciones. Los que se salvan nos mantienen despiertos por la noche.

—¿Y el 03? —preguntó Pitt con voz serena—. ¿También lo mantiene despierto?

—Usted me pregunta por un accidente que ocurrió cuando yo tenía cuatro años. No hay ninguna relación entre ese episodio y yo. Señor Pitt, por lo que a mí se refiere y por lo que concierne a la fuerza aérea, la desaparición del 03 es caso cerrado. Yace por toda la eternidad en el fondo del mar, y el secreto de su tragedia allí está guardado.

Pitt miró un momento a Steiger, y después volvió a llenarle la taza de café.

—Está equivocado, coronel Steiger, completamente equivocado. Hay una respuesta, y no está a cinco mil kilómetros de aquí.

Después del desayuno Pitt y Steiger se separaron… Pitt para explorar una quebrada profunda, pero tan estrecha que el helicóptero no había podido internarse en ella, y Steiger para descubrir un arroyo donde pudiese lavar oro. El tiempo era frío y seco. Unas pocas nubes se desplazaban sobre la cima de la montaña, y la temperatura era bastante baja.

Después de mediodía Pitt salió de la quebrada y regresó a la cabaña. Siguió un sendero mal definido que se extendía sinuoso entre los árboles y llegaba a la orilla del lago de la Mesa. Después de recorrer un kilómetro y medio a lo largo de la orilla, encontró un arroyo que vertía agua en el lago, y lo siguió hasta que se encontró con Steiger.

El coronel estaba sentado en una roca plana, en medio de la corriente, y revolvía en el agua una ancha batea de metal.

—¿Suerte? —gritó Pitt.

Steiger se volvió, saludó con la mano y comenzó a vadear el río.

—No podré depositar dinero en Fort Knox. Con mucha suerte lograré recoger medio gramo. —Dirigió a Pitt una mirada amistosa pero escéptica—. ¿Y usted? ¿Encontró lo que buscaba?

—Un esfuerzo inútil —replicó Pitt—. Pero un paseo muy saludable.

Steiger le ofreció un cigarrillo. Pitt rehusó.

—Vea —dijo Steiger mientras encendía su propio cigarrillo—, usted es el tipo clásico de hombre obstinado.

—Eso me han dicho —contestó Pitt, y se echó a reír.

Steiger se sentó, inhaló profundamente y dejó que el humo se filtrase entre sus labios mientras hablaba.

—Mi caso es distinto: soy una persona que se deja derrotar, pero solo en materias que en realidad carecen de importancia. Los crucigramas, los libros aburridos, los proyectos de construcción de mi casa, las alfombras tejidas… nunca las termino. Creo que si prescindo de la tensión mental viviré diez años más.

—Lástima que no pueda dejar de fumar.

—*Touché* —dijo Steiger.

En ese momento dos adolescentes, un varón y una niña, que vestían ropa de deporte y navegaban en una balsa improvisada, rodearon un recodo del arroyo y pasaron velozmente frente a los dos hombres. Reían con el abandono de los adolescentes, totalmente ajenos a la presencia de los hombres en la orilla. Pitt y Steiger los contemplaron en silencio, hasta que desaparecieron río abajo.

—Así hay que vivir —dijo Steiger—. Cuando era un niño solía descender en balsa por el río Sacramento. ¿Alguna vez lo intentó?

Pitt no oyó la pregunta. Miraba fijamente el lugar donde los dos jovencitos habían desaparecido. La expresión de su rostro pasó de un ensimismamiento a una súbita iluminación.

—¿Qué le ocurre? —preguntó Steiger—. Se diría que acaba de ver a Dios.

—Lo tenía delante de mis narices, y no le hacía caso —murmuró Pitt.

—¿A qué no hacía caso?

—Esto demuestra que los problemas más difíciles tienen las soluciones más sencillas.

—No ha respondido a mi pregunta.

—El tanque de oxígeno y el tren delantero —dijo Pitt—. Ahora sé de dónde provienen.

Steiger se limitó a mirar a Pitt, los ojos ensombrecidos por el escepticismo.

—Quiero decir —continuó Pitt— que hemos omitido la única característica común de los dos objetos.

—Todavía no veo la relación —dijo Steiger—. Cuando están en el avión responden a dos sistemas completamente distintos, uno gaseoso y el otro hidráulico.

—Sí, pero sepárelos del avión y ambos tienen una característica común.

—¿Cuál?

Pitt miró a Steiger y sonrió varios segundos. Después pronunció la palabra mágica:

—Flotan.

8

Lo mismo que la mayoría de los reactores para ejecutivos, el Catlin M-200 despegaba como un sapo volador. En vuelo también era más lento, pero tenía una ventaja sobre otros aviones de su mismo tamaño: el Catlin estaba diseñado para aterrizar y despegar en lugares imposibles, con cargas que representaban el doble de su peso.

El sol se reflejó en el dibujo de color aguamarina que adornaba el fuselaje del avión, mientras el piloto lo detenía y después enfilaba la estrecha faja asfaltada del aeropuerto del condado del Lago, en las afueras de Leadville. Se detuvo bruscamente casi seiscientos metros antes de terminar la pista, y después viró y fue rodando hasta el lugar donde esperaban Pitt y Steiger. Cuando se acercó, las letras ANIM pudieron distinguirse claramente en el costado. El Catlin se detuvo definitivamente, se apagaron los motores, y un minuto después el piloto salió del aparato y se acercó a los dos hombres.

—Muchas gracias, amigo —dijo, e hizo una mueca a Pitt.

—¿Por qué? ¿Por unas vacaciones en las Rocosas con todos los gastos pagados?

—No, por sacarme de la cama en medio de la noche para recibir un cargamento y traerlo aquí desde Washington.

Pitt se volvió hacia Steiger.

—Coronel Abe Steiger, le presento a Al Giordino, mi ayudante a veces muy capaz, pero siempre mi principal dolor de cabeza, de la Agencia Nacional de Investigaciones Marinas.

Giordino y Steiger se midieron mutuamente con la mirada como dos luchadores profesionales. Dejando de lado la cabeza cuidadosamente afeitada y los rasgos semíticos de Steiger, y la maliciosa sonrisa italiana y los cabellos negros de Giordino, podría habérselos tomado por hermanos. Tenían exactamente la misma estatura, el mismo peso, e incluso la musculatura que hacía presión sobre la ropa parecía haber salido del mismo molde. Giordino extendió la mano.

—Coronel, espero que usted y yo nunca nos peleemos.

—El sentimiento es mutuo —dijo Steiger con una cálida sonrisa.

—¿Has traído el equipo que pedí? —preguntó Pitt.

Giordino asintió.

—Hubo que maniobrar un poco. Si el almirante descubre tu pequeño proyecto clandestino, sufrirá una de sus famosas rabietas.

—¿Almirante? —preguntó Steiger—. No veo qué tiene que ver en esto la Marina.

—No tiene nada que ver —contestó Pitt—. El almirante James Sandecker, retirado, es el director jefe de ANIM, pero padece cierta mezquindad: no le agradan los gastos clandestinos que realizan sus subordinados y que no están incluidos en el presupuesto fiscal de la agencia.

Steiger enarcó el ceño, porque súbitamente había entendido.

—¿Quiere decir que usted ordenó a Giordino que tomase un avión del gobierno pagado con fondos oficiales, y cruzase medio país sin autorización, y con un cargamento de equipo robado?

—Sí, algo por el estilo.

—En eso somos realmente eficientes —observó Giordino con el rostro inmutable.

—Ahorra mucho tiempo —dijo Pitt—. Las demoras burocráticas pueden ser muy fastidiosas.

—Eso es increíble —musitó Steiger—. Probablemente me llevarán a juicio como cómplice.

—No, si hacemos bien las cosas —observó Pitt—. Y ahora, si ustedes preparan la carga, me acercaré al avión con el jeep. —Dicho esto, se encaminó hacia el aparcamiento.

Steiger lo miró un momento y se volvió hacia Giordino.

—¿Hace mucho que lo conoce?

—Desde primer grado. Yo era el matón de la clase. Cuando Pitt llegó al barrio y apareció por primera vez en la escuela, lo presioné bastante.

—¿Le demostró quién llevaba las riendas?

—No precisamente. —Giordino abrió la puerta del depósito del avión—. Después que le hice sangrar la nariz y le puse un ojo negro, se levantó del suelo y me dio un puntapié en la ingle. Anduve encorvado una semana.

—Por lo que usted dice, es bastante tramposo.

—Digamos sencillamente que Pitt tiene cojones, el cerebro necesario para acompañarlos, y una capacidad pavorosa para eliminar *todos* los obstáculos. Tiene muy buen corazón con los niños y los animales, y ayuda a las viejecitas a subir al ascensor. Por lo que sé, en su vida jamás robó una moneda, ni usó su habilidad con fines personales. Fuera de todo eso, es un tipo infernal.

—¿No cree que esta vez ha ido demasiado lejos?

—¿Se refiere a su búsqueda de un avión inexistente?

Steiger asintió.

—Si Pitt le dice que existe Santa Claus, cuelgue su media de la repisa de la chimenea, porque más le vale creerlo.

9

Pitt se arrodilló en el bote de aluminio, y sintonizó el monitor de televisión. Steiger estaba sentado más cerca de proa, y lidiaba con los remos. Giordino estaba en otro bote, unos siete u ocho metros más adelante, casi oculto tras una serie de transmisores alimentados con baterías. Mientras remaba, mantenía fija la mirada cautelosa en el cable que pasaba sobre la borda y desaparecía en el agua. Al extremo del cable había una cámara de televisión protegida por una caja hermética.

—Despertadme cuando aparezca una buena película de terror —dijo Giordino bostezando desde su bote.

—Continúe remando —gruñó Steiger—. Estamos casi a la par.

Pitt no se unió a la ociosa disputa. Concentraba su atención en la pantalla. Una fría brisa vespertina descendía por las laderas de las montañas y rizaba la superficie cristalina del lago, de modo que los brazos doloridos de Giordino y Steiger no conseguían mantener en línea a los dos botes.

Desde la mañana temprano los únicos objetos que habían desfilado frente al monitor eran conglomerados de rocas hundidas en el fondo lodoso, restos descompuestos de árboles caídos mucho tiempo antes, con las ramas sin hojas que parecían deseosas de atrapar a la cámara fugitiva, y unas pocas truchas sobresaltadas que se alejaban cautelosamente de la cámara intrusa.

—¿No habría sido más fácil investigar con un equipo de inmersión? —preguntó Steiger, interrumpiendo el escrutinio de Pitt.

Pitt se frotó los ojos cansados con la palma de la mano.

—La cámara de televisión es mucho más eficiente. Además, en algunos lugares el lago tiene una profundidad de sesenta metros. El tiempo de inmersión de un hombre a esa profundidad alcanza apenas a unos minutos. Agregue a eso el hecho de que a quince metros bajo la superficie el agua llega casi al punto de congelación. Un hombre puede considerarse afortunado si su cuerpo soporta el frío más de diez minutos.

—¿Y si encontramos algo?

—En ese caso me pondré el equipo y bajaré a ver, pero no lo haré ni un segundo antes.

Algo apareció en el monitor y Pitt se inclinó hacia delante para ver mejor, protegiéndose de la luz del sol con un lienzo negro.

—Creo que acabamos de descubrir la película de terror de Giordino —dijo.

—¿Qué es? —preguntó excitado Steiger.

—Parece una vieja cabaña de troncos.

—¿Una cabaña de troncos?

—Vea usted mismo.

Steiger se inclinó sobre el hombro de Pitt y estudió la pantalla. La cámara, a cincuenta metros bajo los botes, recogía del agua helada la imagen de lo que parecía una estructura deformada. La luz vacilante del sol, que llegaba desde la superficie regular, y la escasa visibilidad a esa profundidad se combinaban para conferirle el carácter de una imagen espectral.

—¿Cómo demonios llegó eso allí? —preguntó Steiger, desconcertado.

—No es un misterio muy profundo —dijo Pitt—. El lago de la Mesa es artificial. En 1945 el gobierno contuvo las aguas del arroyo que atraviesa este valle. Un aserradero abandonado que se alzaba cerca del viejo lecho quedó sumergido cuando se elevó el agua. La cabaña que vemos debe de haber sido uno de los dormitorios del personal.

Giordino se acercó remando, para echar una ojeada.

—Lo único que falta es un cartel de «En venta».

—Notablemente bien conservado —murmuró Steiger.

—Gracias al agua dulce casi helada —agregó Pitt. Y luego añadió—: Y basta de atracciones para turistas. ¿Continuamos?

—¿Cuánto tiempo más? —preguntó Giordino—. Me vendría bien un poco de alimento líquido, y especialmente de la clase que viene en botellas.

—Oscurecerá dentro de un par de horas —dijo Steiger—. Propongo que lo suspendamos por hoy.

—Tiene mi voto. —Giordino miró a Pitt—. ¿Qué me dice, capitán Bligh? ¿Recojo la cámara?

—No; continuemos buscando. Podemos volver hacia el muelle.

Giordino hizo virar el bote ciento ochenta grados y comenzó a remar hacia el desembarcadero.

—Creo que su teoría ha fracasado —dijo Steiger—. Hemos llegado dos veces hasta el centro del lago, y lo único que conseguimos es un buen dolor de músculos y una imagen de una cabaña arruinada. Afronte los hechos, Pitt: en este lago lo único interesante son los peces. —Steiger hizo una pausa y señaló el equipo de televisión—. Y ya que hablamos de los habitantes de las profundidades... un pescador daría cualquier cosa por disponer de un equipo como este.

Pitt miró reflexivamente a Steiger.

—Al, diríjase hacia el viejo, a la izquierda, el que está pescando desde la orilla.

Giordino volvió la cabeza y miró en la dirección indicada por Pitt. Asintió en silencio y modificó el curso. Steiger lo imitó.

Pocos minutos después, los botes se habían acercado a un anciano pescador que estaba tirando hábilmente una carnada junto a un macizo peñasco que entraba en el lago. El pescador alzó los ojos y se llevó una mano al sombrero cuando advirtió el saludo de Pitt.

—¿Tiene suerte?

—Eso no es muy original —murmuró Steiger.

—Las cosas están un poco lentas hoy —contestó el pescador.

—¿Pesca a menudo en el lago de la Mesa?

—Desde hace unos veintidós años.

—¿Sabe usted en qué parte del lago es más frecuente perder la carnada?

—¿Cómo dice?

—¿Hay un sector del lago de la Mesa donde los pescadores suelen perder la carnada?

—En dirección al dique hay un tronco sumergido que provoca bastantes dificultades.

—¿A qué profundidad?

—A tres, o quizá cuatro metros.

—Estoy buscando un lugar más profundo, mucho más profundo —dijo Pitt.

El viejo pescador pensó un momento.

—En dirección al pantano que se extiende al norte del lago hay una fosa muy grande. El verano pasado perdí allí dos de mis mejores moscas, mientras trataba de pescar en aguas profundas. Cuando hace buen tiempo, muchos peces grandes van a nadar allí. Pero no le recomiendo que pruebe suerte. A menos que tenga acciones en un negocio de artículos de pesca.

—Le agradezco mucho su ayuda —dijo Pitt, y saludó con la mano—. ¡Buena suerte!

—Lo mismo a usted —dijo el pescador y volvió a tirar el hilo, y pocos instantes después su caña se arqueó, tironeada vigorosamente.

—¿Lo has oído, Al?

Giordino miró con envidia el desembarcadero, y después volvió los ojos hacia el extremo norte del lago, a medio kilómetro de distancia. Resignado a la tarea, alzó la cámara para evitar que chocara con el fondo del lago, y después se puso los guantes y comenzó a manipular otra vez los remos. Steiger dirigió a Pitt una mirada asesina, pero de todos modos aceptó la situación.

Media hora de lucha con las corrientes de agua y aire transcurrió con dolorosa lentitud. Steiger y Giordino trabajaban en silencio; Giordino, por fe ciega en el juicio de Pitt. Steiger, porque de ningún modo deseaba admitir que Giordino tenía más resistencia que él. Pitt continuaba pegado al monitor, y de tanto en tanto pedía a Giordino que modificase la profundidad. El fondo del lago de la Mesa comenzó a elevarse a medida que se acercaban al pantano. De pronto, bruscamente, comenzaron a desaparecer el cieno y las malezas, y el agua se ensombreció. Se detuvieron para bajar la cámara, y después continuaron remando.

Habían avanzado apenas unos metros cuando en la pantalla se dibujó un objeto curvo. La forma no estaba bien definida; ni tampoco mostraba un perfil natural.

—¡Un momento! —ordenó secamente Pitt.

Steiger aflojó los brazos, agradeciendo la interrupción, pero Giordino dirigió una mirada penetrante a través de la estrecha distancia que separaba a los dos botes. Ya en otras ocasiones había oído ese tono de Pitt.

En las frías profundidades, la cámara se acercó lentamente al objeto aparecido en el monitor. Pitt pareció petrificarse cuando una gran estrella blanca sobre fondo azul oscuro surgió ante sus ojos. Esperó que la cámara continuase explorando, y sintió que tenía la boca tan seca como una llanura polvorienta.

Giordino había continuado remando, y ahora mantenía juntos a los dos botes. Steiger advirtió la tensión, alzó la cabeza y miró inquisitivo a Pitt.

—¿Ha encontrado algo?

—Un avión con marcas militares —dijo Pitt, tratando de controlar su propia excitación.

Steiger se acercó a Pitt y miró incrédulo al monitor. La cámara había flotado sobre el ala, y ahora retrocedía a lo largo del fuselaje. Apareció una ventanilla cuadrada, y sobre ella las palabras SERVICIO MILITAR DE TRANSPORTE AÉREO.

—¡Dios mío! —exclamó Giordino—. Un transporte militar.

—¿Puede decir de qué modelo? —preguntó Steiger con voz tensa.

Pitt meneó la cabeza.

—Todavía no. El ángulo de la cámara impide ver los motores y el morro, que pueden identificarse más fácilmente. Pasó sobre la punta del ala izquierda y ahora, como puede ver, se dirige hacia la cola.

—El número de serie debe aparecer en el estabilizador vertical —dijo en voz baja Steiger, como si estuviese rezando.

Permanecieron inmóviles, absortos en la escena espectral que descubrían bajo el agua. El avión se había hundido profundamente en el lodo. El fuselaje estaba separado de las alas, y la cola aparecía retorcida y formando un estrecho ángulo.

Giordino hundió suavemente los remos y movió la cámara sobre una línea diferente, de modo que modificase el campo visual. La imagen era tan clara que casi podían identificar los remaches sobre la cubierta de aluminio. Todo parecía extraño e incongruente. A todos les pareció difícil aceptar la imagen que les transmitía el equipo de televisión. De pronto contuvieron la respiración, pues el número de serie del estabilizador vertical comenzó a entrar por la derecha. Pitt manipuló la lente de la cámara, muy levemente, de modo que no hubiese error posible en la identificación del avión. Primero un 7, después un 5, y un 4, seguido por los números 03. Durante un momento Steiger miró a Pitt, y el efecto terrible de lo que ahora sabía que era cierto, pero no podía aceptar, confirió a sus ojos el matiz acuoso de la mirada de un sonámbulo.

—Dios mío, es el 03. Pero es imposible.

—Ahí lo tiene —dijo Pitt.

Giordino extendió una mano y estrechó la de Pitt.

—Jamás lo dudé, amigo.

—Tomo nota de tu confianza en mí —dijo Pitt.

—Y ahora, ¿qué hacemos?

—Pondremos una boya para indicar el lugar, y por hoy bastará. Mañana por la mañana bajaremos a ver qué encontramos adentro.

Steiger permaneció inmóvil, meneando la cabeza y repitiendo:

—Oficialmente no debería estar aquí… no debería estar aquí.

Pitt sonrió.

—Según parece, el buen coronel rehúsa confiar en sus propios ojos.

—No es eso —dijo Giordino—. Steiger tiene un problema.

—¿Problema?

—Sí, no cree en Santa Claus.

A pesar del frío aire de la mañana, Pitt sudaba bajo su traje de buzo. Verificó el regulador de la respiración, hizo la señal a Giordino y se dejó caer al costado del bote.

El agua helada, que se introdujo entre su piel y el forro interior de su grueso traje de neopreno, tuvo el efecto de una descarga eléctrica. Durante varios momentos permaneció suspendido, inmediatamente bajo la superficie, sintiendo la puñalada del frío, y esperando que el calor de su cuerpo entibiase la capa de agua aprisionada. Cuando la temperatura llegó a ser soportable, se aclaró los oídos y comenzó a mover las aletas, descendiendo a ese mundo fantasmal donde no había viento ni aire. El hilo que descendía desde la boya se hundía en las profundidades, y Pitt nadó a lo largo del cable.

Tuvo la sensación de que el fondo se elevaba para ir a su encuentro. La aleta derecha se arrastró contra el lodo antes de que él corrigiera el movimiento, y levantó una nube gris que se dispersó como el humo de la explosión de un tanque de gasolina.

Pitt miró el medidor de profundidad que llevaba en la muñeca. Estaba a cuarenta y cinco metros. Lo cual significaba unos diez minutos en el fondo sin necesidad de preocuparse por la descompresión.

Su principal enemigo era la temperatura del agua. La presión del gélido líquido afectaría drásticamente su capacidad de concentración y su rendimiento. El frío reduciría el calor corporal, de modo que su resistencia llegaría al límite y entraría en el dominio de la fatiga excesiva.

Su visibilidad apenas alcanzaba a tres metros, pero ese factor no lo molestaba. La boya se había fijado a pocos centímetros del avión hundido, y Pitt no necesitaba más que extender una mano para tocar la superficie metálica. Se había preguntado qué sensaciones lo asaltarían. Estaba seguro de que el miedo y la aprensión extenderían sus tentáculos. Pero no fue así. En cambio, experimentó un extraño sentimiento de realización. Era como si hubiese llegado al final de un viaje largo y agotador.

Nadó hacia los motores y observó que las paletas de las hélices se inclinaban graciosamente hacia atrás, como los pétalos enroscados de un lirio; los cabezales de los cilindros jamás volverían a sentir el calor de la combustión. Pasó frente a las ventanillas de la cabina de mando. El cristal se mantenía intacto, pero estaba cubierto de limo y no permitía ver el interior.

Pitt observó que ya había usado casi dos minutos de su tiempo de inmersión. Aceleró los movimientos para acercarse a la abertura formada por el metal desgarrado en el fuselaje principal; entró en el avión y encendió la lámpara que llevaba asegurada a la cabeza.

Lo primero que distinguieron sus ojos en el sombrío recinto fueron unos grandes cilindros plateados. Las correas que los mantenían sujetos habían sido destruidas por la explosión y todos los recipientes estaban amontonados hacia el fondo del depósito. Los esquivó con cuidado y se deslizó hacia la puerta abierta que llevaba a la cabina del mando.

Había cuatro esqueletos sentados en sus respectivas butacas, sostenidos en sus grotescas posiciones por los cinturones de seguridad. Los dedos huesudos del navegante continuaban cerrados; el que estaba frente al tablero de mando aparecía echado hacia atrás, y el cráneo inclinado a un lado.

Pitt se adelantó con una sensación de miedo y repugnancia. Las burbujas que salían de su regulador de aire ascendían en rápida sucesión y se agrupaban en un rincón del techo de la cabina. La escena tenía un carácter aún más espectral, porque si bien los cuerpos estaban desprovistos completamente de carne, aún conservaban las ropas. El agua helada había detenido durante varias décadas el proceso de descomposición, y la tripulación estaba tan bien uniformada como en el instante en que todos habían muerto.

El copiloto estaba rígidamente erguido, con las mandíbulas abiertas en lo que a Pitt le pareció un grito macabro. El piloto aparecía inclinado hacia delante, y la cabeza casi tocaba el tablero de mandos. Del bolsillo delantero de su chaqueta asomaba una plaquita de metal; Pitt la retiró suavemente, y metió el pequeño rectángulo en una de las mangas de su traje de inmersión. Una carpeta de plástico sobresalía de un bolsillo, cerca del asiento del piloto, y Pitt también la tomó.

Una mirada a su reloj le dijo que su tiempo se había acabado. No necesitaba que lo exhortaran a volver a la superficie y a los rayos acogedores del sol. El frío comenzaba a filtrarse en su sangre y a enturbiar su mente. Hubiera jurado que todos los esqueletos habían vuelto la cabeza y lo miraban fijamente con las cuencas vacías de sus cráneos.

Salió rápidamente de la cabina de mando y comenzó a atravesar el depósito destinado a la carga. De pronto, vio el pie de un esqueleto detrás de uno de los recipientes. El cuerpo al que pertenecía estaba unido por correas a varias de las anillas fijas en la pared del avión. A diferencia de los restos de la tripulación hallados en la cabina de mando, este tenía restos de carne adheridos a los huesos.

Pitt trató de contener la náusea que le aferraba la garganta y estudió más atentamente lo que antes había sido un hombre de carne y hueso. El uniforme no era el de la fuerza aérea, sino un caqui similar al antiguo uniforme de fajina del ejército. Revisó los bolsillos, pero estaban vacíos.

Una señal de alarma se disparó en su cabeza. Los brazos y las piernas comenzaban a insensibilizarse y a envararse a causa del frío implacable, y estaba moviéndose como si se encontrara sumergido en jarabe. Si no aumentaba pronto la temperatura de su cuerpo, el viejo avión reclamaría otra víctima. Tenía la mente turbia, y durante un breve instante sintió el aguijón del pánico; y se sintió confundido y perdió el sentido de orientación. Después vio sus propias burbujas de aire, que salían de la cabina de mando y subían hacia la superficie.

Aliviado, se apartó del esqueleto y siguió en pos de las burbujas, hacia la superficie. A tres metros de la misma alcanzó a ver el fondo del bote, que en la luz refractada ondulaba como un objeto de una película surrealista. Incluso alcanzó a ver la cabeza de Giordino, aparentemente separada del cuerpo, espiando por la borda.

Apenas tuvo fuerzas para sacar una mano y aferrar un remo. Después, los músculos combinados de Giordino y Steiger lo subieron al bote, como si hubiera sido un niño pequeño.

—Ayúdeme a quitarle este traje de inmersión —ordenó Giordino.

—Dios mío, está azul.

—Otros cinco minutos ahí abajo y habría comenzado a sufrir hipotermia.

—¿Hipotermia? —preguntó Steiger mientras abría el traje de Pitt.

—Pérdida profunda del calor corporal —explicó Giordino—. He visto buzos fallecidos a causa de ello.

—Yo no… todavía no pienso morir —consiguió decir Pitt entre escalofríos.

Le quitaron el traje de inmersión y le frotaron vigorosamente el cuerpo con toallas, y finalmente lo envolvieron en gruesas mantas de lana. Poco a poco sus miembros comenzaron a recuperar la sensibilidad y el sol tibio que penetraba su piel aumentó su sensación de bienestar. Bebió café caliente de un termo, aunque sabía que sus efectos rejuvenecedores eran más psicológicos que fisiológicos.

—Has sido un idiota —dijo Giordino, más por preocupación que movido por la cólera—. Casi te matas por haberte quedado demasiado tiempo allí abajo. A esa profundidad, el agua debe de estar casi helada.

—¿Qué ha descubierto allí abajo? —preguntó ansiosamente Steiger.

Pitt se sentó y trató de ordenar sus pensamientos.

—Una carpeta. Tenía una carpeta.

Giordino se la mostró.

—Aquí está. La aferraba con la mano izquierda, como una morsa.

—¿Y una plaquita de metal?

—Está aquí —dijo Steiger—. Cayó de su manga.

Pitt se apoyó en el costado del bote y sorbió otro trago de café humeante.

—La sección del avión está ocupada por grandes recipientes… acero inoxidable, a juzgar por la escasa corrosión. No tengo la menor idea del contenido. No había marcas.

—¿Qué forma tienen? —preguntó Giordino.

—Cilíndrica.

Steiger esbozó una expresión pensativa.

—No alcanzo a imaginar qué clase de material militar podría exigir la protección de recipientes de acero inoxidable. —Después, su mente siguió otro curso y clavó en Pitt una mirada aguda—. ¿Y la tripulación? ¿Pudo descubrir algo?

—Lo que queda de ellos todavía está atado a los asientos.

Giordino manipuló suavemente un extremo de la carpeta de plástico.

—Quizá sea posible leer estos papeles. Creo que puedo separarlos y secarlos.

—Probablemente es el plan de vuelo —dijo Steiger—. Algunos veteranos de la fuerza aérea todavía prefieren ese tipo de carpeta, en lugar de los nuevos recipientes herméticos.

—Tal vez nos diga qué hacía el avión a tanta distancia de su ruta de vuelo.

—Eso espero —dijo Steiger—. Quiero reunir todos los datos y resolver perfectamente el misterio antes de presentar el asunto en el Pentágono.

—Ah... Steiger.

El coronel miró a Pitt con expresión dubitativa.

—Lamento comunicarle algunos hechos que arruinarán sus meditados planes, pero en relación con el enigma del 03 de la fuerza aérea el asunto es más complejo de lo que cualquiera creería... mucho más complejo.

—El avión y su carga están allí abajo, ¿verdad? —Steiger trató de mantener la calma. No quería echar a perder su momento de triunfo—. Las soluciones del enigma están a pocos metros de profundidad. Ahora, el único problema es retirar del lago los restos. ¿De qué está hablando?

—Un dilema bastante desagradable, con el cual ninguno de nosotros contaba.

—¿Qué dilema?

—Me temo —dijo serenamente Pitt— que también tendremos que lidiar con un asesinato.

·10

Giordino distribuyó sobre la mesa de la cocina el contenido de la carpeta. Eran seis hojas. La plaquita de aluminio que Pitt había encontrado en el bolsillo del piloto burbujeaba en una solución que Giordino había ideado para hacer resaltar los rastros de grabado del metal.

Pitt y Steiger estaban de pie frente a un fuego chisporroteante, y bebían café. El hogar era una estructura de rocas de la región; su calor se difundía por toda la habitación.

—¿Advierte las consecuencias enormes de lo que nos está sugiriendo? —preguntó Steiger—. Habla de un crimen y no tiene ni una sola prueba en que apoyarse...

—Le ruego que trate de entender —dijo Pitt—. Usted reacciona como si yo estuviera acusando de asesinato a toda la fuerza aérea norteamericana. No acuso a nadie. Reconozco que la prueba es circunstancial, pero apuesto mi cuenta bancaria a que un forense confirmará lo que digo. El esqueleto del depósito del avión no murió hace treinta y cuatro años, al mismo tiempo que la tripulación del avión.

—¿Cómo puede saberlo?

—Varios detalles no concuerdan. En primer lugar, nuestro inesperado cadáver tiene carne adherida a los huesos. Los otros quedaron reducidos a esqueletos hace varias décadas. Lo cual indica, por lo menos así lo creo, que murió mucho después del accidente. Además, está atado de pies y manos a las anillas de la pared del depósito. Con un poco de imaginación, casi podemos decir que tenemos aquí las características de un ajuste de cuentas entre pandillas, un asesinato al viejo estilo.

—Suena demasiado melodramático.

—Toda la situación huele a eso. Un misterio se vincula de un modo ilógico con otro.

—Muy bien, consideremos los datos ciertos —dijo Steiger—. El avión que lleva el número de serie 75.403 está donde oficialmente no debería estar. Sea como fuere, existe.

—Y creo que podemos suponer, sin temor a equivocarnos, que la tripulación original es la que usted encontró entre los restos —continuó Steiger—. Con respecto al cadáver suplementario, quizá el informe descuidó mencionar su presencia. Pudo haber sido un pasajero de último momento: un ingeniero o incluso un mecánico que se ató a las anillas del depósito poco antes del desastre.

—En ese caso, ¿cómo explica la diferencia de uniformes? Tiene puesto un uniforme caqui, no las prendas azules de la fuerza aérea.

—No puedo responder a esa pregunta, del mismo modo que usted no puede asegurar que fue asesinado mucho después del accidente.

—Ahí está la cuestión —dijo serenamente Pitt—. Tengo una idea bastante aproximada de la identidad de nuestro invitado. Y si estoy en lo cierto, su liquidación por persona o personas desconocidas se convierte en esencial certidumbre.

Steiger frunció el entrecejo.

—Lo escucho —murmuró—. ¿En quién está pensando?

—En el hombre que construyó esa cabaña. Se llamaba Charlie Smith, el padre de la representante Loren Smith.

Steiger permaneció unos instantes en silencio, procurando asimilar la gravedad de la afirmación de Pitt. Finalmente dijo:

—¿Qué pruebas puede aportar?

—Solo fragmentos y detalles. He sabido de buena fuente que, según el informe policial, Charlie Smith voló en pedazos como consecuencia de una explosión que él mismo provocó. Solamente quedaron una bota y un pulgar. Un toque interesante, ¿no le parece? Muy claro y preciso. Debo tenerlo en cuenta la próxima vez que desee liquidar a alguien. Organizo una explosión, y apenas se disipa el humo dejo en el sitio un zapato y un dedo de la víctima, justamente el que puede identificarse mejor. Después, los amigos reconocen la bota, y la oficina del sheriff hace la identificación, puesto que disponen de una huella digital obtenida con el pulgar. Entretanto, entierro el resto del cuerpo donde, según creo, jamás podrá ser hallado. La muerte de mi víctima parece un accidente, y yo sigo mi propio camino.

—¿Quiere decir que al esqueleto que encontró en el avión le faltaba una bota y un pulgar?

Pitt se limitó a asentir.

A las nueve y media Giordino estaba preparado. Comenzó ofreciendo a Pitt y a Steiger la misma explicación que habría suministrado a una clase de secundaria de estudiantes de química.

—Como pueden ver, después de más de tres décadas de inmersión la tapa de plástico está prácticamente nueva; pero el papel que contenía casi se ha convertido en pulpa. Originariamente el contenido estaba mimeografiado... un proceso habitual antes del milagro de la Xerox. Lamento decir que la tinta casi ha desaparecido, y ningún laboratorio podría recuperarla, ni siquiera con una enorme ampliación. Tres hojas están completamente inutilizadas. No queda nada legible. La cuarta parece haber contenido información meteorológica. Aquí y allá encuentro algunas palabras referidas a los vientos, las alturas y las temperaturas atmosféricas. La única frase que puedo descifrar parcialmente dice: «Cielo aclarando después de las laderas occidentales».

—Las «laderas occidentales» se refieren a las Rocosas de Colorado —dijo Pitt.

Las manos de Steiger aferraron el borde de la mesa.

—Por Dios, ¿tiene idea de lo que eso significa?

—Significa que el vuelo del 03 no se originó en California, como sostiene el informe —dijo Pitt—. Partió de algún lugar al este de esta región, si la tripulación se preocupaba por las condiciones meteorológicas sobre la divisoria continental.

—Eso acerca de los datos contenidos en la hoja número cuatro —dijo Giordino—. Ahora, comparada con el resto, la hoja cinco es un verdadero tesoro de datos. Aquí podemos reconstruir aproximadamente varias combinaciones de palabras, e incluso los nombres de dos miembros de la tripulación. Faltan muchas letras, pero con un poco de deducción podemos adivinar el sentido. Veamos esto, por ejemplo.

Giordino señaló la hoja de papel, y sus dos interlocutores se inclinaron sobre ella.

« om dan e l vi n: M y r ay on V l nde »

—Ahora, llenemos los vacíos —continuó Giordino—, y así obtenemos: «Comandante del avión: Mayor Raymond Vylander».

—Y aquí tenemos el nombre y el rango del ingeniero de vuelo.

Joseph Burns —confirmó Giordino—. En las líneas siguientes faltan muchas letras, de modo que no podemos adivinar el sentido. Y luego sigue esto.

—Giordino señaló varias líneas más abajo.

«No br en od go: ix n 03.»

—Código de la misión secreta —intervino Pitt—. Los aviones que realizan vuelos vinculados con tareas de seguridad tienen un código. Generalmente un nombre seguido por los dos últimos dígitos del número de serie del avión.

Steiger miró a Pitt con auténtica admiración.

—¿Cómo lo sabe?

—Lo aprendí por ahí —dijo Pitt, quitando importancia al asunto.

Giordino volvió a señalar las letras ausentes.

—¿De modo que tenemos: «Código: algo 03»?

—¿Qué nombres llevan «ix» en medio de la palabra? —murmuró Steiger.

—Es probable que la letra que falta después de la x sea *e* u *o*.

—¿Qué tal «Nixon»? —sugirió Giordino.

—Dudo que un simple avión de transporte reciba el nombre de un vicepresidente —dijo Pitt—. «Vixen 03» parece más probable.

—Vixen 03 —repitió en voz baja Steiger—. Sí, es una conjetura verosímil.

—Continuemos —dijo Giordino—. El último fragmento descifrable de la quinta hoja es «T - espacio - LL, Rongelo 060 espacio».

—Tiempo calculado de llegada, seis de la mañana, a Rongelo —tradujo Steiger, con expresión todavía incrédula—. ¿Dónde demonios está eso? Vixen 03 debía aterrizar en Hawai.

—Yo solo digo lo que veo —dijo Giordino.

—¿Y la sexta hoja? —preguntó Pitt.

—Restos fragmentarios. Todo es incomprensible, si se exceptúa una fecha y un código de seguridad cerca del final. Vea usted mismo.

> « rdenes fech nero 2, 954.
> »Aut r z d p r: nt B s.
> »Max cr to Cod 1A.»

Steiger repasó el conjunto de signos y cifras.

—La primera línea dice: «Órdenes tal fecha de enero, algo entre el veinte y el veintinueve de 1954.»

Pitt observó:

—La segunda línea parece «Autorizado por», pero no se entiende el nombre del oficial. Sin embargo, yo diría que puede pensarse en un general.

—Después tenemos: «Máximo secreto código 1-A» —dijo Giordino—. Es el código de máxima seguridad.

—Creo que podemos suponer, sin temor a equivocarnos —dijo Pitt—, que alguien en los niveles más altos del Pentágono o la Casa Blanca, o en ambos lugares, cubrió el accidente del Vixen 03 con un falso informe.

—En todos mis años de servicio en la fuerza aérea jamás oí que pudiera hacerse nada semejante. ¿Por qué decir una mentira flagrante cuando un avión común realiza un vuelo de rutina?

—Coronel, afronte los hechos. El Vixen 03 no era un avión común. El informe dice que el vuelo se originó en la base Travis de la fuerza aérea, cerca de San Francisco, y que debía terminar en Hickam Field, Hawai. Ahora sabemos que la tripulación se dirigía a un lugar llamado Rongelo.

Giordino se rascó la cabeza.

—No conozco ningún lugar llamado Rongelo.

—Tampoco yo —dijo Pitt—, pero podemos resolver ese misterio apenas encontremos un atlas.

—En definitiva, ¿qué sabemos? —preguntó Steiger.

—No mucho —reconoció Pitt—. Solamente que en la segunda quincena de enero de 1954 un C-97 despegó de un lugar situado en el Este o el Medio Oeste de Estados Unidos, en un vuelo secreto. Pero algo salió mal cuando volaban sobre Colorado. Un problema mecánico que obligó a la tripulación a tocar tierra en el peor terreno imaginable. Tuvieron suerte, o por lo menos eso creyeron. Vylander evitó milagrosamente chocar con una montaña, encontró un claro y enfiló el Stratocruiser para realizar un aterrizaje de emergencia. Pero lo que no alcanzaron a ver (recuerden que corría el mes de enero, y el suelo sin duda estaba cubierto de nieve) fue un lago cuya superficie estaba helada.

—De modo que cuando el avión perdió impulso y depositó todo su peso en el suelo —dijo Steiger distraídamente—, el hielo se partió y la máquina se hundió.

—Exactamente. La irrupción del agua por las aberturas del avión y el efecto del frío acabó con la tripulación antes de que pudiese reaccionar, y todos murieron ahogados en sus respectivos asientos. Nadie vio la catástrofe, el agua volvió a helarse sobre la tumba, y los rastros de la tragedia y desaparecieron completamente. La investigación que se realizó después no descubrió nada y el episodio del Vixen 03 se cubrió más tarde con un falso informe de accidente; en definitiva, el asunto fue convenientemente olvidado.

—Un argumento interesante —observó Giordino—, y parece lógico. Pero ¿qué tiene que ver Charlie Smith con todo esto?

—Sin duda enganchó el tanque de oxígeno mientras pescaba. Como tenía una mente inquisitiva probablemente rastreó el lago, y separó de la máquina el tren delantero, que ya se había quebrado.

—La expresión de su rostro cuando las ruedas aparecieron en la superficie seguramente fue todo un espectáculo —dijo Giordino, sonriendo.

—Incluso si acepto el asesinato de Smith —dijo Steiger—, no alcanzo a comprender el motivo.

Pitt miró a Steiger.

—Siempre hay un motivo para destruir la vida de un hombre.

—La carga —exclamó Giordino, incrédulo ante la idea que se le había ocurrido—. Era un vuelo supersecreto. Es evidente que lo que el Vixen 03 transportaba valía mucho para alguien. Valía lo suficiente para justificar un asesinato.

Steiger meneó la cabeza.

—Si la carga es tan valiosa, ¿por qué no la retiró el propio Smith, o su presunto asesino? De acuerdo con la versión de Pitt, todavía está allí.

—Y herméticamente cerrada —agregó Pitt—. Por lo que sé, los recipientes nunca fueron abiertos.

Giordino se aclaró la voz.

—Otra pregunta.

—Adelante.

—¿Qué contienen esos recipientes?

—Es una buena pregunta —dijo Pitt—. Bien, vale la pena adelantar una conjetura. Un avión transporta recipientes cilíndricos en una misión secreta que se dirige a un lugar del océano Pacífico, en enero de 1954...

—Por supuesto —interrumpió Giordino—. En esa época se realizaban pruebas nucleares en Bikini.

Steiger se puso de pie, pero no se apartó de la mesa.

—¿Sugieren que el Vixen 03 transportaba armamento nuclear?

—No sugiero nada —dijo Pitt—. Sencillamente ofrezco una posibilidad. Si así no fuera, ¿por qué la fuerza aérea trata de ocultar la pérdida de un avión y extiende una cortina de humo de información falsa para desviar la atención? ¿Por qué la tripulación del avión afrontó el peligro de una muerte casi segura internándose en las montañas con un avión que estaba averiado, en lugar de usar los paracaídas y dejar que la máquina se estrellase en cualquier parte?

—Hay un elemento fundamental que arruina su teoría: el

gobierno jamás habría suspendido la búsqueda de un cargamento de armamento nuclear.

—Reconozco que el argumento es sólido. En efecto, sería extraño que un arsenal capaz de destruir la mitad del país fuese abandonado para que contamine todo el medio ambiente.

De pronto, Steiger arrugó la nariz.

—¿De dónde viene ese olor terrible?

Giordino se puso rápidamente de pie y se acercó a la cocinilla.

—Creo que la lámina de metal ya está en condiciones.

—¿En qué la puso a hervir?

—En una combinación de vinagre y polvo para hornear. Es lo único que pude encontrar para limpiar la placa.

—¿Está seguro de que nos permitirá leer las palabras grabadas?

—No lo sé. No soy químico. De todos modos, no la perjudicará.

Steiger levantó las manos, exasperado, y se volvió hacia Pitt.

—Yo sabía que era mejor dejar ese trabajo para los profesionales del laboratorio.

Giordino no prestó atención a la observación de Steiger, y con dos tenedores retiró delicadamente la placa del agua hirviendo y la secó con una toalla. Luego la levantó para acercarla a la lámpara, y la movió de modo que formase diferentes ángulos.

—¿Qué ves? —preguntó Pitt.

Giordino depositó sobre la mesa, frente a sus interlocutores, la pequeña placa de aluminio. Respiró hondo, y su rostro adquirió una expresión grave.

—Un símbolo —dijo con voz tensa—. El símbolo de la radiactividad.

II

OPERACIÓN ROSA SILVESTRE

11

Natal, África del Sur - Octubre de 1988

Para el espectador común, el grueso tronco del baobab muerto parecía semejante a otros mil distribuidos sobre la llanura de la costa nordeste de la provincia de Natal, África del Sur. No había modo de determinar por qué ni cuánto tiempo atrás había muerto. Se mantenía erguido, con una suerte de grotesca belleza, y sus ramas sin hojas apuntaban al cielo azul con los dedos retorcidos y leñosos, mientras la corteza descompuesta se desprendía y formaba en el suelo un humus de olor medicinal. Sin embargo, había una diferencia sorprendente que distinguía a ese baobab muerto de todos los restantes: el tronco era hueco, y en su interior estaba agazapado un hombre, que miraba atentamente por una pequeña abertura, con la ayuda de unos binoculares.

Era un escondrijo ideal, como salido de un antiguo manual de la guerra de guerrillas. Marcus Somala, jefe de sección del Ejército Africano Revolucionario, se sentía orgulloso de su trabajo. La noche anterior había necesitado solamente dos horas para extraer el núcleo esponjoso del árbol y distribuir hábilmente los restos en el matorral cercano. Una vez instalado cómodamente en el interior del tronco no tuvo que esperar mucho tiempo para poner a prueba la eficacia de su escondrijo.

Poco después del alba, apareció en el campo un peón negro de la granja a la que Somala estaba vigilando. Vaciló, y después orinó contra el baobab. Somala lo miró, sonriendo para sus adentros. Sintió el impulso de deslizar por el agujero su largo cuchillo curvo de estilo marroquí, y cortar de un golpe el pene del peón. Para Somala el impulso fue nada más que motivo de diversión. No solía embarcarse en actos estúpidos. Era soldado profesional y revolucionario consagrado, un maduro veterano de casi cien incursiones. Estaba orgulloso de luchar en la primera línea de la cruzada para eliminar del continente africano el último vestigio del cáncer inglés.

Habían transcurrido diez días desde que partiera con su equipo de diez hombres; habían salido de la base en Mozambique, y cruzado la frontera, internándose en Natal. Se habían desplazado solo de noche, evitando los lugares frecuentados por las patrullas policiales de seguridad, y escondiéndose en el matorral para evitar ser vistos por los helicópteros de la Fuerza Sudafricana de Defensa. Había sido un recorrido difícil. En octubre, la primavera en el hemisferio sur era particularmente fría, y las plantas parecían eternamente pegajosas a causa de las lluvias constantes.

Cuando al fin llegaron a la pequeña comunidad agrícola de Umkono, Somala distribuyó a sus hombres de acuerdo con el plan que le había explicado su asesor vietnamita. Cada hombre debía recorrer una granja o una instalación militar durante cinco días, recogiendo información que se utilizaría en incursiones futuras. Somala se había asignado él mismo la granja de Fawkes.

Después que el peón agrícola se alejó para iniciar su día de trabajo, Somala movió los binoculares y recorrió con los ojos la propiedad de Fawkes. La mayor parte del terreno limpio, en el cual se libraba una lucha constante contra el mar circundante de arbustos y pastos, estaba plantada con caña de azúcar. El resto era casi todo pastizal para los pequeños rebaños de vacuno y el ganado lechero, con algunas parcelas consagradas al cultivo del té y el tabaco. Detrás de la casa había también un huerto, que producía verduras para el consumo personal de la familia Fawkes.

Un galpón de piedra se usaba para almacenar el forraje del ganado y los fertilizantes. Estaba separado de un enorme galpón que albergaba a los camiones y el equipo agrícola. Medio kilómetro más allá, junto a un arroyo sinuoso, se levantaban las chozas de una comunidad que, según conjeturó Somala, estaba constituida por unos cincuenta peones y sus familias, con su propio ganado vacuno y sus cabras.

La casa de los Fawkes —en realidad, más bien una mansión— se levantaba en la cima de una colina; y estaba bordeada por un prado de césped y por hileras de gladiolos y lirios que realzaban su belleza. Echaba a perder la pintoresca escena una valla metálica de tres metros, coronada por varias filas de alambre de espino que defendían los cuatro lados de la casa.

Somala estudió cuidadosamente el obstáculo. Era una empalizada sólida. Los postes que la sostenían eran gruesos, y sin duda estaban afirmados en bases de cemento. Calculó que solamente un tanque podía derribar esa barrera. Movió los binoculares hasta que apareció en el campo visual un hombre musculoso que llevaba en bandolera un fusil. El guardia se apoyó distraídamente contra la pared de una pequeña garita de madera que se levantaba cerca de un portón. Somala pensó que no sería difícil sorprender y eliminar a los guardias; pero las finas hebras que salían de la empalizada y se introducían en el subsuelo de la casa debilitaron su confianza. No necesitaba la presencia de un ingeniero electrónico para comprender que la empalizada estaba conectada con un generador. Solo podía conjeturar la intensidad del voltaje que se transmitía a la empalizada metálica. Observó también que uno de los cables entraba en la garita del guardia. Eso significaba que un guardia debía mover una llave siempre que se abría el portón; y ese era el talón de Aquiles de la defensa de la familia Fawkes.

Complacido con su descubrimiento, Somala se acomodó en su escondrijo y continuó mirando y esperando.

12

El capitán Patrick Mackenzie Fawkes, retirado de la Marina Real, se paseaba en su veranda con la misma intensidad que otrora había mostrado en el puente de un barco, cuando la nave se acercaba a puerto. Era un hombre muy alto, pues medía poco más de un metro ochenta y cinco sin calzado; y su cuerpo sobrepasaba los ciento veinte kilos. Sus ojos eran gris oscuro, tan oscuro como el agua del mar del Norte durante una tormenta de noviembre. Cada mechón de sus cabellos color arena ocupaba el lugar debido, lo mismo que los filamentos blanquecinos de su barba estilo rey Jorge V Fawkes podría haber pasado por un hombre que había dedicado toda su vida al mar; lo cual había sido exactamente el caso antes de que se convirtiera en agricultor en la provincia de Natal.

—¡Dos días! —exclamó con su resonante acento escocés—. No puedo perder dos días de trabajo en la granja. Es inhumano, sí, inhumano. —Milagrosamente, el té no se derramó de la taza cuando el capitán Fawkes movió una mano.

—Si el propio ministro de Defensa pidió reunirse contigo, lo menos que puedes hacer es complacerlo.

—Pero, maldición, mujer, ese hombre no sabe lo que pide. —Fawkes meneó la cabeza—. Tenemos que limpiar una nueva parcela. Mañana llegará ese toro de raza que compré en Durban el mes pasado. Los tractores necesitan trabajos de reparación. No, no puedo ir.

—Será mejor que pongas en marcha el coche de doble tracción. —Myrna Fawkes dejó su costura y miró a su marido—. Ya preparé tu equipaje e incluí un almuerzo que te mantendrá de buen humor hasta que llegues al tren del ministro, en Pembroke.

Fawkes miró a su esposa y frunció el ceño. No valía la pena discutir. En veinticinco años ella jamás se había dejado intimidar. Por obstinación, él ensayó otra táctica.

—Sería negligencia de mi parte dejarte sola con los muchachos ahora que esos malditos terroristas paganos se infiltran en la selva y andan asesinando a diestra y siniestra a los buenos cristianos.

—¿No estás confundiendo esta insurgencia con una guerra santa?

—Caramba, hace pocos días —insistió Fawkes—, un granjero y su esposa fueron emboscados cerca de Umoro.

—Umoro está a ciento treinta kilómetros de distancia —dijo con voz neutra Myrna.

—Aquí podría ocurrir lo mismo.

—*Irás* a Pembroke, y *hablarás* con el ministro de Defensa. —Las palabras de la mujer parecían cinceladas en piedra—. Patrick Fawkes, tengo mejores cosas que hacer que sentarme toda la mañana en la veranda, a charlar contigo. Ahora, ponte en marcha y no te entretengas en los bares de Pembroke.

Myrna Fawkes no era mujer que uno pudiera ignorar. Aunque delgada y menuda, tenía la fibra de dos hombres. Fawkes habitualmente la veía vestida con una de sus propias camisas caqui y vaqueros, y calzada con botas de media caña. Myrna podía hacer casi todo lo que él hacía: ayudar al nacimiento de un ternero, manejar al ejército de peones nativos, reparar cien piezas distintas de los artefactos mecánicos, atender a las mujeres y los niños enfermos y heridos del grupo de africanos y cocinar como un chef francés. Por extraño que pareciera, ella nunca había aprendido a manejar un automóvil o a montar, y no la avergonzaba confesar que ninguna de ambas cosas despertaba su interés. Mantenía en forma su cuerpo enjuto caminando varios kilómetros diarios.

—No te preocupes por nosotros —continuó Myrna—. Tenemos cinco guardias armados. Jenny y Patrick pueden atravesar la cabeza de un mamba a cincuenta metros. Si hay dificultades puedo llamar por radio a la policía. Y no olvides la empalizada electrizada. Y aunque los guerrilleros consigan atravesarla, tendrán que vérselas con el viejo Lucifer. —Señaló una escopeta Holland calibre 12 que descansaba apoyada contra el marco de la puerta.

Antes de que Fawkes pudiese utilizar un último argumento, sus dos hijos se acercaron en un Bushmaster británico, y estacionaron junto a los peldaños de la veranda.

—Capitán, tiene el tanque lleno de gasolina y está preparado para salir —dijo el joven Patrick. Hacía dos meses que había cumplido veinte años y tenía el rostro y la delgadez de su madre, pero su estatura era cinco centímetros mayor que la de su padre. Su hermana, un año más joven, tenía los huesos grandes y los pechos generosos; y ahora sonreía alegremente con el rostro salpicado de pecas.

—Papá, se me ha terminado la loción para el baño —dijo Jenny—. ¿Recordarás comprarme un frasco cuando estés en Pembroke?

—Loción para el baño —gimió Fawkes—. Es una condenada conspiración. Toda mi vida es una gran conspiración maquinada por gente de mi propia sangre. ¿Creéis que os las arreglaréis sin mí? Pues bien, que así sea. Pero en mi opinión no sois más que un maldito hatajo de amotinados.

Después de recibir un beso de la sonriente Myrna, y empujado por sus dos hijos, Fawkes subió de mala gana al vehículo de doble tracción. Mientras esperaba que el guardia abriese el portón, se volvió y miró hacia la casa. Los tres continuaban de pie en los peldaños de la veranda, enmarcados por un enrejado cubierto de flores de buganvillas. Los tres saludaron con la mano y él hizo lo mismo. Y después enfiló el Bushmaster en dirección al camino de tierra, y comenzó a alejarse dejando detrás una pequeña nube de polvo.

Somala observó la partida del capitán, y tomó cuidadosa nota del procedimiento del guardia, que cortó y volvió a conectar la electricidad para abrir y cerrar el portón. El hombre ejecutaba mecánicamente los movimientos. Eso era bueno, pensó Somala. El hombre estaba aburrido. Tanto mejor si llegaba el momento de desencadenar un ataque.

Desvió los binoculares hacia los densos pastizales salpicados de espesas matas de arbustos que formaban las lindes irregulares de la granja. Casi le pasó inadvertido. Y así habría sido si su ojo no hubiese percibido un resplandor instantáneo, provocado por el reflejo de la luz del sol. Su reacción intuitiva fue pestañear y frotarse los ojos. Después volvió a mirar.

Otro negro estaba acostado en una plataforma, a cierta altura sobre el suelo, parcialmente disimulado por las hojas parecidas a helechos de una acacia. Excepto los rasgos un poco más jóvenes y la piel un tanto más clara, hubiera podido confundírselo con Somala. El intruso vestía la misma ropa de combate camuflada, y portaba un rifle automático chino CK-88 con reserva de proyectiles —el equipo de un soldado del Ejército Revolucionario Africano—. A Somala le pareció que estaba mirándose en un espejo lejano.

Se sintió confundido. Los hombres de su sección ocupaban todos un puesto de comando. No reconoció a ese hombre. ¿Quizá su consejero vietnamita había enviado un espía para observar cómo se desempeñaba Somala? No podía creer que se dudara de su lealtad al Ejército Africano Revolucionario. De pronto sintió un escalofrío en la nuca.

El otro soldado no estaba vigilando a Somala. Con sus binoculares observaba la casa de los Fawkes.

13

La humedad lo cubría todo como una manta empapada, e impedía que se evaporase el agua de los charcos. Fawkes echó una ojeada al reloj del tablero; marcaba las 3.35. En una hora de viaje llegaría a Pembroke. Comenzó a sentir la necesidad cada vez más imperiosa de un buen trago de whisky.

Pasó frente a una pareja de jovencitos negros que estaban en cuclillas en la zanja que corría paralela al camino. No les prestó atención, y no los vio cuando se incorporaron bruscamente y empezaron a correr tras la estela polvorienta del Bushmaster. Unos ochenta metros delante el camino se angostaba. A la derecha, un pantano mostraba una masa de juncos descompuestos. A la izquierda, una pendiente descendía más de treinta metros hasta el cauce lodoso de un arroyo. Al frente, un muchacho de unos dieciséis años estaba en medio del camino, y con una mano sostenía una lanza zulú de hoja ancha, y con la otra una piedra de buen tamaño.

Fawkes se detuvo bruscamente. El muchacho se mantuvo firme y miró con expresión de sombría decisión el rostro barbudo que había detrás del parabrisas. Vestía unos pantalones cortos deshilachados y una camisa rota y sucia que jamás había conocido el jabón. Fawkes bajó el cristal de su ventanilla y asomó la cabeza. Sonrió y habló en voz baja y amistosa.

—Si quieres jugar conmigo a san Jorge y el dragón, te sugiero que lo pienses mejor.

El silencio fue la única respuesta que Fawkes obtuvo. De pronto, advirtió tres imágenes simultáneas, y sus músculos se pusieron tensos. Vio relucientes fragmentos de cristal, empujados descuidadamente hacia un surco excavado por la lluvia. También, huellas paralelas de neumáticos que describían una curva al borde de la quebrada. Y la otra prueba, más concreta, de que algo peligroso lo amenazaba fue la imagen en el espejo retrovisor de los dos jovencitos que corrían hacia la parte trasera del vehículo. Uno, un adolescente grueso y torpe, apuntaba con un viejo rifle. El otro enarbolaba sobre la cabeza un machete oxidado.

Dios mío, pensó Fawkes. He caído en una emboscada tendida por escolares.

Su única arma era el cuchillo de caza en la guantera. Su familia lo había obligado a salir tan deprisa que Fawkes había olvidado llevar su revólver favorito, un Magnum 44.

Sin perder tiempo en reprocharse su propio descuido, dio marcha atrás al Bushmaster y pisó a fondo el acelerador. Los neumáticos mordieron el suelo y el vehículo de doble tracción pegó un brinco hacia atrás, eludiendo al jovencito que llevaba el machete pero golpeando al que tenía la escopeta; este voló por el aire y cayó en el pantano. Entonces Fawkes frenó, puso la primera y enfiló hacia el muchacho que esperaba de pie, dispuesto a arrojar la lanza y la roca.

No había señales de miedo en los ojos del adolescente

cuando plantó en el suelo los pies desnudos y movió ambos brazos a la vez. Al principio, Fawkes pensó que el muchacho había apuntado demasiado alto; oyó el golpe y el rebote de la lanza contra el techo. Después, el parabrisas se disolvió en una lluvia de agujas relucientes, y la piedra cayó en el asiento delantero, al lado del conductor. Fawkes sintió que las partículas de vidrio se le clavaban en el rostro, pero lo único que recordó después fue la fría mirada de odio en los ojos de su atacante.

La embestida lanzó al muchacho por el aire, como un muñeco flexible, y lo envió al suelo, bajo las ruedas delanteras. Fawkes pisó el pedal del freno, pero solo consiguió agravar aún más las heridas. Los neumáticos frenados saltaron y resbalaron sobre la carne dócil, desgarrando la piel, los músculos y los tendones.

Fawkes descendió del vehículo y retrocedió cautelosamente. El muchacho estaba muerto, con el cráneo casi completamente aplastado, y las piernas delgadas convertidas en un revoltijo de carne y sangre. El jovencito regordete con la escopeta tenía medio cuerpo sumergido en el agua pantanosa llena de algas, y la otra mitad en la orilla. La cabeza se le había doblado hacia atrás, casi hasta tocar la columna vertebral. Su compañero había desaparecido internándose en el pantano.

Fawkes recogió el rifle. La recámara estaba abierta y alojaba un cartucho. Lo retiró y estudió el mecanismo. La razón por la cual el muchacho no había disparado era que el rifle no podía hacer fuego. La aguja del gatillo estaba completamente doblada. Fawkes arrojó lo más lejos que pudo el arma, en dirección al lugar más profundo del pantano, y vio cómo caía y se sumergía en el agua.

En el fondo de la quebrada estaba volcado un pequeño camión. Había dos cuerpos tendidos junto a las portezuelas abiertas y retorcidas. Un hombre y una mujer, brutalmente mutilados, y rodeados por enjambres de moscas.

Era evidente que los tres muchachos africanos habían apedreado a los incautos viajeros, hiriendo al conductor y provocando la caída del camión en la quebrada, donde habían apuñalado a los sobrevivientes. Después, excitados y confiados a causa de su fácil victoria, se habían instalado a esperar a la próxima víctima.

—Críos estúpidos —murmuró Fawkes en medio de la quietud de la muerte—. Malditos críos estúpidos.

Como un corredor de la maratón que abandona la carrera un kilómetro antes de la llegada, Fawkes se sentía agotado y al mismo tiempo pesaroso. Regresó lentamente al Bushmaster, enjugando con un pañuelo los hilos de sangre que le corrían por la mejilla. Entró en el Bushmaster, sintonizó la frecuencia de la radio portátil, y llamó a la policía de Pembroke. Cuando concluyó su informe, permaneció de pie, inmóvil, maldiciendo y arrojando piedras mal dirigidas a los buitres que comenzaban a reunirse.

14

—Está retrasado —dijo en afrikaans Pieter de Vaal, ministro de Defensa. Levantó la ventanilla del vagón y se asomó, recorriendo con los ojos el camino que bordeaba el ramal ferroviario. Sus palabras iban dirigidas a un hombre alto y delgado de ojos azules, vestido con uniforme del ejército.

—Si Patrick Fawkes está retrasado —dijo el coronel, agitando la bebida que tenía en la mano—, sin duda tiene buenas razones para ello.

De Vaal se apartó de la ventanilla abierta y se pasó ambas manos por los cabellos grises y ondulados. Parecía más un profesor de lenguas clásicas que un hombre de voluntad de hierro que dirigía la segunda fuerza militar del continente. Y no podía decirse que hubiese heredado un puesto agradable. De Vaal era el quinto ministro de Defensa en un lapso de siete años. Su predecesor había durado menos de cinco meses.

—Típica actitud inglesa —dijo impaciente—. Un inglés vive únicamente para el gin, la reina y su jodido aire de indiferencia. No se puede confiar en ellos.

—Si usted tan solo se atreve a sugerirle que es inglés, heer ministro, Fawkes demostrará muy poco espíritu de cooperación. —El coronel Joris Zeegler terminó su bebida y se sirvió otra—. Fawkes es escocés; sugiero respetuosamente, señor, que procure no olvidarlo.

De Vaal no se irritó ante el tono insolente de Zeegler. Siempre tomaba en serio los consejos de su jefe de inteligencia. No era un secreto en el ministerio que el éxito alcanzado por De Vaal en la lucha contra los terroristas venidos de países vecinos y la represión de los alzamientos locales era imputable sobre todo a la ingeniosa infiltración de las organizaciones insurgentes por los colaboradores bien entrenados de Zeegler.

—Inglés, escocés… preferiría un afrikaner.

—Estoy de acuerdo —dijo Zeegler—. Pero Fawkes es el hombre más apto para ofrecer una opinión acerca del proyecto. Así lo demostró el estudio, hecho con la ayuda de una computadora, que seleccionó a personal militar experto. —Abrió una carpeta—. Veinticinco años en la Marina Real. Quince en trabajos de ingeniería. Dos años capitán del *HMS Audacious*. Durante los últimos años de su servicio fue director de ingeniería del Astillero de la Marina Real en Grimsby. Compró una granja en el norte de Natal y se retiró hace once años.

—¿Y qué dice su computadora del hecho de que malcría a sus peones bantúes?

—Reconozco que el hecho de ofrecer a sus negros y mestizos participación en los beneficios de la granja es el gesto propio de un liberal. Pero es innegable que Fawkes ha creado la mejor hacienda del norte de Natal en un lapso sumamente breve. Su gente le es abnegadamente leal. El extremista que trate de crear problemas en la granja de Fawkes pasará un mal rato.

De Vaal se disponía a formular otra declaración pesimista cuando llamaron a la puerta. Entró un joven oficial y se cuadró frente al ministro.

—Perdone la interrupción, herr ministro, ha llegado el capitán Fawkes.

—Hágalo pasar —dijo De Vaal.

Fawkes inclinó la cabeza para pasar por la puerta baja. De Vaal lo miró en silencio. No había esperado ver a un hombre tan corpulento, ni tampoco a una persona cuyo rostro había sufrido una docena de heridas poco rato antes. Le ofreció la mano.

—Capitán Fawkes, es un placer conocerlo —dijo De Vaal en afrikaans—. Le agradezco que haya realizado el viaje.

Fawkes estrechó vigorosamente la mano de De Vaal.

—Disculpe, señor, pero no hablo su idioma.

De Vaal pasó al inglés.

—Perdóneme —dijo con una leve sonrisa—. Olvido que ustedes los ingle... quiero decir los escoceses, no suelen aprender idiomas extranjeros.

—Supongo que tenemos la cabeza dura.

—Discúlpeme por decirlo, capitán, pero parece que se ha afeitado con una rama de espino.

—Me tendieron una emboscada. Estos malditos cabrones me rompieron el parabrisas. Me habría detenido en el hospital, pero ya llegaba tarde a nuestro encuentro.

De Vaal cogió del codo a Fawkes y lo llevó hasta un asiento.

—Creo que debemos ofrecerle una copa. Joris, ¿quiere ocuparse? Capitán Fawkes, este es el coronel Joris Zeegler, director de la Defensa Sudafricana Interna.

Zeegler hizo un gesto con la cabeza y alzó una botella.

—Entiendo que usted prefiere el whisky, capitán.

—Así es, coronel.

De Vaal se acercó a la puerta y la abrió.

—Teniente Anders, informe al doctor Steedt que tenemos un paciente para él. Sospecho que lo encontrará dormitando en su compartimiento. —Cerró la puerta y se volvió hacia el interior de la habitación—. Primero lo más importante. Y ahora, capitán, mientras esperamos al doctor, quizá usted tenga la bondad de ofrecernos un informe detallado de la emboscada.

Llegó el doctor, y, con rezongos benévolos acerca del cuero de rinoceronte al que Fawkes llamaba piel, comenzó a trabajar. Excepto dos heridas que exigieron tres puntos cada una, el médico dejó el resto sin vendar.

—Suerte para usted que esas marcas no parecen arañazos,

porque en ese caso le costaría trabajo explicar el asunto a su esposa. —Bromeó, mientras cerraba su maletín.

—¿Está seguro de que el ataque no fue premeditado? —preguntó Zeegler después que se marchó el médico.

—No es probable —replicó Fawkes—. Eran unos muchachitos harapientos. Solo Dios sabe qué demonios los indujo a iniciar esa expedición asesina.

—Me temo que su encuentro con los adolescentes sanguinarios no es un caso aislado —dijo suavemente De Vaal.

Zeegler asintió.

—Su relato, capitán, concuerda con el mismo *modus operandi* de por lo menos doce ataques diferentes durante los últimos dos meses.

—Si quiere saber mi opinión —sopló Fawkes—, ese condenado Ejército Africano es el responsable.

—Indirectamente puede atribuírsele la responsabilidad al Ejército Africano. —Zeegler encendió un cigarro fino como un lápiz.

—La mitad de los muchachos negros de doce a dieciocho años, desde aquí hasta Ciudad del Cabo, darían sus testículos por llegar a ser soldados del Ejército Africano —observó De Vaal—. Podría decirse que es una forma de veneración a los héroes.

—Hay que reconocer los méritos del adversario —dijo Zeegler—. Hiram Lusana es un psicólogo tan astuto como eficaz contrabandista y táctico.

—Sí —dijo Fawkes, mirando al coronel—. Oí hablar mucho de ese bastardo. ¿Cómo llegó a jefe del Ejército Africano Revolucionario?

—Se impuso él mismo. Es un negro norteamericano. Según parece, ganó mucho dinero con el tráfico de drogas. Pero la riqueza no era suficiente. Alimentaba sueños de poder y grandeza. De modo que vendió su negocio a un sindicato francés y vino a África, y comenzó a organizar y a equipar su propio ejército de liberación.

—Parece una tarea colosal para un solo hombre —dijo Fawkes—, aunque sea muy rico.

—No tan colosal cuando uno tiene ayuda, mucha ayuda —explicó Zeegler—. Los chinos le suministraron armas, y los vietnamitas entrenan a sus hombres. Felizmente, nuestras fuerzas de seguridad consiguen mantenerlos en estados de derrota casi constante.

—Pero nuestro gobierno seguramente caerá si nos someten a un bloqueo económico prolongado —agregó De Vaal—. El plan maestro de Lusana es librar una guerra normal. Nada de terrorismo, ni asesinatos de mujeres y niños inocentes. Hasta ahora sus fuerzas han atacado únicamente instalaciones militares. De ese modo, representando el papel de un salvador benévolo, puede conquistar el apoyo moral y financiero de Estados Unidos, Europa y los países del Tercer Mundo. Una vez alcance esos objetivos, podrá usar la influencia adquirida para destruir todos nuestros vínculos económicos con el mundo exterior. Y en ese caso el fin de África del Sur blanca es cuestión de semanas.

—¿No hay modo de detener a Lusana? —preguntó Fawkes.

De Vaal frunció el ceño.

—Hay una posibilidad, siempre que contemos con su aprobación.

Fawkes miró al ministro con expresión desconcertada.

—No soy más que un marino sin barco y un agricultor. No sé una palabra de la guerrilla insurgente. ¿De qué puedo servir al ministro de Defensa?

De Vaal no contestó, y se limitó a entregar a Fawkes un libro encuadernado como los que se utilizan para la contabilidad.

—Se llama operación Rosa Silvestre.

Las luces de Pembroke se encendieron una por una en la penumbra del atardecer. Una suave lluvia había bañado las ventanillas del vagón, dejando una miríada de hilos de agua en el vidrio cubierto de polvo. Las gafas de lectura de Fawkes descansaban sobre su nariz prominente y agrandaban sus ojos, que recorrían incansables las líneas de las páginas. Estaba tan absorto en lo que leía que distraídamente masticaba el extremo de una pipa apagada hacía rato. Pocos minutos después de las ocho cerró la carpeta de la operación Rosa Silvestre. Permaneció sentado largo rato, en actitud contemplativa. Finalmente, meneó la cabeza fatigado.

—Ruego a Dios que nunca lleguemos a esto —dijo en voz baja.

—Comparto sus sentimientos —dijo De Vaal—. Pero se aproxima rápidamente el momento en que estaremos de espaldas contra la pared, y es muy posible que la operación Rosa Silvestre sea nuestra última esperanza de evitar la derrota.

—Todavía no comprendo qué desean ustedes de mí.

—Simplemente su opinión, capitán —dijo Zeegler—. Hemos realizado estudios de factibilidad del plan, y sabemos lo que las computadoras dicen acerca de sus posibilidades de éxito. Confiamos en que sus años de experiencia suministrarán los pro y los contra, juzgados por un ser humano.

—Puedo decirles que el plan me parece casi imposible de llevar a cabo —dijo Fawkes—. Y por lo que a mí respecta, puedo agregar también que es demencial. Lo que ustedes proponen es la peor forma de terrorismo.

—Exactamente —concordó De Vaal—. Si utilizamos una fuerza negra de ataque, cuyos integrantes vayan disfrazados de miembros del Ejército Africano Revolucionario, podemos lograr que la simpatía internacional abandone a los negros y apoye a la causa blanca de África del Sur.

—Tenemos que obtener el apoyo de países como Estados Unidos para poder sobrevivir —explicó Zeegler.

—Lo que ocurrió en Rhodesia puede repetirse aquí —continuó De Vaal—. Toda la propiedad privada, las granjas, las tiendas, los bancos, confiscados y nacionalizados. Blancos y negros masacrados en las calles, millares de exiliados del continente solo con lo puesto. Un nuevo gobierno negro de orientación comunista, y una dictadura tribal despótica que deprime y explota a su propio pueblo, y lo hunde prácticamente en la esclavitud. Capitán Fawkes, puede estar seguro de que si nuestro gobierno cae, no será sustituido por otro dispuesto a aplicar el gobierno de la mayoría democrática.

—No estamos seguros de que lo mismo ocurrirá aquí —dijo Fawkes—. Y aunque así fuera, y pudiésemos usar una bola de cristal y predecir lo peor, eso no justificaría llevar a cabo la operación Rosa Silvestre.

—No pido un juicio moral —dijo sombríamente De Vaal—. Usted ha dicho que el plan es imposible. Aceptaré su opinión.

Después que Fawkes salió, De Vaal se sirvió otra copa.

—El capitán fue franco, le reconozco ese mérito.

—Y está en lo cierto —dijo Zeegler—. Rosa Silvestre es la peor forma del terrorismo.

—Quizá —murmuró De Vaal—. Pero ¿qué alternativa tiene uno cuando gana batallas y pierde la guerra?

—No soy un gran estratega —replicó Zeegler—. Pero estoy seguro de que la operación Rosa Silvestre no es la solución, ministro. Recomiendo firmemente que la archive.

De Vaal sopesó durante varios instantes las palabras de Zeegler.

—Muy bien, coronel. Reúna toda la información relacionada con la operación y guárdela en la bóveda del ministerio, junto a los restantes planes de contingencia.

—Sí, señor —dijo Zeegler, aliviado.

De Vaal contempló el líquido contenido en su vaso, y luego alzó los ojos con expresión pensativa.

—Lástima, una gran lástima. Quizá hubiera dado resultado.

Fawkes estaba borracho.

Si una garra monstruosa hubiese descendido y arrancado el largo mostrador de caoba del hotel Pembroke, Fawkes habría caído de bruces. Percibió oscuramente que era el único cliente que quedaba en el salón. Pidió otra copa, advirtiendo con una suerte de regocijo sádico que por su culpa habían retrasado en mucho la hora del cierre, y que el encargado, un hombre de un metro setenta, vacilaba en pedirle que se retirase.

—¿Se siente bien, señor? —preguntó cautelosamente el hombre.

—¡No, maldición! —rugió Fawkes—. ¡Me siento condenadamente mal!

—Disculpe, señor, pero si el alcohol le sienta tan mal, ¿por qué bebe?

—No es el whisky lo que me revuelve las tripas. Es la operación Rosa Silvestre.

—¿Cómo?

Fawkes miró furtivamente alrededor, y después se inclinó sobre el mostrador.

—¿Qué me diría si le contase que hace apenas tres horas me reuní con el ministro de Defensa allí en la estación, en su vagón privado?

Una sonrisa de incredulidad curvó los labios del hombre.

—El ministro debe de ser un verdadero mago, señor Fawkes.

—¿Un mago?

—Para estar en dos lugares al mismo tiempo.

—Explíquese, hombre.

El encargado metió la mano bajo el mostrador y extrajo un periódico; lo desplegó frente a Fawkes, señaló un artículo de la primera página, y leyó en voz alta el titular.

—«El ministro de Defensa Pieter de Vaal ingresa en el hospital de Puerto Isabel para someterse a una operación.»

—¡Imposible!

—Es el diario de la tarde —dijo el encargado—. Tendrá que reconocer no solo que el ministro tiene extraordinaria capacidad de recuperación, sino también un tren muy veloz. Puerto Isabel está a más de mil kilómetros al sur.

Fawkes le arrebató el periódico y sacudió la cabeza para aclarar sus pensamientos. Se puso las gafas y leyó la noticia. Era cierto. Con un gesto torpe entregó un fajo de billetes al encargado, y salió trastabillando por la puerta; pasó al vestíbulo del hotel y salió a la calle.

Cuando llegó a la estación ferroviaria, la encontró desierta. La luz de la luna iluminaba los rieles vacíos. El tren de De Vaal había desaparecido.

15

Llegaron al amanecer. Somala contó por lo menos treinta, vestidos con el mismo tipo de uniforme de campaña que él usaba. Los vio deslizarse por los matorrales, como sombras, y desaparecer en el cañaveral.

Dirigió los binoculares hacia la acacia. El explorador había desaparecido. Probablemente había ido a reunirse con su unidad, pensó Somala. Pero ¿quiénes eran? No reconocía a ninguno de los miembros de la fuerza atacante. ¿Quizá miembros de otro movimiento insurgente? En ese caso, ¿por qué usaban la característica boina negra del Ejército Africano Revolucionario?

Somala sintió la tentación de dejar su escondite en el baobab y acercarse a los intrusos; pero lo pensó mejor, y permaneció inmóvil. Vigilaría y observaría. Esas eran sus órdenes, y quería obedecerlas.

La granja de Fawkes comenzaba a despertar lentamente. Los peones empezaban a salir de sus chozas e iniciaban sus tareas diarias. Patrick Fawkes hijo atravesó el portón electrificado y se dirigió al galpón de piedra, donde comenzó a trabajar con un tractor. Se hacía el cambio de guardia en el portón, y el hombre que había cumplido el turno de la noche estaba medio dentro medio fuera del cerco, charlando con su reemplazante. De pronto, sin decir palabra cayó al suelo. Al mismo tiempo, el segundo guardia vaciló y cayó.

Somala apenas pudo contener un grito cuando una oleada de atacantes salió del cañaveral formando una amplia línea de ataque, y avanzó hacia la casa. La mayoría llevaba fusiles de asalto chinos CK-88, pero dos se arrodillaron y apuntaron con fusiles, provistos de mira y silenciadores.

Los CK-88 abrieron fuego, y el joven Fawkes pareció cuadrarse cuando por lo menos diez proyectiles le atravesaron el cuerpo. Alzó las manos y batió el aire, y después se derrumbó sobre el motor descubierto del tractor. El estrépito de la andanada alertó a Jenny, y la joven se acercó corriendo a una ventana del primer piso.

—¡Dios mío, mamá! —gritó—. Hay soldados en el patio y han matado a Pat.

Myrna Fawkes tomó el Holland & Holland y corrió hacia la puerta principal. Una mirada le bastó para comprender que los atacantes habían violado las defensas. Varios africanos con uniformes verdes y pardos camuflados irrumpían por el portón abierto, ahora inútil a causa de la interrupción del circuito eléctrico. Cerró bruscamente la puerta, echó el cerrojo y gritó a Jenny:

—Coge la radio y llama a la policía.

Después se sentó tranquilamente, metió en la recámara de la escopeta dos cartuchos con municiones doble cero, y esperó.

El crepitar de los fusiles se acentuó súbitamente, y desde las chozas comenzaron a llegar los alaridos de las mujeres y los niños aterrorizados. Los atacantes no perdonaron siquiera a los animales de los Fawkes. Myrna trató de no oír los mugidos de las vacas moribundas, y ahogando un breve sollozo ante el pensamiento de la tremenda pérdida levantó los dos cañones de la escopeta cuando el primer atacante irrumpió por la puerta.

Era el africano más apuesto que Myrna había visto jamás. Tenía rasgos visiblemente caucásicos. Y sin embargo su color negro azulado era casi perfecto. El hombre alzó el fusil como si se propusiera golpear la cabeza de la mujer con la culata, y de un salto atravesó la habitación. Myrna apretó ambos disparadores, y la vieja Lucifer escupió fuego.

La ráfaga a tan corta distancia casi arrancó la cabeza del africano. El rostro se lo disolvió en una lluvia de hueso y tejido gris rojizo, y el cuerpo salió disparado contra la puerta y se desplomó sobre el suelo mientras el torso se estremecía espasmódicamente.

Casi con indiferencia, como si se tratara de un torneo de tiro, Myrna volvió a cargar la escopeta. Acababa de cerrar la recámara cuando dos hombres más entraron por la puerta. La vieja Lucifer alcanzó al primero directamente en el pecho y lo derribó instantáneamente. El segundo atacante saltó sobre el cuerpo de su camarada caído, y el movimiento determinó que el disparo de Myrna fuese un poco bajo. La descarga del segundo cañón alcanzó al atacante en la ingle. El hombre soltó un alarido, dejó caer el arma y se aferró el cuerpo. Gimió, y retrocedió trastabillando hasta la veranda, donde se derrumbó cuando sus pies calzados con botas todavía estaban en el vestíbulo. Myrna volvió a cargar. Una ventana voló en pedazos y varios orificios aparecieron súbitamente en el empapelado, al lado de su silla. No sintió dolor, ni sensación de quemadura. Bajó los ojos. Vio la sangre que comenzaba a empapar la tela azul de sus vaqueros.

Del primer piso llegó un tremendo estampido, y Myrna comprendió que Jenny estaba disparando hacia el patio con la Magnum 44 del capitán.

El siguiente africano se mostró más prudente. Disparó una ráfaga por la puerta y esperó antes de entrar. Como no recibiera respuesta, cobró confianza y se aventuró en el interior. El doble disparo de la escopeta le arrancó el brazo izquierdo. Por unos instantes miró aturdido el brazo que había a sus pies con los dedos todavía contraídos. La sangre comenzó a salir a borbotones por la manga vacía, y se derramó sobre la alfombra. Todavía como en trance, el soldado cayó lentamente de rodillas y permaneció así, gimiendo suavemente mientras el líquido vital se le escapaba por la herida.

Myrna manipuló su escopeta con una mano. Tres balas del último atacante le habían destrozado el antebrazo y la muñeca. Torpemente abrió la recámara y retiró los cartuchos vacíos. Cada movimiento parecía ejecutado por una masa gelatinosa. Los cartuchos nuevos se deslizaron entre sus dedos sudorosos, y cayeron al suelo.

—¿Mamá?

Myrna alzó los ojos. Jenny estaba de pie en mitad de la

escalera; el revólver colgaba flojamente de una mano y la blusa estaba manchada de carmesí.

—Mamá… estoy herida.

Antes de que Myrna pudiese contestar, otra figura entró en la habitación. Jenny trató de alzar la escopeta, pero demasiado tarde. El recién llegado disparó primero, y la joven se desplomó y rodó por la escalera como una muñeca de trapo.

Myrna solo podía esperar, aferrando a Lucifer. La pérdida de sangre la privaba de energía y le enturbiaba la visión. Miró inexpresiva al hombre que se inclinaba sobre ella. A través de la niebla cada vez más densa pudo verlo acercar el cañón del fusil a dos centímetros de su frente.

—Perdóneme —dijo él.

—¿Por qué? —preguntó ella, desfalleciente—. ¿Por qué hacen una cosa tan terrible?

Los ojos fríos y oscuros no contestaron. Para Myrna, las flores de buganvilla de la veranda explotaron en un resplandor fucsia y luego se convirtieron en un mundo de sombras.

Somala caminó entre los muertos, contemplando enmudecido los rostros congelados para siempre en el dolor y la confusión. Los atacantes habían matado implacablemente a casi todos los peones y sus familias. Apenas un puñado podía haber escapado a la selva. Los alimentos contenidos en el establo y los equipos del galpón habían sido incendiados, y las llamas ya estaban brotando como dedos anaranjados de la ventana del primer piso de la casa de los Fawkes.

Qué extraño, pensó Somala. Los atacantes habían peinado el campo de batalla, y en silencio, como espectros, habían retirado a sus propios muertos. Los movimientos habían sido rápidos y bien planeados. No hubo indicios de pánico cuando les llegó el rumor lejano de los helicópteros de las Fuerzas Africanas de Defensa. Los atacantes sencillamente se internaron en la selva, con los mismos movimientos subrepticios con que se habían acercado a la granja.

Somala retornó al baobab, para buscar su equipo e iniciar el regreso al pueblo. Su único deseo era reunir a los hombres de su unidad y regresar al campamento, del otro lado de la frontera con Mozambique. No volvió a mirar a los muertos dispersos alrededor de la granja. No vio a los buitres que comenzaban a reunirse. Ni oyó el disparo del arma cuya bala le atravesó la espalda.

16

El viaje de Pembroke a Umkono fue un vacío total para Patrick Fawkes. Sus manos movían el volante y sus pies presionaban los pedales con movimientos mecánicos y rígidos. Tenía los ojos fijos y vidriosos cuando abordaba las pendientes empinadas, y guiado por un instinto ciego lanzaba el vehículo en las curvas más cerradas.

Se encontraba en una pequeña farmacia, comprando la loción para Jenny cuando un agitado sargento de la policía de Pembroke le ofreció un escueto resumen de la tragedia. Al principio, Fawkes rehusó creerlo. Consiguió aceptarlo pero solo después que se hubo comunicado con Shawn Francis, el policía irlandés de Umkono, utilizando la radio del Bushmaster.

—Patrick, es mejor que vuelva inmediatamente —dijo la voz tensa de Francis. El policía no quiso dar detalles a Fawkes, y este tampoco los pidió.

El sol aún estaba alto cuando Fawkes divisó su granja. De la casa quedaba muy poco. Solo se mantenían en pie el hogar y una parte de la veranda. El resto no era más que una ruina de maderas quemadas. En el patio, los neumáticos de los tractores aún despedían un espeso humo negro sobre las llantas de acero. Los peones yacían donde habían caído, cerca de las chozas. Los buitres picoteaban los cadáveres de los vacunos.

Shawn Francis y varios soldados de la Fuerza de Defensa estaban reunidos alrededor de tres bultos cubiertos con mantas cuando Fawkes estacionó el Bushmaster en el patio. Francis se acercó a Fawkes cuando este saltó del vehículo sucio de lodo. El rostro del policía parecía de granito.

—¡Santo Dios! —exclamó Fawkes. Miró a los ojos a

Francis, buscando una pequeña luz de esperanza—. Mi familia. ¿Dónde esta mi familia?

Francis trató de decir algo, pero al fin renunció y movió la cabeza en dirección de los cuerpos cubiertos con mantas. Fawkes lo apartó bruscamente y comenzó a cruzar el patio, pero lo detuvieron los robustos brazos del policía, que de pronto se cerraron sobre su pecho.

—No se acerque, Patrick. Ya los he identificado.

—Maldito sea, Shawn, esa es mi familia.

—Se lo ruego, amigo.

—Suélteme. Debo verlos.

—¡No! —dijo Francis, con sombría decisión, aunque sabía que no hubiera podido imponerse a la tremenda fuerza de Fawkes—. Myrna y Jenny están calcinadas. Han muerto, Patrick. Los seres a quienes usted conoció ya no existen. Recuérdelos como eran cuando vivían, no como son en la muerte.

Francis sintió que Fawkes aflojaba lentamente los músculos.

—¿Cómo ocurrió? —preguntó Fawkes en voz baja.

—No conocemos los detalles. Todos los peones huyeron o murieron. No hay heridos.

—Pero alguien debe saber… debe haber visto…

—Ya encontraremos un testigo. Mañana hallaremos a alguien, se lo prometo.

La lúgubre conversación se interrumpió mientras un helicóptero descendía en el patio y los soldados introducían en la cabina los cadáveres de Myrna, Jenny y Patrick hijo, y los aseguraban con cuerdas. Fawkes no intentó acercarse. Permaneció inmóvil y contempló la escena con profunda tristeza en los ojos, mientras el helicóptero se elevaba y enfilaba hacia Umkono.

—¿Quién es el responsable? —dijo Fawkes a Francis—. Dígame quién asesinó a mi esposa y mis hijos, a mis trabajadores, y quemó mi granja.

—Tenemos uno o dos cartuchos plásticos de CK-88, los restos chamuscados de un brazo en la casa, con un reloj chino en la muñeca, y huellas de botas militares en el barro. Las pruebas son circunstanciales, pero en todo caso apuntan al Ejército Revolucionario Africano.

—¿Qué quiere decir con uno o dos cartuchos? —exclamó Fawkes—. Los malditos bastardos deben haber dejado una montaña de cartuchos.

Francis esbozó un gesto de impotencia.

—Es típico de una incursión del Ejército Africano. Siempre limpian la zona después de un ataque. De ese modo es más difícil reunir pruebas contra ellos. Alegan inocencia si hay una investigación internacional y señalan hipócritamente a otras organizaciones de liberación. De no haber sido por nuestros perros alsacianos, jamás habríamos descubierto los cartuchos, o quizá ni siquiera el brazo.

»Las huellas de los atacantes salen del cañaveral, llegan a la casa y se alejan por el mismo lugar. Supongo que mataron a los guardias durante el relevo, mientras el portón estaba abierto; de ese modo la corriente eléctrica queda interrumpida. Su hijo Patrick halló la muerte junto a ese tractor quemado. Myrna y Jenny yacían en el vestíbulo, a poca distancia una de la otra. Ambas recibieron un tiro de gracia. Por lo poco que pueda valer, Patrick, le diré que no hay indicios de violación ni mutilación.

El policía Francis se detuvo para beber un trago de una cantimplora. Invitó a Fawkes, que se limitó a menear la cabeza.

—Beba un trago, Patrick. Es whisky.

Fawkes rehusó nuevamente.

—Mi oficina recibió un pedido de auxilio que Jenny envió por radio. Decía que habían matado a Pat y que hombres uniformados atacaban la granja. Ella y Myrna parecen haber luchado como demonios. En el patio, detrás de la casa, encontramos cuatro manchas diferentes de sangre. Y como usted puede ver, lo que queda del piso de la veranda está lleno de sangre. Las últimas palabras de Jenny fueron: «Santo Dios, están matando a los niños de las chozas».

»Reunimos nuestras fuerzas y vinimos con la mayor rapidez posible. Solamente necesitamos trece minutos. Pero todo estaba en llamas y los atacantes habían desaparecido.

Ahora, dos pelotones y un helicóptero están buscándolos en la selva.

—Mi gente —murmuró Fawkes, señalando los cuerpos inmóviles que yacían alrededor de las chozas—. No podemos dejarlos allí, para los buitres.

—Su vecino Brian Vogel vendrá con sus peones para enterrarlos. Llegarán de un momento a otro. Mientras tanto, mis soldados mantendrán alejados a los depredadores.

Fawkes parecía un hombre perdido en un sueño. Se acercó a la escalera que llevaba a la veranda. Aún no podía asimilar la inmensidad de la tragedia. Casi parecía que esperaba ver a los tres seres amados de pie, enmarcados por la buganvilla. Y su mente casi alcanzó a evocarlos como los había visto la última vez, despidiéndolo felices cuando él había emprendido el viaje a Pembroke.

La veranda estaba salpicada de sangre. Varios hilos rojos corrían entre las maderas humeantes, descendían por los peldaños hacia el patio y allí morían bruscamente. Fawkes llegó a la conclusión de que tres o quizá cuatro cuerpos habían sido retirados de la casa antes de prenderle fuego. La sangre se había coagulado y endurecido bajo el sol de la tarde. Grandes moscas iridiscentes zumbaban y recorrían los hilos, formando enjambres.

Fawkes se apoyó contra el enrejado de madera y sintió que lo sacudía el primer temblor incontrolable. La casa que él había construido para su familia no era más que una ruina ennegrecida y grotesca, un resto incongruente en medio del prado de césped bien cortado y los canteros de gladiolos y lirios que habían quedado prácticamente indemnes. Incluso el recuerdo de lo que había sido comenzaba a deformarse y confundirse. Se sentó en la escalera y se cubrió el rostro con las manos.

Aún estaba allí cuando media hora después el policía Francis se acercó y le habló amablemente.

—Venga, Patrick, lo llevaré a mi casa. No ganará nada quedándose aquí.

Francis condujo a un dócil Fawkes hasta el Bushmaster y

casi cariñosamente lo depositó en el asiento para pasajeros.

Cuando el vehículo atravesó el portón, Fawkes miraba fijamente hacia delante. No volvió la cabeza. Sabía que jamás volvería a ver o a pisar su granja.

17

Aunque tenía la sensación de que su cabeza apenas había tocado la almohada, Hiram Lusana había dormido siete horas cuando lo despertó alguien que llamaba a la puerta. El reloj de pulsera depositado sobre la mesita de noche indicaba las seis. Maldijo, se frotó los ojos pardos y se sentó en la cama.

—Pase.

Otro golpe a la puerta.

—Pase —gruñó en voz más alta.

El capitán John Mukuta entró en la habitación y se cuadró rápidamente.

—Lamento despertarlo, señor, pero la sección catorce acaba de regresar después de realizar una salida de reconocimiento en Umkono.

—¿Y qué prisa hay ahora? Puedo ver después el informe.

Los ojos de Mukuta continuaron fijos en un punto en la pared.

—La patrulla tuvo dificultades. El jefe de la unidad fue herido, y está grave en el hospital. Insiste en informarle a usted y a nadie más.

—¿Quién es?

—Se llama Marcus Somala.

—¿Somala? —Lusana frunció el entrecejo y bajó de la cama—. Dígale que estoy en camino.

El capitán saludó y salió, y cerró suavemente la puerta tras de sí, fingiendo que no había visto la segunda forma acurrucada bajo las sábanas de satén.

Lusana extendió la mano y apartó la sábana. Felicia Collins dormía profundamente. Sus cortos cabellos de estilo afro resplandecían a la media luz, y tenía entreabiertos sus gruesos labios. Su piel tenía el color del cacao, y sus pechos cónicos, con los pezones oscuros y llanos, se movían cada vez que respiraba profundamente.

Lusana sonrió y soltó la sábana. Todavía medio dormido entró en el cuarto de baño y se salpicó el rostro con agua fría. Los ojos reflejados en el espejo estaban inyectados de sangre. El rostro mostraba las arrugas que son la consecuencia de una noche dedicada a la bebida y el sexo. Con una toalla se masajeó suavemente el rostro cansado, volvió al dormitorio y se vistió.

Lusana era un hombre pequeño y enjuto, de piel más clara que cualquiera de los hombres del ejército de africanos que él mismo mandaba. «Bronceado norteamericano», decían de él cuando no podía oírlos. Y sin embargo, las observaciones acerca de su color y sus modales desaprensivos no eran expresión de irrespetuosidad. Sus hombres lo miraban con una suerte de respeto primitivo ante lo sobrenatural. Tenía ese aire de confianza en sí mismo que la mayoría de los boxeadores de peso ligero muestran al principio de su carrera; algunos podían decir que era una actitud de arrogancia. Dirigió una última mirada afectuosa a Felicia, suspiró, y atravesó el campo en dirección al hospital.

El médico chino se mostró pesimista.

—La bala entró por la espalda, le arrancó la mitad del pulmón, fracturó una costilla y salió debajo del pecho izquierdo. Es un milagro que este hombre aún viva.

—¿Puede hablar? —preguntó Lusana.

—Sí, pero cada palabra que dice hace disminuir sus fuerzas.

—¿Cuánto tiempo... podrá vivir?

Lusana asintió.

—Marcus Somala tiene una constitución increíblemente sólida —dijo el médico—. Pero no creo que pase de hoy.

—¿Puede darle algo que estimule sus sentidos, aunque sea unos minutos?

El doctor adoptó una actitud reflexiva.

—Imagino que abreviar lo inevitable no importa. —Se volvió y murmuró varias órdenes a una enfermera, que salió de la habitación.

Lusana miró a Somala. El hombre tenía el rostro tenso, y su pecho se alzaba apenas con cada respiración espasmódica. Un laberinto de tubos colgaba de un aparato instalado sobre la cama, y desaparecía en su nariz y los brazos. Sobre el pecho tenía un ancho vendaje.

La enfermera regresó y entregó una jeringa hipodérmica al médico. Este insertó la aguja y movió el émbolo. Poco después Somala parpadeó y emitió un gemido.

Sin hablar, Lusana indicó al médico y a la enfermera que se retirasen al vestíbulo, y cerró la puerta.

Se inclinó sobre la cama.

—Somala, soy Hiram Lusana. ¿Me comprendes?

El murmullo de Somala era ronco, pero no disimulaba la emoción.

—No veo bien, mi general. ¿De veras es usted?

Lusana tomó la mano de Somala y la apretó fuertemente.

—Sí, mi valeroso guerrero. He venido a escuchar su informe.

El hombre acostado sonrió apenas, y de pronto una mirada inquieta y nerviosa se dibujó en sus ojos.

—¿Por qué… por qué, mi general, no confió en mí?

—¿Confiar en usted?

—¿Por qué no me dijo que enviaba hombres a atacar la granja Fawkes?

Lusana se sobresaltó.

—Describa lo que vio. Descríbalo todo. No omita nada.

Veinte minutos después, agotado por el esfuerzo, Marcus Somala se desmayó de nuevo. A mediodía había muerto.

18

Patrick Fawkes estaba de pie, solo, y con una pala echaba la tierra arcillosa sobre los ataúdes de su familia. Tenía las ropas empapadas por una ligera lluvia y por su propio sudor. Había querido cavar la fosa común y llenarla él mismo. La ceremonia fúnebre había terminado mucho rato antes, y sus amigos y vecinos se habían alejado, para que ejecutara su dolorosa tarea.

Finalmente, apisonó suavemente la tierra, retrocedió un paso y bajó los ojos. La lápida aún no había llegado, y el montículo parecía un lugar oscuro y olvidado entre las tumbas más antiguas, cubiertas de pasto y bordeadas por hileras de flores bien cuidadas. Se arrodilló, y hundió la mano en un bolsillo de la chaqueta depositada en el suelo. Retiró la mano con un puñado de pétalos de buganvilla. Los esparció sobre la tierra húmeda.

Fawkes dio rienda suelta a su dolor. Después de que el sol se hundiera bajo el horizonte, aún estaba llorando. Lloró hasta que sus ojos ya no pudieron producir lágrimas.

Su mente retrocedió doce años y repasó imágenes que se sucedían como proyectadas por una cámara. Vio a Myrna y los niños en la pequeña cabaña, cerca de Aberdeen, a orillas del mar del Norte. Recordó las expresiones de sorpresa y felicidad de sus rostros cuando les dijo que debían viajar a Natal, para administrar una granja. Recordó la enfermiza palidez de Jenny y Pat comparados con los demás escolares de Umkono, y con qué rapidez se habían bronceado y fortalecido. Vio a Myrna, que de mala gana dejaba Escocia para modificar por completo su forma de vida, y que después había llegado a amar a África aún más que él.

«No serás buen agricultor mientras no expulses de tus venas toda esa agua salada», solía decirle Myrna.

Su voz le llegaba tan clara que no podía aceptar el hecho de que ahora ella estuviera bajo la tierra sobre la cual estaba arrodillado y que nunca volvería a verla. Ahora estaba solo, y esa idea lo hizo sentirse perdido. Recordó haber oído que cuando una mujer pierde a un hombre reanuda su vida anterior y persevera. Pero cuando un hombre pierde a una mujer, la mitad de su ser muere.

Trató de apartar de su mente los episodios de su antigua

felicidad, y procuró evocar la figura sombría de un hombre. El rostro no tenía rasgos específicos, porque era el rostro de un hombre a quien Fawkes jamás había visto: el rostro de Hiram Lusana.

El dolor de Fawkes quedó sumergido súbitamente por una oleada de frío odio. Cerró los puños y los descargó contra el suelo húmedo, hasta que al fin se sintió agotado. Después suspiró y arregló con cuidado los pétalos de buganvilla, de modo que formasen los nombres de Myrna y los niños.

Finalmente, con movimientos inseguros se incorporó; pero ahora sabía lo que debía hacer.

19

Lusana ocupaba la cabecera de una mesa oval de conferencias. Tenía la expresión pensativa y sus manos jugaban con un bolígrafo. Miró el rostro siempre sonriente del coronel Duc Phon Lo, principal asesor militar del Ejército Revolucionario Africano, y después a los oficiales que, con los cuerpos tensos, ocupaban las diferentes sillas.

—Un idiota sanguinario tuvo la idea de destruir la granja del ciudadano más respetado de Natal, y todos vosotros estáis aquí, sentados, con el aire de inocencia de una virgen zulú. —Se interrumpió un momento, y con la vista recorrió los rostros—. Vamos, vamos, basta de juegos. ¿Quién estuvo detrás de este asunto?

Lo inclinó la cabeza y apoyó las manos en la mesa. Sus ojos almendrados y el cabello muy corto hacían que pareciera fuera de lugar entre los demás. Habló con voz lenta y pronunció cuidadosamente cada palabra.

—General, le doy mi palabra de que ningún hombre bajo su mando fue responsable. Estudié la localización exacta de cada grupo en el momento del ataque. Ninguno de ellos, excepto el que mandaba Somala, estaba a menos de doscientos kilómetros de Umkono.

—Entonces, ¿cómo explica el hecho?

—No puedo hacerlo.

La mirada de Lusana se demoró en Lo, tratando de adivinar lo que escondía la expresión del asiático. Llegó a la conclusión de que no había nada especial en la sonrisa permanente del consejero; se volvió y miró a los restantes hombres allí reunidos.

A su derecha estaba el mayor Thomas Machita, su jefe de Inteligencia. Después, el coronel Randolph Jumana, el segundo en jefe. Frente a estos dos se hallaban Lo y el coronel Oliver Makeir, coordinador de los programas del Ejército Africano Revolucionario.

—¿Tienen alguna teoría acerca de este asunto? —preguntó Lusana.

Jumana ordenó por décima vez un fajo de papeles y evitó la mirada de Lusana.

—¿Y si Somala imaginó el ataque de Fawkes? Quizá fue todo producto de un delirio, o tal vez sea pura invención.

Con el ceño fruncido, Lusana meneó la cabeza con irritación.

—Olvida, coronel, que fui yo quien escuchó el informe de Somala. Era un hombre muy capaz. El mejor jefe de sección que hemos tenido. No sufría delirios, y no tenía motivos para inventar nada, sobre todo porque sabía que debía morir poco después.

—No hay duda de que el ataque fue real —dijo Makeir—. Los diarios y los canales de televisión de África del Sur están armando un buen escándalo. Sus versiones concuerdan con lo que Somala dijo al general... salvo el hecho de que las Fuerzas de Defensa del gobierno aún no encontraron testigos fidedignos que puedan suministrar una descripción de los atacantes. Hemos tenido la fortuna de que Somala regresara de su misión y describiera detalladamente lo que vio antes de morir.

—¿Vio quién lo hirió? —preguntó Jumana.

—Le dispararon por la espalda, desde mucha distancia —contestó Lusana—; probablemente fue un francotirador. El pobre diablo consiguió arrastrarse cinco kilómetros hasta el sector donde había dejado el resto de su grupo. Le prestaron los primeros auxilios que estaban a su alcance y regresaron inmediatamente a nuestro campamento.

Thomas Machita meneó la cabeza, con expresión confusa.

—Nada concuerda. Dudo de que otros movimientos de liberación se disfracen como soldados del Ejército Africano Revolucionario.

—Por otra parte —dijo Makeir—, quizá organizaron la incursión para achacarnos la culpa y rehuir su propia responsabilidad.

—Estoy en estrecho contacto con los compatriotas que asesoran a otros grupos revolucionarios —dijo el coronel Lo—. Todos están furiosos como avispas. Nadie se benefició con el ataque a la granja Fawkes. En todo caso, ha fortalecido la decisión de los blancos, los indios, los mestizos y los negros de oponerse firmemente a la intervención externa.

Lusana apoyó el mentón sobre las manos entrelazadas.

—Muy bien, si ellos no fueron, y nosotros sabemos que *nosotros* no fuimos, ¿quién es el principal sospechoso?

—Los blancos sudafricanos —se limitó a contestar Lo.

Todos los ojos se volvieron hacia el asesor vietnamita. Lusana miró fijamente sus ojos inescrutables.

—¿Quiere repetir esa afirmación?

—Me limito a sugerir que un miembro del gobierno sudafricano pudo haber ordenado el asesinato de la familia Fawkes y sus peones.

Durante unos instantes todos lo miraron sin hablar. Finalmente, Machita rompió el silencio:

—No veo cuál sería el propósito.

—Tampoco yo —dijo Lo, y se encogió de hombros—. Pero consideremos la situación. ¿Quién dispone de los recursos necesarios para equipar a un grupo de comandos con armas y uniformes idénticos a los nuestros? Asimismo, y esto es lo que importa, ¿no les llama la atención, caballeros, el hecho de que el grupo atacante se retiró cuando ya llegaban los helicópteros de la Fuerza de Defensa, y ninguno de ellos fue descubierto? Es un hecho conocido de la guerra de guerrillas que se necesita un mínimo de una hora para asegurar una posibilidad moderada de huir con éxito. Menos de diez minutos de delantera cuando realiza la persecución una fuerza que usa helicópteros y perros, es suicida.

—Plantea usted una posibilidad fascinante —dijo Lusana, tamborileando con los dedos sobre la mesa—. Entendámonos, de ningún modo acepto que su teoría sea válida. Sin embargo, valdrá la pena comprobarla. —Se volvió hacia Machita—. ¿Dispone de un informante de confianza en el Ministerio de Defensa?

—Una persona muy bien ubicada —contestó Machita—. Nos cuesta bastante pero la información es totalmente fidedigna. Sin embargo, es una persona extraña; nunca aparece dos veces en el mismo lugar con el mismo disfraz.

—Por lo que usted dice, es una especie de místico —dijo Jumana.

—Quizá de eso se trata —reconoció Machita—. Emma aparece cuando menos lo esperamos.

—¿Emma?

—Su nombre de código.

—O el hombre tiene un retorcido sentido del humor, o es un travestido —dijo Lusana.

—No lo sé, general.

—¿Cómo se relaciona con él?

—No lo hago. Se comunica con nosotros solo cuando dispone de información útil y desea venderla.

El rostro de Jumana se ensombreció.

—¿Qué garantía tenemos de que no nos entrega documentos falsificados?

—Hasta ahora, todo lo que nos entregó se ha confirmado en un ciento por ciento.

Lusana miró a Machita.

—Entonces, ¿se ocupará del asunto?

Machita asintió.

—Iré personalmente a Pretoria y esperaré la próxima aparición de Emma. Si alguien puede aclararnos el misterio, es precisamente él.

20

El campamento del Ejército Africano Revolucionario en realidad no era tal; más bien era un cuartel general instalado en lo que había sido una pequeña universidad portuguesa en la época del dominio colonial en Mozambique. Entretanto, se había construido una nueva universidad para los ciudadanos negros de la nación, en el corazón de una ciudad fundada en la región septentrional, sobre el lago Malawi.

El claustro adaptado a su nueva función era una base ideal para el ejército de Lusana; dormitorios para las tropas, cafeterías convertidas en comedores, instalaciones deportivas utilizadas ahora para impartir instrucción de combate, habitaciones cómodas para los oficiales, y un salón de actos recientemente decorado para reuniones sociales.

El representante demócrata Frederick Daggat, uno de los tres nuevos representantes negros por Nueva Jersey, se sintió impresionado. En cierto modo había esperado encontrar un típico movimiento revolucionario dirigido por tribeños armados con cohetes soviéticos, ataviados con harapientos uniformes chinos, y farfullando lugares comunes marxistas trillados y vacíos. En cambio, lo complació descubrir una organización estructurada con el criterio de una empresa petrolera norteamericana. Lusana y sus oficiales parecían ejecutivos más que guerrilleros.

Durante el cóctel todo se desarrolló rigurosamente de acuerdo con el ceremonial neoyorquino. Incluso la anfitriona, Felicia Collins, habría hecho honor a una reunión celebrada en una residencia de Manhattan.

La mirada de Daggat se cruzó con la de Felicia, y ella se disculpó con un grupo de admiradores somalíes. La joven se acercó y apoyó la mano en el brazo de Daggat.

—¿Está cómodo, representante?

—Muy cómodo.

—Hiram y yo esperábamos que usted pudiese quedarse el fin de semana.

—Lamentablemente, mañana por la tarde debo viajar

a Nairobi para reunirme con el Consejo Educacional de Kenya.

—Confío en que el alojamiento sea de su agrado. A decir verdad, no reunimos las condiciones necesarias para obtener una concesión del hotel Hilton.

—Debo reconocer que la hospitalidad del señor Lusana es mucho más que lo que yo esperaba.

Daggat contempló a su interlocutora. Esa noche era la primera vez que veía de cerca a Felicia Collins. Era una celebridad, cantante con tres discos de oro, actriz que había conquistado dos Emmys y un Oscar por un papel difícil, el de sufragista negra en la película *El camino de las amapolas.* En efecto, era tan seductora como aparecía en la pantalla.

Se la veía serena y controlada con su conjunto de crêpe de chiné verde. Llevaba la casaca atada a la cintura, y los pantalones que hacían juego realzaban la forma escultural de sus piernas. Llevaba los cabellos cortos, en un elegante estilo africano.

—Como usted sabe, Hiram está en el umbral de la grandeza.

Él sonrió ante la grandilocuencia del tono.

—Imagino que lo mismo podía haberse dicho en su tiempo de Atila.

—Ya veo por qué los corresponsales de Washington acuden a sus conferencias de prensa, representante. —La mano de Felicia no se apartó del brazo del hombre—. Tiene la lengua afilada.

—Creo que la llaman «el dardo de Daggat».

—¿Quizá debemos alegrarnos, porque así puede atacar mejor al régimen blanco?

Él le tomó la mano y ejerció una presión cada vez más acentuada, hasta que los enormes ojos caoba se agrandaron levemente.

—Dígame, señorita Collins, ¿por qué una bella y famosa artista negra viene a la selva?

—Por la misma razón que viene el *enfant terrible* negro del Congreso norteamericano —replicó ella—. Para ayudar a un hombre que lucha por el progreso de un pueblo.

—Más bien me inclino a creer que Hiram Lusana lucha por el progreso de su cuenta bancaria privada.

Felicia sonrió burlonamente.

—Me decepciona, representante. Si se hubiese molestado en leer con cuidado la información pertinente, sabría que eso sencillamente no es cierto.

El rostro de Daggat mostró una expresión de dureza. Le habían arrojado el guante.

Soltó la mano de Felicia y adelantó el rostro hasta que quedó a pocos centímetros de ella.

—Ahora que todo el mundo vuelve los ojos hacia las naciones africanas, y espera y se pregunta cuándo resolverán sus disputas internas y eliminarán el último bastión de la supremacía blanca, aparece como un mesías en el desierto, ofreciendo un proverbio para cada caso, nada menos que el simpático traficante de drogas internacional Hiram Lusana. Como un fantasma en la noche, abandona su lucrativa actividad anterior y asume la causa de la chusma pobre y maloliente de África del Sur.

»Apoyado ahora por la crédula opinión negra y exaltado por una prensa mundial ansiosa de encontrar una personalidad, la que fuere, el apuesto Hiram de pronto descubre su rostro sonriente en la portada de por lo menos catorce revistas cuya circulación alcanza un total de más de sesenta millones de ejemplares. El sol lo ilumina desde el paraíso, y los lectores de la Biblia lo adoran por su devota piedad; los departamentos de relaciones exteriores de todos los países se pelean para obtener su presencia en las reuniones; exige y obtiene honorarios fabulosos en el circuito de conferencia; y las tontas como usted, señorita Collins, que vienen del mundo del espectáculo, le besan el trasero y tratan de obtener una parte de los beneficios de la recaudación.

Un resplandor de cólera iluminó los bellos rasgos de Felicia.

—Usted se muestra intencionadamente ofensivo.

—Quizá nada más que sincero. —Daggat hizo una pausa y se complació durante un momento en la irritación de

Felicia—. ¿Y qué cree que ocurrirá si Lusana gana su guerra y el gobierno blanco racista de África del Sur se rinde? ¿Quizá renuncie, como Cincinato, a su grado de general y retorne al arado? No es probable. Estoy casi seguro de que se proclamará presidente e iniciará una virtual dictadura. Después, utilizando los enormes recursos del país más avanzado de África, dará marcha atrás a la gran cruzada y mediante la fuerza o apelando a subterfugios absorberá a las naciones negras más débiles.

—Usted está ciego —dijo ella con voz dura—. Hiram se ajusta a una elevada moral en todos sus actos. Me parece inconcebible que pudiera sacrificar sus ideales para obtener beneficios personales.

Felicia no advirtió la expresión cautelosa en los ojos de Daggat.

—Puedo demostrarlo, señorita Collins, y lo único que le costará (quiero decir, financieramente) si usted pierde, es un dólar.

—Congresista, está dando manotazos a ciegas. Es evidente que no conoce al general.

—Preséntemelo.

Ella meditó un momento, y después lo miró.

—Ahora mismo.

Daggat se inclinó cortésmente y la acompañó hasta el rincón donde Lusana hablaba de táctica con un oficial del ejército de Mozambique. Lusana interrumpió su conversación y saludó a ambos.

—Ah, mis dos compatriotas. Veo que habéis entablado amistad.

—General, ¿puedo hablar a solas con usted y la señorita Collins? —preguntó Daggat.

—Por supuesto.

Lusana se disculpó ante el militar y se dirigió a un pequeño estudio agradablemente amueblado con motivos africanos modernos.

—Muy hermoso —dijo Daggat.

—Mi estilo favorito. —Lusana los invitó a sentarse—.

¿Y por qué no? ¿Acaso no se basa en nuestros diseños nativos ancestrales?

—Personalmente, prefiero las nuevas creaciones egipcias —dijo Daggat con expresión indiferente.

—¿De qué desea hablar? —preguntó Lusana.

Daggat no se anduvo con rodeos.

—Si me permite hablar con franqueza, general, la única razón por la cual usted organizó esta exhibición nocturna fue la esperanza de inducirme a ejercer mi influencia en el Comité de Asuntos Extranjeros de la Cámara de Representantes, en beneficio del Ejército Africano Revolucionario. ¿No es así?

Lusana no pudo disimular una mirada asesina, pero recordó la necesidad de mostrarse cortés.

—Mis disculpas, congresista. No quise ser tan brusco. Sí, en efecto, abrigué la esperanza de que viera la necesidad de apoyar nuestra causa. Pero ¿convencerlo, en el sentido que usted asigna a esa palabra? De ningún modo. No soy tan tonto como para intentar engañar a un hombre con su reputación de sagacidad.

—Bien, dejémonos de rodeos. ¿Qué gano yo con esto?

Lusana miró fascinado a Daggat. No había esperado tanta franqueza. Sus planes contemplaban un proceso más cauteloso de seducción. El episodio lo sorprendía con la guardia baja. Un pedido directo de soborno lo desconcertaba. Decidió fingir que no entendía para ganar tiempo y pensar.

—Congresista, no sé a qué se refiere.

—En realidad, a nada muy importante. Si usted quiere que lo apoye, le costará algo.

—Todavía no comprendo.

—Venga, general. Usted y yo venimos de la misma cloaca. No hemos luchado contra la pobreza y la discriminación para llegar adonde estamos sin haber obtenido algunas recompensas en el camino.

Lusana se volvió y lenta y meticulosamente encendió un cigarrillo.

—¿Desea que inicie las negociaciones con una oferta a cambio de sus servicios?

—Eso no será necesario. Ya tengo una… en fin… una cifra en mente.

—Por favor, dígala.

Los labios de Daggat se curvaron en una sonrisa.

—La señorita Collins.

Lusana lo miró, desconcertado.

—Una cifra muy interesante. Pero no alcanzo a comprender qué…

—Usted me da a Felicia Collins y yo me ocuparé de que mi comité vote a favor de la financiación de un programa de armas para su revolución.

Felicia se incorporó bruscamente, y sus ojos color caoba echaban chispas.

—No puedo creer esto.

—Considérelo un pequeño sacrificio en beneficio de una noble cruzada —dijo Daggat.

—Hiram, por Dios —exclamó la joven—. Di a ese infeliz que haga su equipaje y se marche.

Lusana no contestó inmediatamente. Clavó los ojos en su pantalón y se limpió una imaginaria mota de polvo de la raya perfecta. Finalmente habló con voz suave.

—Lo siento, Felicia, pero no puedo permitir que mis sentimientos se mezclen con esto.

—¡Mierda! —Ella lo miró, con expresión absolutamente incrédula—. Ambos están locos, absolutamente locos, si creen que pueden pasarme de mano en mano como una fuente de arroz.

Lusana se puso de pie, se acercó a ella y le rozó la frente con los labios.

—No me odies. —Enfrentó a Daggat—. Congresista, goce de su botín.

Y salió de la habitación.

Durante un largo rato Felicia permaneció de pie, inmóvil, y su rostro expresaba una mezcla de hostilidad y confusión; después pareció comprender, y sus ojos se llenaron de lágrimas. No protestó ni se resistió cuando Daggat la atrajo suavemente y la besó.

—Bastardo —murmuró—. Maldito bastardo, espero que esté satisfecho.

—Todavía no.

—¿Qué más quiere?

Él extrajo un pañuelo del bolsillo de su chaqueta y limpió los ojos húmedos de la joven.

—Olvida —dijo sonriendo irónicamente— que todavía me debe un dólar.

21

Pieter de Vaal cerró la carpeta con el informe acerca de la masacre en la granja de Fawkes. Tenía el rostro tenso y fatigado.

—Todavía estoy impresionado por esta terrible tragedia. Fue demasiado absurda.

Fawkes se mantenía impasible. Estaba sentado frente al escritorio en un despacho del Ministerio de Defensa, y vaciaba el tabaco de su vieja pipa. En la habitación reinaba el silencio; solo el ruido apagado del tránsito de Pretoria se filtraba a través de las grandes ventanas que daban al parque Burger.

Finalmente, De Vaal metió la carpeta en un cajón y cuando habló trató de evitar los ojos de Fawkes.

—Lamento que nuestras patrullas no consiguieran capturar a los salvajes responsables de este acto.

—Un solo hombre fue responsable —dijo sombríamente Fawkes—. Los hombres que mataron a mi familia actuaron bajo sus órdenes.

—Sé lo que está pensando, señor Fawkes, pero no tenemos pruebas de que Lusana ordenase el ataque.

—Yo estoy convencido de que fue él.

—¿Qué puedo decirle? Aunque estuviéramos seguros, él se encuentra más allá de nuestra frontera. No hay modo de alcanzarlo.

—Yo puedo hacerlo.

—¿Cómo?

—Ofreciéndome como voluntario para dirigir la operación Rosa Silvestre.

De Vaal podía intuir la sed de venganza que hervía en Patrick Fawkes. El ministro de Defensa se puso de pie y se acercó a la ventana, contemplando el océano de jacarandaes que cubría la ciudad.

—Simpatizo con sus sentimientos, capitán. Pero la respuesta es negativa.

—Pero ¿por qué?

—Rosa Silvestre es un concepto monstruoso. Si la operación fracasara, las consecuencias serían desastrosas para nuestro gobierno.

Fawkes golpeó su pipa contra el escritorio del ministro, y la quebró en dos partes.

—¡No, maldición! Mi granja no fue más que el comienzo. Es necesario detener a Lusana y su turba sanguinaria antes de que masacren a todo el país.

—¡Los riesgos superan con mucho a los posibles beneficios!

—No fracasaré —dijo fríamente Fawkes.

De Vaal parecía un hombre agobiado por su propia conciencia. Se paseó nerviosamente por la habitación, y al fin se detuvo y miró a Fawkes.

—No puedo prometerle que lo evacuaré con éxito cuando llegue el momento. Y por supuesto, el Ministerio de Defensa negará cualquier vinculación con la empresa, si lo descubren.

—Entendido. —Fawkes soltó un hondo suspiro de alivio. Después, se le ocurrió una idea—. El tren, ministro. ¿Cómo pudo viajar tan rápidamente de la sala de operaciones de un hospital de Durban a la playa ferroviaria de Pembroke?

De Vaal sonrió por primera vez.

—Un ardid muy sencillo. Entré por la puerta principal del hospital y salí por detrás. Una ambulancia me llevó a la base aérea Heidriek, donde abordé un avión militar que me trasladó al aeródromo que está cerca de Pembroke. El tren pertenece a nuestro presidente. Me limité a usarlo unas pocas horas, cuando se dirigía a un taller de reparaciones.

—Pero ¿por qué recurrir a un ardid tan complicado?

—A menudo necesito disimular mis movimientos —contestó De Vaal—. Y como usted comprenderá, la operación Rosa Silvestre no es exactamente algo que deseemos dar a conocer.

—Comprendo.

—Y usted, capitán Fawkes, ¿puede desaparecer sin llamar demasiado la atención?

Fawkes asintió solemnemente.

—Abandoné Umkono abrumado por el dolor. Mis amigos y vecinos creen que regresé a Escocia.

—En ese caso, todo está bien. —De Vaal se instaló detrás de su escritorio, escribió algo en una hoja de papel y entregó esta a Fawkes—. Aquí tiene la dirección de un hotel que está a unos quince kilómetros al sur de la ciudad. Tome una habitación y espere los documentos y las instrucciones que le permitirán iniciar el trabajo. A partir de este momento, usted no existe para el gobierno de África del Sur. —Distendió los hombros—. Y ahora, que Dios nos ayude.

—¿Dios? No, no lo creo. —Una luz perversa relampagueó en los ojos de Fawkes—. Sinceramente, dudo de que él quiera participar en esto.

En el piso que había debajo del despacho del ministro, el coronel Zeegler se encontraba solo en una sala de operaciones, y se paseaba frente a una ancha mesa cubierta de lustrosas fotografías.

Por primera vez en su carrera militar se sentía completamente desconcertado. La incursión contra la granja Fawkes estaba rodeada de una aureola de misterio que no concordaba con la rutina terrorista conocida. Se había ejecutado la operación con una precisión y un refinamiento que no era habitual en el Ejército Africano Revolucionario. Además, no era el estilo de Lusana. Sí, era capaz de ordenar que mataran a soldados blancos, pero jamás hubiera aceptado el asesinato de los peones bantúes de Fawkes, y menos aún de las mujeres y los niños. Ese aspecto contradecía la estrategia conocida del jefe revolucionario.

—Entonces, ¿quién lo hizo? —murmuró Zeegler.

Ciertamente, no habían sido unidades negras de las Fuerzas Sudafricanas de Defensa. Hubiera sido imposible utilizarlas sin que Zeegler lo supiera.

Se detuvo y recogió las fotografías tomadas por un equipo de investigadores después del ataque. No se habían encontrado testigos, ni habían capturado a ninguno de los miembros del grupo. Una incursión demasiado perfecta, sin una sola falla.

Zeegler no tenía ningún indicio de la identidad del atacante. Pero sus años de experiencia le decían que el indicio estaba allí, disimulado en el fondo.

Como un cirujano que examina una radiografía, preparándose para una operación delicada, Zeegler tomó una lente de aumento y por vigésima vez comenzó a escudriñar cada fotografía.

22

El reactor de la compañía Malawi, proveniente de Lourenço Marques, Mozambique, tocó tierra y avanzó hacia la terminal del aeropuerto de Pretoria. Pocos momentos después se apagó el zumbido de los motores; se acercó la rampa de descenso y los pasajeros se despidieron de la bonita azafata africana y se encaminaron hacia el edificio de la terminal.

El mayor Thomas Machita siguió a los demás viajeros, y cuando le llegó el turno entregó el pasaporte falso de Mozambique al funcionario de inmigración. El sudafricano blanco estudió la foto del pasaporte y el nombre, George Yarico, y sonrió astutamente.

—Señor Yarico, tres viajes a Pretoria en el último mes. —Hizo un gesto en dirección al portafolios unido por una cadena a la muñeca de Machita—. Últimamente las instrucciones a su cónsul aparentemente son muy urgentes.

Machita se encogió de hombros.

—Si mi Ministerio de Relaciones Exteriores no me envía a nuestro consulado en Pretoria, me ordena ir a cualquier otro consulado. No quiero ofenderlo, señor, pero preferiría ser despachado a París o Londres.

—Espero verlo muy pronto de nuevo —dijo el funcionario con burlona cortesía—. Que lo pase bien en Pretoria.

Machita sonrió, mostrando toda su dentadura, y con paso tranquilo atravesó la terminal en dirección al aparcamiento de taxis. Hizo un gesto con la mano al primer taxi que estaba al comienzo de una larga hilera. El conductor lo vio y puso en marcha el motor. Pero de pronto, antes de que pudiese recibir a su pasajero, otro taxi salió del fondo de la hilera, avanzó velozmente y frenó bruscamente frente a Machita, saludado por una cacofonía de gritos irritados y bocinazos de los conductores que esperaban su turno.

Machita se sintió divertido ante el gesto. Depositó la valija sobre el asiento trasero y se acomodó.

—Al consulado de Mozambique —dijo al agresivo conductor.

El chófer se limitó a tocarse la gorra, puso en marcha el taxímetro y se sumergió en el tráfico. Machita se recostó en el asiento y contempló el paisaje. Abrió la cadena unida a su muñeca y la metió en el portafolios. El cónsul de Mozambique, amigo de la causa del Ejército Africano Revolucionario, permitía que Machita y sus hombres fueran y viniesen con el disfraz de correos diplomáticos. Después de un discreto lapso durante el cual gozaban de la hospitalidad del consulado, se retiraban a un hotel modesto y ejecutaban su tarea de espionaje.

Una parte del cerebro de Machita emitió una señal de alarma. Se enderezó en el asiento y estudió el lugar. El chófer no seguía un camino directo hacia el consulado; en cambio, la figura que adornaba la capota del vehículo apuntaba hacia la sección comercial del centro de Pretoria.

Machita tocó el hombro del conductor.

—Amigo, no soy un turista a quien pueda engañar. Si quiere que le pague, siga el camino más corto.

La única respuesta fue un indiferente encogimiento de hombros. Tras unos minutos durante los cuales recorrieron calles atestadas de tráfico, el conductor entró en el aparcamiento subterráneo de una gran tienda. Machita no necesitaba apelar a la percepción extrasensorial para advertir la trampa. Sintió que la lengua se le hinchaba como una esponja seca y que se aceleraban los latidos de su corazón. Abrió el portafolios y extrajo una Mauser 38 automática.

Cuando llegó al nivel inferior del aparcamiento el conductor enfiló hacia un espacio vacío, contra la pared, lejos del túnel de entrada; y allí se detuvo. Después se volvió, y descubrió que el cañón del arma de Machita le tocaba la punta de la nariz.

Era la primera vez que Machita podía observar bien el rostro del chófer. La suave piel oscura y los rasgos faciales pertenecían a un indio, una raza que contaba con más de medio millón de individuos en África del Sur. El hombre sonreía, muy sereno. Su actitud no revelaba la inquietud que Machita hubiera esperado.

—Mayor Machita, creo que podemos prescindir de los gestos melodramáticos —dijo—. Descuide. No corre ningún peligro.

La mano armada de Machita no se movió. No se atrevía a volver la cabeza para escudriñar el aparcamiento en busca del ejército de hombres armados que sin duda lo esperaba.

—No importa qué ocurra, usted morirá conmigo —dijo.

—Usted es un hombre apasionado —observó el chófer—. Y estúpido. Es poco promisorio que un hombre de su jerarquía reaccione como un adolescente a quien sorprenden robando golosinas.

—Basta —dijo Machita—. ¿Qué pretende?

El chófer se echó a reír.

—Ahora habla como el auténtico negro norteamericano que es. Luke Sampson, de Los Ángeles, alias Charley Le Nat, de Chicago; alias mayor Thomas Machita, del Ejército Africano Revolucionario; y Dios sabe cuántas cosas más.

Machita sintió un escalofrío. Su mente buscó frenéticamente una respuesta porque necesitaba saber quién era el chófer, y por qué sabía tanto sobre él.

—Se equivoca. Me llamo Yarico, George Yarico.

—Como prefiera —dijo el chófer—. Pero me perdonará si considero más práctico sostener una conversación con el mayor Machita.

—¿Quién es usted?

—Para tratarse de un miembro del espionaje, su capacidad de percepción es muy pobre. —La voz varió levemente, y ahora habló un inglés con cierto dejo de afrikaans—. Ya nos hemos visto dos veces.

Machita bajó lentamente el arma.

—¿Emma?

—Ah, comienza a disiparse la niebla.

Machita emitió un hondo suspiro de alivio y devolvió el arma al portafolios.

—¿Cómo demonios sabía que yo llegaba en ese vuelo?

—La bola de cristal —dijo Emma, que evidentemente no deseaba revelar su secreto.

Machita miró fijamente al hombre que ocupaba el asiento delantero, procurando absorber cada detalle del rostro, y de la piel suave e inmaculada. No advirtió el más mínimo parecido con el jardinero ni con el camarero que habían pretendido pasar por Emma en dos ocasiones anteriores.

—Esperaba que se comunicase conmigo, pero no creí que fuese tan pronto.

—He descubierto algo que, según creo, interesará a Hiram Lusana.

—¿Cuánto costará esta vez? —preguntó secamente Machita.

No hubo vacilación.

—Dos millones de dólares norteamericanos.

Machita hizo una mueca.

—Ninguna información vale tanto.

—No tengo tiempo para discutir ese punto —dijo Emma. Entregó a Machita un pequeño sobre—. Contiene una breve descripción de una estrategia supersecreta contra el Ejército

Africano Revolucionario… La operación Rosa Silvestre. El material explica el concepto y la meta del plan. Entréguelo a Lusana. Si después de examinarlo acepta mi precio, le entregaré el plan completo.

El sobre fue a parar al portafolios, encima de la cadena y la pistola Mauser.

—Mañana por la noche estará en manos del general —prometió Machita.

—Excelente. Y ahora lo llevaré al consulado.

—Una cosa más.

Emma miró al mayor por encima del hombro.

—Lo escucho.

—El general quiere saber quién atacó la granja Fawkes de Natal.

Los ojos oscuros de Emma contemplaron reflexivamente a Machita.

—Su general tiene un extraño sentido del humor. Las pruebas dejadas en el lugar vinculan al benévolo Ejército Africano Revolucionario con la masacre.

—El Ejército Africano es inocente. Necesitamos saber la verdad.

Emma se encogió de hombros.

—Muy bien, investigaré ese asunto.

Luego, dio marcha atrás y salió del aparcamiento. Ocho minutos después dejó a Machita frente al consulado de Mozambique.

—Un último consejo, mayor.

Machita se inclinó hacia la ventanilla del chófer.

—¿De qué se trata?

—Un hombre de inteligencia nunca toma el primer taxi que le ofrecen. Prefiera siempre el segundo o el tercero. De ese modo se evitará problemas.

Machita permaneció de pie sobre la acera, y contempló al taxi hasta que el vehículo desapareció en el denso tráfico de Pretoria.

23

Los últimos rayos del sol de la tarde se insinuaron sobre la baranda y acariciaron la forma lánguida acostada en el balcón de una de las suites más caras del hotel New Stanley de Nairobi, Kenya.

Felicia Collins tenía puesto un sostén de vivos colores y una falda a juego sobre la mitad inferior de su bikini. Rodó sobre el costado, encendió un cigarrillo y repasó mentalmente lo ocurrido durante los últimos días. Sí, en los últimos años se había acostado con muchos hombres. Eso no la molestaba. La primera vez había sido con un primo de dieciséis años, cuando ella tenía solamente catorce. A lo sumo, podía decirse que era una experiencia que el tiempo había diluido. A los veinte años ya había conocido por lo menos a diez hombres. Hacía mucho que había olvidado a la mayoría, y sus rostros eran imágenes indefinidas y confusas.

Los amantes que habían desfilado por su lecho durante los años en que ella luchaba para triunfar como cantante, formaban una serie continua de ejecutivos de las compañías grabadoras, disc-jockeys, músicos y compositores. La mayoría había contribuido más o menos a su triunfo. Y cuando al fin conquistó el éxito, fue el momento de ir a Hollywood, donde inició una nueva serie de orgías.

Esas caras, pensó Felicia. Era muy extraño que no pudiese recordar las formas y los rasgos. En cambio se destacaban vívidamente los dormitorios y sus decorados. Lo mullido del colchón, el dibujo del empapelado, los artefactos del cuarto de baño contiguo, todo eso estaba grabado en su mente, así como los diferentes tipos de luces y de yesos que había visto en los techos.

Como les ocurre a muchas mujeres, para Felicia el sexo no siempre era más interesante que otras formas de entretenimiento. Muchas veces hubiera deseado instalarse en un sillón con una buena novela, en lugar de hacer el amor. El rostro de Hiram Lusana ya comenzaba a hundirse en la oscuridad, como todos los demás.

Al principio había odiado a Daggat, y odiaba la idea misma de que él pudiera poseerla. Lo insultaba siempre que se ofrecía la oportunidad; pero él se había mostrado siempre cortés. Nada de lo que ella decía podía irritarlo. Dios mío, es para enloquecer, pensó ella. Casi deseaba que él la humillase como a una esclava, de modo que su odio se justificara; pero no era así. Frederik Daggat era demasiado astuto. La trataba amablemente, con prudencia, como haría un pescador que sabe que ha cogido un pez fabuloso.

Se abrió la puerta del balcón y apareció Daggat. Cuando sintió la sombra sobre su cuerpo, Felicia se sentó y se quitó las gafas de sol.

—¿Estabas dormitando?

Ella sonrió sin esfuerzo.

—Solo soñando despierta.

—Comienza a refrescar. Será mejor que entres.

Le tomó la mano y la ayudó a incorporarse. Durante un instante ella lo miró con expresión perversa, y después se desabrochó el sostén del bikini y con los senos desnudos presionó sobre el pecho del hombre.

—Todavía tenemos tiempo de hacer el amor antes de la cena.

Era una broma, y ambos lo sabían. Desde que se habían retirado juntos del campamento de Lusana, ella había respondido a las manipulaciones sexuales del hombre con todo el abandono de una autómata. Era un papel que jamás había representado antes.

—¿Por qué? —preguntó sencillamente Daggat.

Los expresivos ojos color caoba de Felicia lo examinaron.

—¿Por qué qué?

—¿Por qué abandonaste a Lusana y viniste conmigo? No soy un hombre cuyo afecto pueda trastornar a las mujeres. Durante cuarenta años he visto mi fea cara reflejada en el espejo, y no puedo creer que sea una especie de superestrella. Felicia, no necesitabas comportarte como una vaca vendida. Lusana no era tu dueño; tampoco yo, y sospecho que nadie lo será jamás. Podías habernos dicho a ambos que nos fuéramos al infierno, y sin embargo viniste conmigo dócilmente, con excesiva docilidad. ¿Por qué?

Felicia sintió que se le contraía el estómago cuando sus fosas nasales aspiraron el intenso aroma masculino, y tomó entre sus manos el rostro del hombre.

—Imagino que pasé de la cama de Hiram a la tuya simplemente para demostrar que si él no me necesitaba, bien podía prescindir de su persona.

—Una reacción perfectamente humana.

Ella lo besó en el mentón.

—Perdóname, Frederick. En cierto sentido, Hiram y yo te usamos: él, porque quería conseguir tu apoyo en el Congreso; y yo, en un juego de adolescentes para provocar sus celos.

Daggat sonrió.

—Esta es la única vez en mi vida en la cual puedo decir sinceramente que me alegro de que se hayan aprovechado de mí.

Ella lo tomó de la mano, lo condujo al dormitorio y con movimientos hábiles comenzó a desvestirlo.

—Esta vez —dijo Felicia con voz grave— voy a mostrarte cómo es la auténtica Felicia Collins.

Eran las ocho pasadas cuando al fin se separaron. Felicia era más apasionada de lo que Daggat había creído posible. Su lujuria parecía insaciable. Él permaneció acostado varios minutos, escuchando el ruido de la ducha. Después se levantó cansinamente y se puso un kimono corto, se sentó frente a un escritorio atestado de documentos de aspecto importante y comenzó a examinarlos.

Felicia salió del cuarto de baño y se puso un vestido rojo y blanco con cinturón. Contempló con expresión aprobadora su propia imagen reflejada en el gran espejo. Tenía una silueta esbelta y sólida; la vitalidad que fluía por sus músculos lisos le permitió sobreponerse a la fatiga provocada por la vigorosa actividad de la tarde. Pensó: Treinta y dos años y todavía soy muy provocativa. Todavía le quedaban unos pocos años buenos antes de que permitiese que su representante aceptara para ella papeles de mujer madura; por supuesto, a menos que un buen productor le ofreciera un libreto extraordinario y un buen porcentaje de los ingresos.

—¿Crees que puede triunfar? —preguntó Daggat, interrumpiendo la ensoñación de Felicia.

—¿Cómo dices?

—Te pregunté si Lusana puede derrotar a las Fuerzas Sudafricanas de Defensa.

—Mal puedo ofrecer una predicción válida acerca del resultado de la revolución —dijo Felicia—. Mi papel en el Ejército Africano Revolucionario fue simplemente la recaudación de fondos.

Él sonrió.

—Sin hablar de la tarea de entretener a las tropas, y sobre todo a los generales.

—Un beneficio marginal —dijo ella, y rió.

—No has contestado a mi pregunta.

Felicia meneó la cabeza.

—Ni siquiera con un ejército de un millón de hombres podría Hiram derrotar a los blancos en un conflicto directo. Los franceses y los norteamericanos fracasaron en Vietnam por la misma razón que el gobierno de la mayoría cayó en Rhodesia: los guerrilleros que luchan ocultos en la selva gozan de todas las ventajas. Lamentablemente para la causa negra, el ochenta por ciento de África del Sur es un paisaje árido y abierto, más apropiado para la guerra aérea y de blindados.

—Entonces, ¿qué se propone hacer?

—Hiram cuenta con la posibilidad de movilizar el apoyo popular y las sanciones económicas del mundo, y de ese modo someter a la clase gobernante blanca.

Daggat apoyó el mentón en sus enormes manos.

—¿Es comunista?

Felicia echó hacia atrás la cabeza y rió.

—Caramba, Hiram amasó una fortuna con el capitalismo. Le agrada demasiado el dinero para unirse a los rojos.

—En ese caso, ¿cómo explicas la presencia de asesores vietnamitas y los suministros gratuitos de China?

—La historia de siempre. Los vietnamitas están tan enamorados de la revolución que serían capaces de despachar por vía aérea especialistas en guerra de guerrillas a los propios pantanos de Florida si alguien les enviase una invitación. Y con respecto a la generosidad china, después que los expulsaron de ocho naciones africanas en otros tantos años, los chinos están dispuestos a besar el trasero de quien les permita poner un pie en el continente.

—Tal vez sin saberlo se está metiendo en un pantano.

—Subestimas a Hiram —dijo Felicia—. Despachará a los asiáticos apenas dejen de ser útiles para el Ejército Africano Revolucionario.

—Es más fácil decirlo que hacerlo.

—Sabe lo que hace. Puedes creerme. Hiram Lusana será primer ministro de Ciudad del Cabo dentro de nueve meses.

—¿Tiene un programa fijo? —preguntó Daggat con incredulidad.

—Día a día.

Daggat recogió los papeles depositados sobre el escritorio y formó con ellos una pila ordenada.

—Prepara tus cosas.

Felicia enarcó sus bien depiladas cejas.

—¿Salimos de Nairobi?

—Volaremos a Washington.

La impresionó el súbito tono de autoridad de Daggat.

—¿Por qué debo regresar contigo a Estados Unidos?

—No tienes nada mejor que hacer. Además, volver a la patria del brazo de un congresista prestigioso, después de encaramarte un año con un conocido extremista y revolucionario, puede contribuir a restaurar tu imagen a los ojos de tus admiradores.

Felicia fingía oponerse. Pero la lógica de Daggat era buena. Las ventas de sus discos habían descendido, y el interés de los productores disminuía paulatinamente. Comprendió que había llegado el momento de reiniciar su carrera.

—Estaré preparada en media hora —dijo.

Daggat asintió y sonrió. Comenzó a sentir cierta excitación íntima. Si, como decía Felicia, Lusana tenía grandes posibilidades de llegar a ser el primer jefe negro de África del Sur, Daggat, con su defensa del bando triunfante en el Congreso, podría conquistar una inmensa jerarquía parlamentaria, además del respeto de los electores. Valía la pena arriesgarse un poco. Y si tenía cuidado y elegía bien sus palabras y su programa, podría... simplemente podría... apuntar a la vicepresidencia, el principal peldaño hacia la meta final.

24

Lusana elevó una mano al nivel de los ojos, y después movió la caña con un diestro giro de la muñeca. El trocito de queso clavado en el anzuelo cayó al agua y se hundió en un instante. Los peces estaban allí. Los instintos de Lusana comenzaron a vibrar, anticipando el momento decisivo. Se había internado en el agua hasta que esta le llegó a los muslos, y permanecía de pie entre las sombras de los árboles que se inclinaban sobre la orilla, y recogía lentamente el hilo.

Cuando tiró el anzuelo por octava vez sintió un tirón, un fuerte tirón que casi le arrancó la caña. Había enganchado un pez tigre, el pariente en el Viejo Mundo de la feroz piraña del Amazonas. Dio más hilo al pez. En realidad no tenía alternativa; la caña ya estaba casi doblada en dos. De pronto, antes de que la batalla hubiera cobrado cierto interés, el pez tigre pasó bajo el tronco hundido de un árbol, rompió el hilo y escapó.

—Jamás creí posible que alguien atrajera un pez tigre con un trozo de queso —dijo el coronel Jumana. Estaba sentado en el suelo, la espalda apoyada contra un árbol. Tenía en la mano el sobre que contenía un breve resumen de la operación Rosa Silvestre.

—La carnada no tiene importancia si la presa está hambrienta —dijo Lusana. Volvió a la orilla y agregó un nuevo trozo al anzuelo.

Jumana volvió la cabeza y examinó el terreno; comprobaba si los guardias de seguridad de Lusana estaban en sus puestos y se mantenían alerta. Pero tal precaución no era necesaria. No había soldados que demostrasen más fervor y lealtad. Eran hombres ágiles y endurecidos, elegidos personalmente por Lusana, teniendo en cuenta no tanto su arrojo y su capacidad física como su inteligencia. Estaban apostados entre los matorrales, y sostenían sus armas con firmeza y decisión. Lusana volvió a arrojar el anzuelo.

—¿Qué opina del asunto? —preguntó.

Jumana miró el sobre y su rostro esbozó una expresión escéptica.

—Una trampa. Una trampa de dos millones de dólares.

—Así pues, ¿no le interesa?

—No, señor. Francamente no me interesa. Jumana se puso de pie y se limpió el uniforme de combate—. Creo que Emma ha suministrado al mayor Machita datos ciertos pero insignificantes, como preparación para el gran golpe. —Meneó la cabeza—. El informe no dice nada. Indica únicamente que los blancos piensan cometer un importante atentado terrorista en un lugar del mundo con un grupo de negros que pasarán por hombres del Ejército Africano Revolucionario. Los sudafricanos no son tan estúpidos como para correr el riesgo de las repercusiones internacionales de un plan tan absurdo.

—Pero suponga… solo suponga que el primer ministro Koertsmann sabe lo que le espera. Tal vez sienta la tentación de asestar un golpe desesperado, de probar suerte por última vez.

—Ya, pero ¿cómo? —preguntó Jumana—. ¿Dónde?

—Amigo, las respuestas a esas preguntas cuestan dos millones de dólares.

—Todavía creo que Rosa Silvestre es una estafa.

—A decir verdad, el plan tiene un toque de genio —continuó Lusana—. Si el ataque provocase graves pérdidas, la nación perjudicada se vería obligada a retirarnos su simpatía, y a facilitar armas y ayuda al gobierno de Koertsmann.

—El asunto suscita muchos interrogantes —observó Jumana—. ¿Cuál es el país elegido?

—Creo que Estados Unidos.

Jumana dejó caer al suelo el sobre.

—General, no haga caso de este estúpido engaño. Destine el dinero a usos más provechosos. Apoye mi propuesta de una serie de incursiones para atemorizar a los blancos.

Jumana recibió una mirada acerada.

—Ya conoce mi opinión acerca de las masacres.

Jumana insistió.

—Mil ataques súbitos a las ciudades, las aldeas y las granjas de un extremo del país al otro harán que lleguemos a Pretoria en Navidad.

—Continuaremos realizando una guerra cuidadosa —dijo fríamente Lusana—. No nos comportaremos como una chusma primitiva.

—En África a menudo es necesario manejar a la gente con mano de hierro. Rara vez saben lo que les conviene.

—Dígame, coronel (siempre estoy dispuesto a aprender), ¿quién sabe lo que conviene al pueblo africano?

El rostro de Jumana enrojeció de cólera contenida.

—Los africanos saben qué conviene a los africanos.

Lusana no hizo caso de la alusión a su sangre norteamericana. Podía percibir los encontrados sentimientos de Jumana: el odio a todo lo que era extranjero, la ciega ambición y el goce del poder recientemente descubierto se mezclaban con la desconfianza hacia las cosas modernas; y una aceptación casi infantil del salvajismo sanguinario. Lusana empezó a preguntarse si no había cometido un grave error al designar a Jumana en un importante puesto de mando.

Antes de que Lusana pudiese concentrar la atención en los problemas que quizá se suscitarían entre ellos, le llegó desde cierta distancia el sonido blando de los pies de un hombre.

Los guardias de seguridad aflojaron la tensión cuando vieron al mayor Machita venir por el sendero. Se detuvo frente a Lusana y saludó.

—Uno de mis agentes acaba de llegar de Pretoria con el informe de Emma acerca del ataque a la granja de Fawkes.

—¿Qué descubrió?

—Emma dice que no pudo hallar pruebas de que las Fuerzas de Defensa intervinieran en el asunto.

Lusana reflexionó un momento.

—De modo que volvemos al principio.

—Parece increíble que se pueda asesinar a casi cincuenta personas y desaparecer sin dejar rastros —dijo Machita.

—¿Es posible que Emma haya mentido?

—Sí, es posible. Pero no tendría motivos para hacerlo.

Lusana no contestó. Volvió a prestar atención a los peces. El hilo zumbó sobre la superficie del río. Machita miró intrigado a Jumana, pero el coronel desvió los ojos. Machita permaneció inmóvil, confundido, preguntándose qué había determinado la atmósfera tensa que reinaba entre sus dos superiores. Después de un silencio prolongado e incómodo hizo un gesto señalando el sobre.

—General, ¿ha tomado una decisión acerca de la operación Rosa Silvestre?

—En efecto —contestó Lusana, mientras recogía el hilo.

Machita guardó silencio y esperó.

—Me propongo pagar a Emma sus treinta monedas de plata por el resto del plan —dijo al fin Lusana.

Jumana se encolerizó.

—¡No; es una trampa! Ni siquiera usted, general, tiene derecho a malgastar estúpidamente los fondos del ejército.

Machita contuvo la respiración y esperó, tenso. El coronel se había excedido. Sin embargo, Lusana continuaba de espaldas a la orilla, pescando despreocupadamente.

—Le recordaré —dijo por encima del hombro, con serena autoridad—, que la parte del león de nuestro tesoro provino de mi fortuna personal. Puedo retirar lo que es mío, o usarlo como me plazca.

Jumana apretó fuertemente los puños, y en el cuello se le marcaron los músculos tensos. Inició un movimiento en dirección al borde del agua, con los labios apretados. Y de pronto, como si un interruptor instalado en su materia gris hubiese recibido una carga excesiva y cortado la corriente, la expresión de cólera desapareció y el hombre sonrió. Habló con voz neutra, pero con cierto matiz de amargura.

—Pido disculpas por mis observaciones. Estoy muy cansado.

Machita decidió en ese mismo instante que el coronel era un peligro que debía ser contemplado. Era evidente que Jumana nunca aceptaría del todo la posición de segundón.

—Olvídelo —dijo Lusana—. Lo que importa ahora es atender la operación Rosa Silvestre.

—Me ocuparé de los detalles de la transacción —dijo Machita.

—Hará más que eso —dijo Lusana, mirando de nuevo hacia la orilla—. Trazará un plan para hacer el pago. Y después matará a Emma.

Jumana lo miró atónito.

—¿Nunca tuvo la intención de entregar los dos millones de dólares? —balbuceó.

Lusana sonrió.

—Desde luego que no. Si hubiese tenido paciencia, se habría ahorrado ese estallido de adolescente.

Jumana no contestó. No tenía nada que decir. Sonrió y se encogió de hombros. En ese instante Machita vio el desvío casi imperceptible de sus ojos. Jumana no miraba directamente a Lusana; su visión estaba dirigida a un punto del río, a unos tres metros del general.

—¡Guardias! —gritó Machita, señalando frenético—. ¡El río! ¡Fuego! ¡Maldita sea, disparad!

La reacción de los guardias de seguridad tardó menos de dos segundos. Los disparos resonaron en los oídos de Machita, y el agua se elevó a pocos metros de Lusana formando géiseres irregulares.

Siete metros de horribles escamas pardas emergieron a la superficie y rodaron sobre sí mismos; la cola golpeaba locamente el agua mientras las balas se hundían en la gruesa piel. Después, el tiroteo cesó y el gran reptil se agitó convulsivamente una vez más y se hundió en el río.

Lusana permaneció inmóvil, los ojos muy abiertos, el

cuerpo como paralizado. Contempló aturdido el agua clara y el bulto del cocodrilo que ahora se deslizaba suavemente por el centro del río, impulsado por la corriente.

En la orilla, Machita temblaba, no tanto a causa del peligro que Lusana había corrido como por la expresión satánica que veía en el rostro brutal de Jumana.

Machita pensó: El muy bastardo lo sabía. Lo sabía desde el momento en que el cocodrilo se echó al agua, en la orilla opuesta, y había comenzado a acercarse al general, y sin embargo, no dijo una palabra.

25

Bahía de Chesapeake, Estados Unidos - Octubre de 1988

Dos horas antes del alba, Patrick Fawkes pagó la carrera del taxi y se acercó al portón iluminado de la Compañía Forbes de Chatarra y Rescates Marinos. Un guardia uniformado se apartó de un televisor portátil y bostezó, mientras Fawkes pasaba un pequeño pliego por la ventana en arco del portón. El guardia examinó las firmas y comparó la fotografía con el hombre que tenía ante sí. Después le devolvió los documentos.

—Bienvenido a Estados Unidos, capitán. Mis superiores lo han estado esperando.

—¿Está aquí? —preguntó Fawkes con impaciencia.

—Está amarrado en el dique este —contestó el guardia, mostrando a través de la ventana una copia Xerox de un mapa del sector de rezagos—. Camine con cuidado. Desde que se implantó el racionamiento de energía, de noche no se iluminan los diques. Allí está más oscuro que en el infierno.

Mientras Fawkes caminaba bajo las grúas gigantescas, en dirección al dique, el viento traía desde el puerto un olor denso: el acre perfume de los diques. Inhaló los aromas mezclados del diesel, el alquitrán y el agua salada. Ese olor nunca dejaba de reanimarlo.

Llegó al dique y miró en busca de signos de actividad humana. La cuadrilla nocturna se había retirado hacía rato. Solo una gaviota marina, encaramada en un pilar de madera, devolvió la mirada de Fawkes con un ojo que parecía una cuenta.

Después de recorrer cien metros más, Fawkes se detuvo frente a una enorme forma espectral que se alzaba en la oscuridad, junto al muelle. Entró por la planchada, y pasó a una cubierta aparentemente interminable; se abrió paso sin vacilar a través del laberinto de acero, en dirección al puente.

Más tarde, cuando el sol comenzó a elevarse hacia el este de la bahía, percibió la mutilada sordidez del barco. Pero la pintura descascarada, las grandes manchas de óxido y las marcas irregulares de los sopletes de los obreros pasaron inadvertidos a los ojos de Fawkes. Como un padre que tiene una hija horriblemente desfigurada, veía solo su belleza.

—Sí. Eres un buen barco —dijo a los muelles silenciosos—. Servirás perfectamente.

III
SALVAMENTO

26

Washington, DC - Noviembre de 1988

Los superiores de Steiger en el Pentágono estudiaron casi dos meses su informe acerca del descubrimiento del Vixen 03 antes de llamarlo a Washington. Para Steiger era como comparecer ante el público de una pesadilla bien orquestada. Se sentía un testigo hostil más que un investigador importante.

Incluso después de examinar las pruebas presentadas y una filmación de vídeo, el general Ernest Burgdorf, jefe de Seguridad de la fuerza aérea, y el general John O'Keefe, ayudante del Estado Mayor Conjunto, expresaron dudas acerca de la importancia del avión hundido; argüían que hacer público el asunto solo traería una publicidad sensacionalista de los medios de difusión. Steiger estaba asombrado.

—Pero ¿y las familias? —protestó—. Sería criminal abstenerse de comunicar a las familias de los tripulantes que los cuerpos han sido encontrados.

—Piense un poco, coronel. ¿En qué las beneficiaría reavivar antiguos recuerdos? Es probable que los padres de los tripulantes hayan muerto hace mucho. Que las esposas hayan vuelto a casarse. Y que los niños hayan sido criados por otros padres. Es mejor que todos los interesados sigan viviendo en paz su vida actual.

—Y está el cargamento —dijo Steiger—. Es posible que en el Vixen 03 se transportase armamento nuclear.

—Hemos examinado todo eso —observó secamente O'Keefe—. Un exhaustivo examen de los registros de los depósitos militares ha confirmado que no faltan cabezas nucleares. Podemos dar razón del destino de cada elemento del arsenal atómico, a partir de la bomba arrojada sobre Hiroshima.

—Señor, ¿recuerda usted que el material nuclear se enviaba y aún se envía en cilindros de acero inoxidable?

—¿Y no se le ocurrió, coronel —dijo Burgdorf—, que los cilindros que *usted* dice haber hallado pueden estar vacíos?

Steiger se hundió en su silla, derrotado. Lo mismo le hubiera valido discutir con una pared. Lo trataban como a un niño demasiado fantasioso que afirmaba haber visto un elefante en un trigal de Minnesota.

—Y si en realidad es el mismo avión que presuntamente desapareció sobre el Pacífico —agregó Burgdorf—, creo que será mejor enterrar el asunto.

—¿Cómo?

—Las oscuras razones que explican la tremenda variación del curso del avión pueden ser algo que no convenga difundir, por lo menos desde el punto de vista de la fuerza aérea. Examinemos las probabilidades. Volar mil seiscientos kilómetros en dirección contraria a la estipulada supone un error absoluto de por lo menos cinco sistemas distintos de instrumentos, además de la estupidez ciega de la tripulación, de un navegante que perdió la cabeza, o de una conspiración de toda la tripulación para robar el avión, Dios sabe con qué fines.

—Pero alguien tiene que haber autorizado las órdenes de vuelo —dijo Steiger, desconcertado.

—Alguien lo hizo —dijo O'Keefe—. Las órdenes fueron emitidas en la Base Travis de la fuerza aérea, en California, por un tal coronel Michael Irwin.

Steiger miró con escepticismo al general.

—Las órdenes de vuelo rara vez permanecen en el archivo más de unos meses. ¿Cómo es posible que estas se conservaran más de treinta años?

O'Keefe se encogió de hombros.

—No me pregunte las razones, coronel. Acepte mi palabra. El plan del último vuelo del Vixen 03 apareció en antiguos archivos de la oficina de Travis.

—¿Y las órdenes que yo encontré entre los restos?

—Acepte lo inevitable —dijo Burgdorf—. Los papeles que usted extrajo de ese lago de Colorado estaban muy deteriorados, y no podían descifrarse con exactitud. Ocurrió sencillamente que usted leyó en ellos lo que le pareció mejor.

—Por lo que a mí respecta —dijo resueltamente O'Keefe—, es imposible explicar por qué el Vixen 03 se apartó de su curso. —Se volvió hacia Burgdorf—. ¿Concuerda conmigo, general?

—Así es.

O'Keefe miró a Steiger.

—Coronel, ¿tiene algo más que decirnos?

Los superiores de Steiger permanecieron en silencio, esperando la respuesta. Steiger no sabía qué decir. Había llegado a un callejón sin salida. La implicación pendía sobre su cabeza como una espada: o Abe Steiger se olvidaba del Vixen 03, o su carrera en la fuerza aérea concluiría prematuramente.

El presidente estaba en el jardín sembrado de césped, detrás de la Casa Blanca, y con movimientos envarados enviaba las pelotas hacia el hoyo que se abría apenas a un metro y medio de distancia, para confirmar que el golf no era su juego. Podía entender el reto implícito en el tenis o en el balonmano, o incluso una carrera de natación; pero no entendía por qué una persona querría competir contra sí mismo.

—Ahora puedo morir contento, porque ya lo he visto todo.

El presidente se enderezó y miró el rostro sonriente de Timothy March, su secretario de Defensa.

—Esto demuestra cuánto tiempo libre tengo, ahora que soy un presidente a quien le falta poco para terminar su período.

March, un hombre bajo y grueso que detestaba cualquier tipo de ejercicio físico, caminó sobre el césped.

—Debería sentirse feliz con la elección. Su partido y su hombre vencieron.

—En realidad, nadie gana jamás una elección —murmuró el presidente—. ¿Qué lo trae por aquí, Tim?

—Pensé que le agradaría saber que he cerrado definitivamente el caso del viejo avión encontrado en las Rocosas.

—Probablemente ha sido una actitud sensata.

—Un asunto desconcertante —dijo March—. Excepto esos planes de vuelo falsos que encontramos en los archivos de la fuerza aérea, no hay rastros de la verdadera misión del avión.

—Poco importa —dijo el presidente, que al fin había conseguido meter una pelota en el hoyo—. Dejemos estar el asunto. Si Eisenhower echó tierra al asunto durante su gobierno, no me corresponde a mí abrir una lata de gusanos.

—Sugiero que retiremos los restos de la tripulación para ofrecerles un entierro militar. Les debemos eso.

—Muy bien, pero sin publicidad.

—Aclararé el asunto al oficial de la fuerza aérea que está a cargo del problema.

El presidente entregó el palo de golf a un hombre del servicio secreto que permanecía a poca distancia, e indicó a March que lo acompañase al despacho.

—¿Se le ha ocurrido alguna idea, Tim? ¿Qué intentaba ocultar Ike allá por 1954?

—Esa pregunta me ha tenido despierto durante las últimas noches —dijo March—. No tengo la más mínima idea.

A la hora del almuerzo Steiger se abrió paso entre la multitud que esperaba mesa en la posada Cottonwood, y entró en el bar. Pitt le hizo señas desde un reservado del fondo y casi con el mismo gesto llamó a la empleada que servía cócteles. Steiger ocupó un asiento frente a Pitt mientras la empleada, seductoramente ataviada con un breve vestido colonial, inclinaba sus pechos exuberantes sobre la mesa.

—Un martini con hielo —dijo Steiger, mirando de reojo

las formas femeninas—. Pensándolo mejor, que sea doble. Ha sido una mañana difícil.

Pitt alzó un vaso casi vacío.

—Otro para mí.

—¡Cristo! —exclamó Steiger—. ¿Cómo soporta esa bebida?

—He oído decir que es buena para adelgazar —contestó Pitt—. Las enzimas del jugo de pomelo anulan las calorías del vodka.

—Parece un cuento de viejas. Además, ¿por qué se preocupa? No tiene ni un gramo de grasa de más.

—A decir verdad —contestó Pitt riéndose—, es una bebida muy agradable.

El humor de su interlocutor era contagioso. Por primera vez ese día Steiger sintió deseos de reír. Pero poco después de que les sirvieran las bebidas su expresión se ensombreció de nuevo, y permaneció sentado en silencio, jugando con el vaso sin probar su contenido.

—No me diga —observó Pitt, que adivinó los sombríos pensamientos del coronel— que sus amigos del Pentágono rechazaron su propuesta.

Steiger asintió lentamente.

—Disecaron cada frase de mi informe y arrojaron los pedazos a la red de cloacas de Washington.

—¿Habla en serio?

—Rehusaron investigar el asunto.

—¿Y los cilindros y el quinto esqueleto?

—Afirman que los cilindros están vacíos. Con respecto a su teoría acerca del padre de Loren Smith, ni siquiera mencioné el asunto. No vi motivo para avivar las llamas de un escepticismo que ya era excesivo.

—De modo que deja la investigación.

—Así es, si es que quiero retirarme con el grado de general.

—¿Lo han presionado?

—No fue necesario. Estaba escrito en los ojos de mis superiores.

—¿Y ahora qué hacemos?

Steiger miró serenamente a Pitt.

—Confiaba en que usted podría continuar solo.

Los dos hombres se miraron.

—¿Desea que retire del lago ese avión?

—¿Por qué no? Caramba, usted levantó el *Titanic* desde más de cuatro mil metros, en mitad del Atlántico. Un Stratocruiser en un lago cerrado debe ser un juego de niños para un hombre de su capacidad.

—Muy halagador. Pero usted olvida que no puedo tomar esa decisión solo. Levantar el Vixen 03 exigirá un equipo de veinte hombres, varios camiones de material, un mínimo de dos semanas, y un presupuesto de casi cuatrocientos mil dólares. No puedo hacerlo por mi cuenta, y el almirante Sandecker jamás concedería la bendición de la ANIM a un proyecto de esas características si no tiene la garantía de que el gobierno proveerá los fondos adicionales indispensables.

—Entonces, ¿qué le parece si retiramos uno de los cilindros y los restos de Smith, para realizar una identificación segura?

—¿Y después qué?

—Vale la pena intentarlo —dijo Steiger, con voz cada vez más excitada—. Usted puede volar mañana a Colorado. Entretanto, yo autorizaré un contrato con el fin de recuperar los cadáveres de la tripulación. Así se evitará tener que consultar con el Pentágono y la ANIM.

Pitt meneó la cabeza.

—Lo siento, pero tendrá que armarse de paciencia. Sandecker me ordenó supervisar el rescate de un acorazado de la Unión que se hundió frente a la costa de Georgia durante la guerra civil. —Hizo una pausa para consultar su reloj—. Dentro de seis horas estaré abordando el avión que me llevará a Savannah.

Steiger suspiró y pareció decepcionado.

—Quizá pueda ocuparse del asunto más tarde.

—Prepare el contrato y manténgalo en reserva. Iré a Colorado en la primera oportunidad. Se lo prometo.

—¿Ya habló con la congresista Smith acerca de su padre?

—A decir verdad, no tuve valor para hacerlo.

—¿Contempla la posibilidad de un error?

—Eso es parte del asunto.

Una expresión vacía ensombreció el rostro de Abe Steiger.

—Dios mío, qué embrollo. —Bebió de un solo trago el martini doble, y después miró con tristeza el vaso.

La empleada regresó con el menú, y pidieron la comida. Steiger observó distraídamente las caderas de la joven, que se alejó en dirección a la cocina.

—En lugar de estar aquí, devanándome los sesos para solucionar un antiguo misterio que no importa a nadie, debería concentrar mis esfuerzos en regresar a California y a mi familia.

—¿Cuántos hijos tiene?

—Ocho. Cinco varones y tres niñas.

—Usted debe de ser católico.

Steiger sonrió.

—¿Con un nombre como Abraham Levi Steiger?

—A propósito, no me dijo de qué modo sus superiores explicaron el plan de vuelo de Vixen 03.

—El general O'Keefe encontró el original. No concuerda con nuestro análisis del que hallamos entre los restos.

Pitt meditó un momento, y después preguntó:

—¿Tiene una copia Xerox para prestarme?

—¿Del plan de vuelo?

—Nada más que la sexta página.

—Sí, en el baúl de mi automóvil. ¿Por qué?

—Un tiro en la oscuridad —dijo Pitt—. En el FBI tengo un amigo que es un genio en resolver crucigramas.

—¿De veras tienes que irte esta noche? —preguntó Loren a Pitt.

—Mañana habrá una reunión para analizar las operaciones de rescate —contestó él desde el cuarto de baño, donde estaba guardando sus útiles de afeitar.

—Maldición —dijo ella, haciendo un mohín—. Estaría mejor si tuviese relaciones con un vendedor ambulante. Pitt entró en el dormitorio.

—Vamos, vamos, para ti no soy más que un juguete nuevo.

—No es así. —Loren lo abrazó—. Después de Phil Sawyer eres mi hombre favorito.

Pitt la miró.

—¿Desde cuándo sales con el secretario de Prensa del presidente?

—Cuando el gato está lejos, Loren se dedica a jugar.

—Pero ¡santo Dios! Phil Sawyer. Usa camisas blancas y habla como un diccionario.

—Me propuso matrimonio.

—Me vas a hacer vomitar.

Ella lo estrechó fuertemente.

—Por favor, esta noche nada de sarcasmos.

—Lamento no poder ser para ti más que un amante ardoroso; pero soy demasiado egoísta para comprometerme. No puedo ofrecer esa totalidad que necesita una mujer como tú.

—Aceptaré el porcentaje que me des.

Él se inclinó y la besó en el cuello.

—Serás una pésima esposa para Phil Sawyer.

27

Thomas Machita pagó la entrada e ingresó en los terrenos de la feria de diversiones, una de las muchas que levantaban sus instalaciones los días feriados en las regiones rurales de África del Sur. Era domingo, y nutridos grupos de bantúes con sus familias formaban fila frente a las calesitas, las ruedas gigantes y los diferentes juegos. Machita se abrió paso hacia el tren fantasma; estaba cumpliendo las instrucciones telefónicas de Emma.

No había decidido qué instrumento usaría para matar a Emma. La hoja de afeitar camuflada en su antebrazo izquierdo dejaba mucho que desear. El minúsculo fragmento de acero era un arma para usar a muy corta distancia, y era letal solo si se conseguía seccionar la yugular de la víctima; una oportunidad que Machita consideraba muy remota en vista de la nutrida multitud que poblaba la feria.

Finalmente, Machita se inclinó por el pico para partir hielo. Soltó un suspiro de satisfacción, como si hubiese resuelto un complicado problema científico. El pico estaba unido discretamente a las fibras de una canasta que sostenía en la mano. El asa de madera había sido retirada y en su lugar había aplicado cinta aislante, enrollada varias veces alrededor del fino mango. Un golpe rápido entre las costillas, apuntando al corazón, o en un ojo o un oído; si podía meter el pico en una de las trompas de Eustaquio de Emma el acto no dejaría muchos rastros.

Machita sujetó más firmemente la canasta que contenía el pico para cortar hielo y los dos millones de dólares del pago. Llegó su turno, pagó un billete y subió a la plataforma del tren fantasma. La pareja que estaba delante, un hombre que reía a cada momento y su obesa esposa, se acomodaron en un coche con capacidad para dos personas. El empleado, un viejo de cara demacrada que resoplaba por una nariz acuosa, bajó una barra de seguridad sobre las piernas de los clientes y movió una gran palanca que emergía del piso. El coche avanzó sobre los rieles y pasó entre dos puertas móviles. Un momento después comenzaron a oírse gritos de mujer que venían del túnel oscuro.

Machita subió al coche siguiente. Se sentía tranquilo y lo divertía la idea del recorrido por el túnel. Evocó recuerdos de su niñez, y recordó que había gritado de miedo en un coche similar, en otro tren fantasma, hacía mucho tiempo, ante los animales fosforescentes que surgían de la oscuridad y lo amenazaban.

No miró al empleado cuando movió la palanca ni reaccionó inmediatamente cuando el anciano saltó ágilmente al coche que él ocupaba, y bajó la barra de seguridad.

—Espero que le agrade la diversión —dijo una voz que Machita identificó como la de Emma.

De nuevo el misterioso informante había aprovechado astutamente el descuido de Machita. Las posibilidades de darle muerte por sorpresa de pronto se hacían más remotas.

Las manos de Emma palparon hábilmente las ropas del hombre.

—Mi querido mayor, es muy inteligente de su parte venir desarmado.

Un punto a nuestro favor, pensó Machita, cuyas manos sostenían descuidadamente la canasta y al mismo tiempo ocultaban el pico de cortar hielo.

—¿Tiene la operación Rosa Silvestre? —preguntó.

—¿Tiene dos millones de dólares norteamericanos? —repuso la figura que iba sentada a su lado.

Machita vaciló e inconscientemente se agachó cuando el coche pasó bajo una alta pila de barriles que parecieron abalanzarse sobre ellos y se detenían bruscamente a pocos centímetros de las presuntas víctimas.

—Aquí… en la canasta.

Emma extrajo un sobre del bolsillo de una sucia chaqueta.

—Su jefe verá que esto es muy interesante.

—Y quizá demasiado caro.

Machita estaba revisando los documentos del sobre, cuando un par de brujas grotescamente pintadas, con irradiaciones fluorescentes de luz ultravioleta, saltaron al coche y gritaron a través de altavoces ocultos. Emma no hizo caso de las figuras de cera y abrió la cesta; estudió los billetes iluminados por las luces púrpura. El coche siguió avanzando, las brujas volvieron a su escondrijo, impulsadas por resortes, y el túnel se sumergió de nuevo en la oscuridad.

¡Ahora!, pensó Machita. Cogió el pico de cortar hielo y descargó el golpe en el lugar donde imaginó estaba el ojo derecho de Emma. Pero en esa fracción de segundo el vehículo tomó una curva cerrada y un reflector de luz anaranjada iluminó a un Satán barbudo que blandía amenazador una horquilla. Fue suficiente para desviar el golpe de Machita. El pico erró el ojo de Emma y la punta se clavó en el cráneo, sobre la ceja.

El sorprendido informante lanzó un grito, apartó la mano de Machita y se arrancó de la cabeza el fino pico. Machita retiró la hoja de afeitar adherida a su antebrazo y atacó el cuello de Emma, con un amplio movimiento del brazo hacia atrás. Pero la horquilla del demonio le golpeó la muñeca, obligándolo a bajar el brazo.

El demonio era auténtico. Era uno de los cómplices de Emma. Machita replicó alzando la barra de seguridad e impulsándola con los pies. La barra pegó en la ingle del hombre disfrazado, y Machita sintió que sus talones se hundían profundamente en la carne blanda. Después, el carro volvió a hundirse en la oscuridad, y el demonio quedó atrás.

Machita giró el cuerpo para enfrentar a Emma, pero encontró vacío el asiento contiguo. Un breve rayo de luz solar resplandeció varios metros a la izquierda del carro, allí donde una puerta se abría y cerraba. Emma había encontrado una salida, y se había llevado consigo la cesta del dinero.

28

—Grosera estupidez —dijo con perversa satisfacción el coronel Jumana—. Me perdonará por decirlo, general, pero ya lo había previsto.

Lusana miró pensativo a través de la ventana una formación de hombres ejercitándose en el campo de desfiles.

—Un error de juicio, coronel, y nada más. No perderemos la guerra porque hayamos perdido dos millones de dólares.

El humillado Thomas Machita estaba sentado frente a la mesa con el rostro perlado de sudor, mirando fijamente el vendaje que le cubría la muñeca.

—No había modo de saber…

Se le tensó el cuerpo cuando Jumana se puso bruscamente de pie. El rostro del coronel irradiaba la más concentrada cólera cuando recogió el sobre entregado por Emma y lo arrojó al rostro de Machita.

—¿Ignoraba que le habían tendido una trampa? ¡Estúpido! Ahí tenemos a nuestro glorioso jefe de espionaje, que ni siquiera es capaz de matar a un hombre en la oscuridad. Después, agrega el insulto a la injuria entregándole dos millones de dólares por un sobre que contiene recomendaciones para eliminar los residuos de las instalaciones militares.

—¡Basta! —rugió Lusana.

Se hizo el silencio. Jumana respiró hondo y retrocedió lentamente hacia su silla. Sus ojos despedían chispas.

—Los errores estúpidos no ganan las guerras de liberación.

—Exagera —observó Lusana, impasible—. Coronel Jumana, es usted un gran jefe, y un tigre en la batalla; pero, como la mayoría de los soldados profesionales, carece lamentablemente de estilo administrativo.

—Se lo ruego, general, no se encolerice conmigo. —Jumana apuntó un dedo acusador a Machita—. Él es quién merece castigo.

Un sentimiento de frustración se apoderó de Lusana. Al margen de la inteligencia o la educación, la mente africana exhibía una inocencia casi infantil hacia la culpa. Los ritos sangrientos todavía les sugerían un más elevado sentido de justicia que una conferencia seria alrededor de la mesa. Con expresión fatigada, Lusana miró a Jumana.

—El error fue mío. Solo yo soy responsable. Si no hubiese impartido a Machita la orden de matar a Emma, ahora tendríamos ante nosotros la operación Rosa Silvestre. Estoy seguro de que si no hubiese estado ocupado en matar a ese hombre, el mayor habría verificado el contenido del sobre antes de entregar el dinero.

—¿Todavía cree que el plan existe? —preguntó incrédulo Jumana.

—Lo creo —dijo Lusana—. Lo creo tanto como para advertir a los norteamericanos cuando vaya a Washington la semana próxima, con el fin de atestiguar en las audiencias del Congreso acerca de la ayuda a las naciones africanas.

—Sus prioridades están aquí —dijo Machita, con una expresión de alarma en los ojos—. Se lo ruego, general, envíe a otra persona.

—Nadie puede hacerlo mejor que yo —contestó Lusana—. Todavía soy ciudadano norteamericano, tengo contactos importantes que simpatizan con nuestra causa.

—Tan pronto salga de aquí, correrá grave peligro.

—Vivimos peligrosamente, ¿verdad? —preguntó Lusana—. Es el fondo de nuestra camaradería. —Se volvió hacia Jumana—. Coronel, en mi ausencia usted asumirá el mando. Le impartiré órdenes explícitas acerca de la conducción de nuestras operaciones. Usted se ocupará de que se cumplan al pie de la letra.

Jumana asintió.

Un sentimiento de temor comenzó a crecer en Machita; no pudo dejar de preguntarse si Lusana estaba preparando el camino que llevaría a su propia caída, y preparando las condiciones para un baño de sangre que muy pronto inundaría toda África.

29

Loren Smith se puso de pie detrás de su escritorio, y extendió la mano cuando Frederick Daggat entró en el despacho. El hombre le ofreció su mejor sonrisa de político.

—Confío en que perdonará mi intromisión… congresista.

Loren estrechó con firmeza la mano de su visitante. Siempre la divertía el hecho de que los hombres vacilaran acerca de su cargo. Nunca parecían sentirse cómodos cuando decían «congresista» o «representante».

—Me alegro por la interrupción —dijo Loren y lo invitó a tomar asiento. Para gran sorpresa de Daggar, ella le ofreció una caja de cigarros. El visitante aceptó uno.

—Gracias. No esperaba… ¿Le importa que lo encienda ahora mismo?

—Hágalo —dijo ella, sonriendo—. Admito que parece un poco incongruente que una mujer invite con cigarros, pero el valor práctico del asunto es evidente cuando se recuerda que mis visitantes masculinos superan a los femeninos en una proporción de veinte a uno.

Daggat expelió una densa nube de humo azul en dirección al techo e inició el ataque.

—Usted votó contra mi propuesta inicial de asignar fondos al Ejército Africano Revolucionario.

Loren asintió. No habló, esperaba que Daggat se explayara.

—El gobierno blanco de África del Sur está al borde de la autodestrucción. La economía de la nación ha caído en los últimos años. El tesoro está exhausto. La minoría blanca ha tratado cruel e implacablemente durante demasiado tiempo a la mayoría negra. Durante diez años, el período de gobierno de los negros en Rhodesia, los afrikaners se han endurecido y han tratado del modo más implacable a sus ciudadanos bantúes. Estallaron disturbios internos que ya costaron cinco mil vidas. Este baño de sangre no debe continuar. El Ejército Africano Revolucionario de Hiram Lusana es la única esperanza de paz. Debemos apoyarlo financiera y militarmente.

—Tenía la impresión de que Hiram Lusana era comunista.

Daggat meneó la cabeza.

—Congresista Smith, creo que su idea es errónea. Reconozco que Lusana acepta la ayuda de asesores militares vietnamitas, pero puedo asegurarle que no es, y nunca lo fue, instrumento del comunismo internacional.

—Me alegra saberlo. —Loren habló con voz neutra. Estaba pensando que Daggat quería venderle un artículo, y ella estaba decidida a no comprarlo.

—Hiram Lusana es un hombre de elevados ideales —continuó Daggat—. No permite la masacre de mujeres y niños inocentes. No tolera ataques sangrientos e indiscriminados a ciudades y aldeas, a diferencia de los restantes movimientos insurgentes. Hace la guerra simplemente contra instalaciones oficiales y blancos militares. Por mi parte, creo que el Congreso debe respaldar a un jefe que dirige sus asuntos de un modo tan racional.

—Hablemos francamente, congresista. Usted y yo sabemos que Hiram Lusana es un maestro de la farsa. He examinado su legajo del FBI. Parece la biografía de un pistolero de la mafia. Lusana pasó la mitad de su vida en la cárcel por una serie de delitos, desde violación hasta el atraco, por no mencionar algunas estafas y una conspiración para volar el Capitolio de Alabama. Después de asaltar un camión blindado se dedicó al negocio de las drogas y amasó una fortuna. Luego, se fue del país para evitar el pago de impuestos. Convendrá conmigo en que no es exactamente lo que podríamos llamar un héroe norteamericano.

—Nunca se le acusó oficialmente del asalto al camión blindado.

Loren se encogió de hombros.

—Muy bien, en ese punto le otorgaremos el beneficio de la duda. Pero sus restantes delitos no lo convierten en el hombre más apropiado para dirigir una guerra santa destinada a liberar a las masas oprimidas.

—La historia es una cosa del pasado —dijo Daggat, insistiendo en el asunto—. Al margen de su pasado turbio, Lusana es todavía nuestra única esperanza de tener un gobierno estable después que los negros se apoderen del Parlamento Sudafricano. Usted no negará que conviene que sea amigo de los norteamericanos.

—¿Por qué tenemos que respaldar a uno de los bandos?

Daggat enarcó las cejas.

—¿Percibo cierta tendencia al aislacionismo?

—Vea lo que conseguimos en Rhodesia —continuó Loren—. Pocos meses después que nuestro ex secretario de Estado aplicara su ingenioso plan de transferencia del dominio de la minoría blanca a la mayoría negra, estalló la guerra civil entre las distintas facciones radicales, y el país retrocedió diez años.

»¿Puede usted prometer que no se repetirá lo mismo cuando África del Sur se incline ante lo inevitable?

A Daggat no le agradaba que una mujer lo arrinconase. Se inclinó hacia el escritorio de Loren.

—Si usted no apoya mi proyecto y el plan de ayuda que me propongo presentar en la Cámara, estimada representante Smith, me temo que enterrará su carrera política en una fosa tan grande y tan profunda que no podrá sacarla a tiempo para presentarse a la próxima elección.

Para desconcierto e irritación de Daggat, Loren se echó a reír.

—Santo Dios, me parece increíble. ¿Realmente está amenazándome?

—Si no apoya el nacionalismo africano, le prometo que perderá todos los votos negros de su distrito.

—No lo creo.

—Será mejor que lo crea, porque también asistirá a disturbios como jamás vio en este país, si no apoyamos firmemente a Hiram Lusana y al Ejército Africano Revolucionario.

—¿Dónde obtuvo esa información? —preguntó Loren.

—Soy negro, y sé de lo que hablo.

—Y también dice muchas tonterías —observó Loren—. He conferenciado con centenares de negros en mi distrito. No son distintos de cualquier otro ciudadano norteamericano. A todos les preocupan los impuestos elevados, el precio cada vez más alto de los alimentos y la anarquía… y en eso se asemejan a los blancos, los orientales, los indios y los chicanos. Daggat, se engaña si cree que nuestros negros prestan atención a los embrollos que los negros africanos provocan en sus respectivos países. El asunto no les interesa, por la sencilla razón de que los africanos son indiferentes a todo lo nuestro.

—Comete un lamentable error.

—No; es usted quien comete el error —replicó Loren—. Está creando problemas donde no tiene que haberlos. La raza negra encontrará iguales oportunidades a través de la educación, exactamente como todos los demás. Los japoneses así lo hicieron después de la Segunda Guerra Mundial. Cuando salieron de los campos de internamiento, trabajaron en las explotaciones de California del Sur para enviar a las universidades a sus hijos, de modo que se convirtiesen en abogados y médicos. Y lo consiguieron. Ahora es el turno de los negros.

Y lo lograrán, siempre que no se vean obstaculizados por hombres como usted, que tratan de amotinar a la gente siempre que se les ofrece la oportunidad. Y ahora, le agradeceré que salga de mi despacho.

Daggat la miró fijamente, y su rostro expresaba profunda cólera. Después, sus labios se curvaron lentamente en una sonrisa. Extendió la mano que sostenía el cigarro, y dejó caer este sobre la alfombra. Luego, se volvió y salió tranquilamente del despacho.

—Pareces un niño a quien acaban de robarle su bicicleta —dijo Felicia Collins. Estaba sentada en un rincón de la limusina de Daggat y se limaba sus largas uñas.

Daggat se instaló al lado de Felicia y ordenó al chófer que partiera. Miraba fijamente al frente, con el rostro inexpresivo.

Felicia guardó la lima en su bolso y esperó con mirada de aprensión. Finalmente, quebró el silencio.

—Entiendo que Loren Smith no aceptó tu propuesta.

—Perra blanca —casi escupió—. Cree que puede tratarme como a un pardillo negro en una plantación antes de la guerra civil.

—¿De qué demonios estás hablando? —preguntó Felicia, sorprendida—. Conozco a Loren Smith. No tiene ningún prejuicio.

Daggat se volvió.

—¿La conoces?

—Fuimos condiscípulas en el colegio secundario. Aún nos reunimos de cuando en cuando. —En el rostro de Felicia se dibujó una expresión dura—. Frederick, tu mente astuta idea algo perverso. ¿De qué se trata?

—Necesito el apoyo de la congresista Smith para conseguir la aprobación del proyecto de envío de armas y ayuda al Ejército Africano Revolucionario.

—¿Quieres que hable con Loren? ¿Que le pida que apoye a Hiram?

—Eso y algo más.

Felicia trató de leer el pensamiento de Daggat.

—¿Más?

—Quiero que consigas información que pueda dañarla. Algo que pueda usar para obligarla a apoyarnos.

Felicia lo miró, desconcertada.

—¿Extorsionar a Loren? No sabes lo que pides. No puedo traicionar a una buena amiga. Es inútil.

—Tu alternativa es evidente: una amistad de adolescentes a cambio de la libertad de millones de nuestros hermanos esclavizados por un gobierno tiránico.

—¿Y si no puedo descubrir nada? —dijo Felicia, tratando de hallar una escapatoria—. Todos saben que su carrera política es intachable.

—Nadie es perfecto.

—¿Qué debo buscar?

—Loren Smith es una mujer soltera y atractiva. Seguramente tiene su vida sexual.

—¿Y qué? —arguyó Felicia—. Todas las mujeres solas tienen asuntos amorosos. Y si no está casada, no puedes fabricar un escándalo basándote en un hipotético adulterio.

Daggat sonrió.

—Muy astuto de tu parte. Eso es exactamente lo que haremos… fabricar un escándalo.

—Loren merece mejor trato.

—Si apoya nuestra causa no tendrá de qué preocuparse.

Felicia se mordió el labio.

—No, no quiero apuñalar por la espalda a una amiga. Además, Hiram jamás me perdonaría semejante indignidad.

Daggat rehusó entrar en ese juego.

—¿De veras? Quizá te has acostado con el salvador de África, pero dudo de que conozcas realmente la esencia de ese hombre. Cuando dispongas de tiempo, dedícate a estudiar su pasado. Al lado de Hiram Lusana, Al Capone y Jesse James parecen afeminados. Y me lo dicen en la cara cada vez que lo defiendo. —Daggat entrecerró los ojos—. ¿Olvidas que literalmente te vendió cuando yo se lo pedí?

—No lo he olvidado.

Felicia se volvió y miró a través de la ventanilla.

Daggat le apretó la mano.

—No te preocupes —dijo sonriendo—. No ocurrirá nada que te deje un mal recuerdo.

Ella alzó la mano de Daggat y la besó; pero ni por un instante creyó en lo que él decía.

30

A diferencia de su famoso pariente, el *Monitor*, el *Chenago* era prácticamente desconocido, salvo por un puñado de historiadores navales. Armado en junio de 1862 en Nueva York, recibió poco después la orden de incorporarse a la flota de la Unión que bloqueaba la entrada a Jarama. El infortunado *Chenago* nunca tuvo oportunidad de disparar sus cañones: una hora después de salir de su apostadero se enfrentó con una fuerte tormenta y naufragó, hundiéndose treinta metros bajo las olas con su tripulación de cuarenta y dos hombres.

Pitt estaba en la sala de conferencias del *Visalia*, nave de salvamento de la ANIM, y estudiaba una serie de fotos submarinas tomadas por buzos alrededor del *Chenago*. Jack Folsom, el moreno capataz, rumiaba un gran trozo de goma de mascar y esperaba, atento a las preguntas que sin duda le formularían.

Pitt no lo decepcionó.

—¿El casco está intacto?

Folsom cambió de lugar la goma de mascar.

—No hemos visto grietas transversales muy importantes. Por supuesto, no fue posible verlo todo, porque unos dos metros de la quilla están hundidos en el fondo del mar, y adentro hay casi un metro de arena. Pero creo que las posibilidades de una grieta longitudinal son escasas. Yo apostaría a que podemos levantarlo en una sola pieza.

—¿Qué método propone?

—Tanques de aire Dollinger variables —contestó Folsom—. Podemos hundirlos de a pares a los costados del casco. Después los unimos y los llenamos de aire. El mismo principio fundamental que permitió elevar al viejo submarino *F-4* después de que se hundió en Hawai allá por 1915.

—Habrá que usar bombas de succión para eliminar la arena. Cuanto más liviano sea, menores las posibilidades de que se quiebre. Las gruesas placas de hierro parecen haber aguantado bien, pero las planchas de roble que están debajo deben de haberse podrido hace mucho tiempo.

—También podemos retirar los cañones —dijo Folsom—. Son accesibles.

Pitt examinó una copia de los diseños originales del *Chenago*. La forma familiar del *Monitor* incluía una sola torre circular con cañones, pero el *Chenago* tenía dos, una en cada extremo del casco. En cada torre apuntaban dos cañones iguales de treinta centímetros, tipo Dahlgren, y cada pieza pesaba varias toneladas.

—Los tanques Dollinger —dijo Pitt, que de pronto esbozó una expresión pensativa—, ¿sirven para levantar aviones hundidos?

Folsom dejó de rumiar y miró fijamente a Pitt.

—¿De qué tamaño?

—Ochenta y cinco a noventa toneladas, incluida la carga.

—¿A qué profundidad?

—Unos cincuenta metros.

Pitt casi podía oír los engranajes zumbando en el cerebro de Folsom. Finalmente, el capataz volvió a mascar la goma y dijo:

—Recomendaría usar grúas.

—¿Grúas?

—Dos de ellas sobre plataformas estables fácilmente pueden levantar ese peso —dijo Folsom—. Además, un avión es un artefacto frágil. Si usara los tanques Dollinger y durante el ascenso hubiera la más mínima falla de sincronización, podrían destruir el aparato. —Hizo una pausa y miró dubitativo a Pitt—. ¿Por qué formula tantas preguntas hipotéticas?

Pitt sonrió.

—Uno nunca sabe cuándo puede verse obligado a levantar un avión.

Folsom se encogió de hombros.

—Basta de fantasías. Ahora, volviendo al *Chenago*...

Los ojos de Pitt siguieron atentamente los diagramas que Folsom comenzó a dibujar en un pizarrón. El programa de inmersión, los tanques de aire, los barcos en la superficie, y el acorazado hundido, comenzaron todos a cobrar forma con los comentarios de Folsom acerca de los pasos a seguir para efectuar la operación. A juzgar por las apariencias Pitt estaba profundamente interesado; pero nada de lo que veía se almacenaba en su memoria. Su mente estaba a más de tres mil kilómetros de distancia, en las profundidades de un lago de Colorado.

Cuando Folsom estaba describiendo el método posible de remolque una vez que la nave volviese a ver la luz del sol por primera vez en 125 años, un marinero del *Visalia* asomó la cabeza por la puerta e hizo un gesto a Pitt.

—Señor, una llamada de la costa para usted.

Pitt asintió, extendió la mano y descolgó un teléfono depositado en un estante, contra la pared.

—Habla Pitt.

—Encontrarte es más difícil que seguir la pista del Yeti —dijo una voz, imponiéndose a la estática de fondo.

—¿Quién habla?

—Mira cómo me tratas —dijo sarcásticamente la voz—. Trabajo como un esclavo para hacerte un favor, y ni siquiera recuerdas mi nombre.

—Disculpa, Paul —dijo Pitt, riendo—, pero tu voz suena unas dos octavas más alta en el radiófono.

Paul Buckner, un viejo amigo de Pitt y agente del FBI, trató de hablar con voz más grave.

—¿Así está mejor?

—Mucho mejor. ¿Has conseguido algo?

—Todo lo que pediste, y un poco más.

—Te escucho.

—Bien, en primer lugar, el grado del hombre que según crees autorizó el vuelo del Vixen 03 no es el correcto.

—Pero «general» era el único grado que encajaba bien.

—No necesariamente. El grado era una palabra de siete letras. Lo único que podía leerse era la quinta letra, es decir una R. Naturalmente, se supone que, puesto que Vixen 03 era un avión de la fuerza aérea y llevaba una tripulación también de la fuerza aérea, las órdenes de vuelo solo podían ser autorizadas por un oficial de ese arma.

—Bien, trata de decirme algo que yo no sepa.

—Muy bien, muchacho astuto, confieso que yo también me desconcerté, sobre todo después de que el examen de los archivos del personal de la fuerza aérea no arrojara ningún nombre que concordara con las letras conocidas del nombre de ese misterioso oficial. Luego se me ocurrió que la abreviatura de «almirante», es decir «almir», también es una palabra cuya quinta letra es R.

Pitt sintió como si un campeón de peso pesado de pronto hubiese conectado el puño derecho con su bajo vientre. «Almir»… la palabra resonó en su mente. Nadie se había detenido a considerar que un avión de la fuerza aérea pudiese transportar hombres de la Marina. Pero de pronto se le ocurrió una idea que lo volvió a la realidad.

—¿Y el nombre? —preguntó, casi temiendo la respuesta—. ¿Has podido encontrar el nombre?

—Todo fue muy elemental para una mente inquisitiva como la mía. El primer nombre fue fácil. Seis letras con tres conocidas, dos espacios en blanco, después LT, seguidas de otro espacio en blanco y después una R. «Walter.» Ahora viene la *pièce de résistance*: cuatro letras que comienzan con B y terminan con S. Como «Bobo» no encajaba, y ya tenía el grado y el primer nombre del individuo, una búsqueda con la computadora en los archivos y los registros de la Marina me dio muy pronto el resultado: «Almirante Walter Horacio Bass».

Pitt indagó un poco más.

—Si Bass era almirante en 1954, debe de tener más de ochenta años o habrá muerto… lo más probable es que haya muerto.

—El pesimismo no te llevará a ninguna parte —dijo Buckner—. Bass fue un niño prodigio. Leí sus antecedentes. Impresionantes. Obtuvo su primera insignia cuando tenía treinta y ocho años. Durante un tiempo pareció destinado a jefe del Estado Mayor Naval. Pero después seguramente desagradó a alguien o se insubordinó con un superior, porque de pronto lo trasladaron y lo pusieron al mando de una pequeña base de lanchas torpederas en el océano Índico, lo cual para un oficial naval ambicioso es más o menos como ser exiliado al desierto de Gobi. Finalmente, se retiró en octubre de 1959. Cumplirá setenta y siete años en diciembre próximo.

—¿Quieres decirme que Bass todavía vive? —preguntó Pitt.

—Está incluido en las nóminas de jubilados de la Marina.

—¿Y la dirección?

—Bass posee una posada rural al sur de Lexington, Virginia… Anchorage House. Ya conoces el estilo… no se permiten animales ni niños. Quince habitaciones, incluidas las tuberías prehistóricas y camas de cuatro postes en las que durmió George Washington.

—Paul, te estoy muy agradecido.

—¿No quieres decirme de qué se trata?

—Prefiero no hacerlo todavía.

—¿Estás seguro de que no es un embrollo en el cual el FBI debería intervenir?

—No corresponde a tu jurisdicción.

—Lo imaginaba.

—Gracias nuevamente.

—Muy bien, amigo. Escríbeme cuando encuentres algo interesante.

Pitt colgó el auricular, respiró hondo y sonrió. Se había corrido otro velo del enigma. Decidió no hablar todavía con Abe Steiger.

Miró a Folsom.

—¿Puede encontrar alguien que me reemplace durante el fin de semana?

Folsom sonrió.

—Lejos de mí la idea de que el jefe no es esencial en la operación. Pero de todos modos creo que podremos arreglarnos sin su valiosa presencia. ¿En qué se ha metido?

—En un misterio con una antigüedad de treinta y cuatro años —dijo Pitt—. Me propongo hallar la solución mientras descanso en la paz y la serenidad de una antigua posada rural.

Folsom lo miró varios segundos y después, como no pudo descifrar nada tras los ojos verdes de Pitt, renunció y continuó trabajando en el pizarrón.

31

En el vuelo matutino a Richmond, Pitt parecía uno más de los pasajeros que dormitaban. Tenía los ojos cerrados, pero su mente repasaba incansable el enigma del avión hundido en las aguas del lago. No era propio de la fuerza aérea echar tierra sobre un accidente. En circunstancias normales se habría iniciado una amplia investigación para descubrir por qué la tripulación se había alejado tanto del curso programado. No atinaba a hallar respuestas lógicas, y abrió los ojos cuando el avión de Eastern Airlines tocó tierra y comenzó a acercarse a la terminal.

Pitt alquiló un automóvil y atravesó la campiña de Virginia. El hermoso paisaje ondulado estaba saturado de aromas de pinos y humedad de lluvia. Poco después de mediodía entró por la carretera interestatal 81, y se internó en Lexington. Sin detenerse a contemplar la vieja arquitectura de la ciudad, dobló hacia el sur, y enfiló una estrecha autopista estatal. Pronto llegó a un anuncio que contrastaba pintorescamente con el entorno rural. Era un ancla marina que daba la bienvenida a los huéspedes, y señalaba un camino de grava que conducía a la posada.

No había nadie detrás del escritorio, y Pitt se resistía a romper el silencio de un vestíbulo pulcro y meticulosamente desempolvado. Se disponía a terminar con las contemplaciones y a pulsar el timbre cuando una mujer alta, casi tan alta como él y que llevaba botas de montar, entró transportando una silla de respaldo alto. Parecía tener poco más de treinta años, y vestía vaqueros y una blusa a juego, con un pañuelo rojo atado sobre los cabellos rubio ceniza. La piel casi no mostraba señales del bronceado estival, pero en cambio tenía la suavidad de una modelo. Algo en su expresión imperturbable cuando se encontró de pronto con un extraño indicó a Pitt que era una mujer de clase alta, una persona a la cual se enseña a demostrar reserva en todas las circunstancias... salvo un incendio o un terremoto.

—Disculpe —dijo ella, mientras dejaba la silla en una mesita bellamente proporcionada—. No lo oí llegar.

—Una silla interesante —dijo él—. Shaker, ¿verdad?

Ella lo miró con aprobación.

—Sí, producida por Elder Henry Blinn, de Canterbury.

—Aquí tienen muchas piezas valiosas.

—El almirante Bass, que es el propietario, se ha ocupado de reunir todo lo que usted ve. —La mujer se instaló detrás del escritorio—. En realidad es una autoridad en piezas antiguas.

—No lo sabía.

—¿Desea una habitación?

—Sí, solo por esta noche.

—Lástima que no pueda permanecer más tiempo. Mañana por la noche una compañía teatral de la zona ofrecerá una representación en nuestro establo.

—Tengo mucho talento para llegar e irme en mal momento —dijo Pitt, sonriendo.

La sonrisa de la mujer fue tensa y formal. Le ofreció el registro, y Pitt escribió su nombre y firmó.

—Habitación catorce. Suba la escalera y cuente tres puertas a su izquierda, señor Pitt.

—Había leído su nombre mientras él firmaba—. Yo soy Heidi Milligan. Si necesita algo utilice el timbre que está al lado de su puerta. Tarde o temprano recibiré el mensaje. Espero que no le importe subir su equipaje.

—Me las arreglaré. ¿El almirante puede recibirme? Me agradaría hablarle de... de ciertas piezas antiguas.

Ella señaló una doble puerta, al fondo del vestíbulo.

—Lo encontrará en el estanque de los patos, limpiando las plantas acuáticas.

Pitt asintió y fue en la dirección indicada por Heidi Milligan. La puerta se abrió sobre un sendero que descendía por una suave pendiente. El almirante Bass había tenido la sensatez de no modificar el entorno de Anchorage House. El terreno circundante estaba cubierto de pinos y de plantas silvestres de florecimiento tardío. Durante un momento Pitt olvidó su misión y se sumergió en la calma del paisaje que se desplegaba a ambos lados del sendero.

Encontró a un hombre anciano armado con una horquilla, que atacaba con saña una masa circular de plantas acuáticas, a unos tres metros de la orilla. El almirante era un hombre corpulento, y arrojaba sobre la orilla las plantas de raíces enmarañadas con la facilidad de un individuo treinta años más joven. No llevaba sombrero para protegerse del sol de Virginia, y el sudor le corría profusamente por la cabeza calva, y formaba hilos sobre la nariz y el mentón.

—¿Almirante Walter Bass? —dijo Pitt.

La horquilla se detuvo en mitad del movimiento.

—Sí, soy Walter Bass.

—Mi nombre es Dirk Pitt y me gustaría hablar un momento con usted.

—De acuerdo, adelante —dijo Bass, y completó el movimiento—. Discúlpeme si continúo trabajando con estas malditas plantas, pero deseo limpiar la mayor parte antes de la cena. Si no lo hago por lo menos dos veces por semana antes del invierno, en la primavera próxima habrá desaparecido todo el estanque.

Pitt retrocedió un paso cuando una masa volante de tallos tuberosos y hojas cardioladas cayó a sus pies. Por lo menos para él era una situación embarazosa, y no sabía muy bien cómo manejarla. El almirante le daba la espalda, y Pitt vacilaba. Respiró hondo y se zambulló.

—Desearía formularle varias preguntas acerca de un avión que respondía al código Vixen 03.

Bass no interrumpió su trabajo, pero Pitt no dejó de advertir la palidez de los nudillos súbitamente tensos alrededor del mango de la horquilla.

—Vixen 03 —dijo, y se encogió de hombros—. No me suena. ¿De qué se trata?

—Un avión del Servicio Militar de Transporte Aéreo. Desapareció en 1954.

—Eso fue hace mucho tiempo. —Bass miró el agua con ojos inexpresivos—. No, no recuerdo ninguna relación con un avión de ese servicio —dijo al fin—. Lo cual no es sorprendente. Durante mis treinta años en la Marina siempre estuve en naves de superficie. Esa fue mi especialidad.

—¿Recuerda haber conocido a un mayor de la fuerza aérea llamado Vylander?

—¿Vylander? —Bass meneó la cabeza—. Creo que no. —Después miró reflexivamente a Pitt—. ¿Cómo dijo que se llamaba? ¿Y por qué me pregunta estas cosas?

—Me llamo Dirk Pitt —repitió—. Trabajo para la Agencia Nacional de Investigaciones Marinas. Encontré algunos papeles viejos que señalan que usted fue el oficial que autorizó las órdenes de vuelo del Vixen 03.

—Debe de tratarse de un error.

—Quizá —dijo Pitt—. Tal vez el misterio se aclare cuando levantemos los restos del avión y los examinemos detenidamente.

—Me pareció oírle decir que el avión había desaparecido.

—Yo descubrí los restos —contestó Pitt.

Pitt estudió a Bass, buscando una reacción. Pero no la encontró. Decidió que era mejor dejar solo al almirante, para que ordenase sus pensamientos.

—Lamento haberlo molestado, almirante. Tal vez interpreté mal la información.

Pitt se volvió y se encaminó hacia la posada. Apenas había andado quince metros cuando Bass lo llamó.

—¡Señor Pitt!

Pitt se volvió.

—¿Sí?

—¿Permanecerá en la posada?

—Hasta mañana por la mañana.

El almirante asintió. Cuando Pitt alcanzó los pinos que bordeaban Anchorage House, volvió la cabeza hacia el estanque. El almirante Bass continuaba arrancando tranquilamente las plantas acuáticas y depositándolas en la orilla, como si la breve conversación se hubiera referido sencillamente a las cosechas y el tiempo.

32

Pitt cenó tranquilamente con los restantes huéspedes de la posada. El comedor estaba decorado según el estilo de las tabernas del siglo XVIII, con viejos rifles de chispa, jarros de peltre, y antiguos elementos rurales que colgaban de las paredes y las vigas.

La comida era tan casera como la mejor que Pitt había saboreado nunca. Se sirvió dos porciones de pollo frito, zanahorias salteadas, maíz horneado y patatas dulces, y apenas pudo probar la gruesa porción de pastel de manzana.

Heidi caminaba entre las mesas, sirviendo café e intercambiando breves comentarios con los invitados; Pitt observó que la mayoría era gente de edad. Supuso que las parejas más jóvenes probablemente consideraban aburrida la pacífica serenidad de una posada rural. Terminó su café y salió al porche. Por el este se elevó la luna llena, y bañó de plata los pinos. Se instaló en una mecedora vacía y apoyó los pies en la barandilla del porche, a la espera de que el almirante Bass realizara la jugada siguiente.

La luna se había desplazado casi veinte grados en el cielo cuando llegó Heidi y se acercó lentamente a Pitt. Permaneció un momento detrás de la silla que él ocupaba, y de pronto dijo:

—No hay luna tan brillante como la de Virginia.

—No discutiré esa afirmación —dijo Pitt.

—¿Le ha gustado la cena?

—Temo que mis ojos fueron más grandes que mi estómago. Me he atosigado. Transmita mis felicitaciones al cocinero.

Ese estilo de comida casera es un regalo para el paladar.

La sonrisa de Heidi pasó de la cordialidad a la belleza bajo la luz de la luna.

—*Ella* se sentirá muy feliz de recibir sus felicitaciones.

Pitt esbozó un gesto de impotencia.

—Es difícil modificar una vida entera de tendencias machistas.

Ella apoyó en la baranda sus caderas apretadas y lo miró a los ojos, con expresión súbitamente grave.

—Dígame, señor Pitt, ¿por qué vino a Anchorage House?

Pitt suspendió el balanceo de su mecedora y también la miró a los ojos.

—¿Es una pregunta destinada a comprobar la eficacia de la publicidad que hacen, o es pura curiosidad? —Discúlpeme, no quise ser indiscreta, pero esta tarde, cuando regresó del estanque, Walter parecía muy nervioso. Pensé que tal vez...

—Cree que es a causa de algo que dije —observó Pitt, concluyendo por ella la frase.

—No lo sé.

—¿Es usted familiar del almirante?

Fue la pregunta mágica, porque después ella empezó a hablar de sí misma. Era teniente comandante de la Marina, y estaba destacada en el Astillero Naval de Norfolk; había regresado del Wellesley College y aún le faltaban once años para retirarse; su ex marido había sido coronel del cuerpo de marines, y solía mandonearla como a un recluta; se había sometido a una histerectomía, de modo que no podía tener hijos; no, no era familiar del almirante; lo había conocido cierta vez que él fue a pronunciar una conferencia en el seminario de la Academia Naval, y ahora ella venía a Anchorage House siempre que tenía un momento libre; no ocultaba el hecho de que entre ella y Bass había gran intimidad. Pero justamente cuando el relato comenzaba a cobrar interés, la mujer se interrumpió y consultó su reloj.

—Será mejor que vaya a atender a los restantes huéspedes. —Sonrió y su rostro volvió a transformarse—. Si se fatiga de estar sentado, le sugiero que suba a la cima de la loma que hay detrás de la posada. Podrá contemplar una hermosa vista de las luces de Lexington.

A Pitt se le ocurrió que su tono era más una orden que una sugerencia.

Heidi había estado en lo cierto, pero solo a medias. Desde la loma, la visión no era solo notable, sino también sobrecogedora. La luna iluminaba todo el valle y las farolas de la ciudad pestañeaban como una galaxia lejana. Pitt llevaba allí apenas un minuto cuando advirtió que alguien se acercaba por detrás.

—¿Almirante Bass? —preguntó.

—Por favor, levante las manos y no se vuelva —ordenó bruscamente Bass.

Pitt obedeció.

Bass no realizó un examen completo de todo el cuerpo, sino que se limitó a extraer la cartera de Pitt y a iluminar el contenido con una linterna. Después de unos instantes apagó la luz y devolvió la cartera al bolsillo de Pitt.

—Señor Pitt, puede bajar las manos y volverse, si lo desea.

—¿Por qué tanto melodrama? —Pitt indicó con un gesto de cabeza el revólver que Bass sostenía con la mano izquierda.

—Parece que usted ha exhumado una cantidad excesiva de información sobre un tema que debe permanecer sepultado. Tenía que asegurarme de su identidad.

—Y ahora, ¿está seguro de que soy quien digo ser?

—Sí, he llamado a su jefe en la ANIM. Jim Sandecker sirvió bajo mis órdenes en el Pacífico durante la Segunda Guerra Mundial. Me suministró una lista impresionante de sus credenciales. También quiso saber qué hacía usted en Virginia, cuando debería encontrarse realizando operaciones de rescate frente a la costa de Georgia.

—No mencioné mis descubrimientos al almirante Sandecker.

—Los cuales, como usted afirmó antes, junto al estanque, se refieren a los restos del Vixen 03.

—Almirante, el avión existe. Yo lo he tocado.

Los ojos de Bass relampaguearon, hostiles.

—Señor Pitt, usted no solo fanfarronea, sino que también miente. Exijo saber por qué.

—Mi afirmación no se funda en mentiras —dijo Pitt con ecuanimidad—. Puedo probarlo con dos testigos autorizados y filmaciones en vídeo.

En el rostro de Bass se dibujó una expresión de confusión.

—¡Imposible! El avión se hundió en el océano. Estuvimos varios meses buscándolo y no encontramos ningún rastro.

—Almirante, buscaron donde no podían encontrarlo. El Vixen 03 yace en el lecho de un lago de montaña, en Colorado.

El rudo rostro de Bass pareció disolverse, y a la luz de la luna Pitt vio de pronto que estaba frente a un anciano cansado y sin fuerzas. El almirante bajó la pistola y trastabillando se acercó a un banco que estaba cerca de la cima de la colina. Pitt extendió una mano para ayudarlo.

Bass hizo un gesto de agradecimiento y se sentó.

—Imagino que tenía que ocurrir un día. Nunca creí que el secreto pudiese guardarse eternamente. —Alzó los ojos y aferró el brazo de Pitt—. El cargamento. ¿Qué pasó con él?

—Los cilindros rompieron las amarras, pero por lo demás parecen más o menos intactos.

—Por lo menos podemos agradecer eso —suspiró Bass—. Dice que en Colorado. Las Rocosas. De modo que el mayor Vylander y su gente no llegaron a salir del estado.

—¿El vuelo se inició en Colorado? —preguntó Pitt.

—El Vixen 03 salió de Buckley Field. —Se sostenía la cabeza con las manos—. ¿Qué puede haber fallado? Seguramente cayeron poco después de despegar.

—Parece que tuvieron problemas mecánicos, y trataron de descender en el único espacio abierto que pudieron encontrar. Como era invierno, el lago estaba helado, y creyeron que descendían en un campo. Después, el peso del avión rompió el hielo y la máquina se hundió en un lugar de aguas profundas, de manera que cuando en primavera se fundió el hielo, no fue posible avistarlo desde el aire.

—Y siempre creímos… —Bass no completó la frase, y continuó sentado, en silencio. Finalmente, dijo en voz baja—: Es necesario recuperar esos cilindros.

—¿Contienen material nuclear? —preguntó Pitt.

—Material nuclear… —repitió Bass, casi distraídamente—. ¿Eso cree usted?

—La fecha indicada en el plan de vuelo del Vixen 03 puede significar que debían llegar al Pacífico Sur a tiempo para participar en las pruebas de la bomba H en Bikini. Uno de los tripulantes tenía una placa de metal, y en ella estaba grabado el símbolo de la radiactividad.

—Interpretó mal los datos, señor Pitt. Es cierto que los cilindros estaban destinados inicialmente a contener proyectiles navales de tipo nuclear. Pero la noche en que Vylander y su tripulación desaparecieron se los usó con un propósito muy diferente.

—Alguien sugirió que estaban vacíos.

Bass parecía una estatua de piedra.

—Si todo fuera tan sencillo… —murmuró—. Lamentablemente, hay otros instrumentos de guerra además de los nucleares. Podemos decir que el Vixen 03 y su tripulación eran vehículos.

—¿Vehículos?

—Sí. De una plaga —dijo Bass—. Los cilindros contienen el organismo del Juicio Final.

33

Un silencio incómodo se instaló entre los dos hombres, mientras Pitt asimilaba la gravedad de lo que el almirante había dicho.

—La expresión de su rostro indica que se siente impresionado —dijo Bass.

—El organismo del Juicio Final —repitió en voz baja Pitt—. Esas palabras suenan a algo horriblemente definitivo.

—Eso es; se lo aseguro —dijo Bass—. Desde el punto de vista técnico, tenía una denominación bioquímica muy impresionante, de una longitud de treinta letras, y casi impronunciable. Pero la designación militar era breve y clara. Los llamábamos sencillamente MR, abreviación de «muerte rápida».

—Habla de esa MR en pasado.

El almirante esbozó un gesto de impotencia.

—La fuerza de la costumbre. Hasta que usted descubrió el Vixen 03 creí que todo había desaparecido.

—¿Qué era exactamente?

—MR era la última palabra del más refinado arsenal militar. Hace treinta y cinco años un microbiólogo, el doctor John Vetterly, creó químicamente una forma artificial de vida, la cual a su vez podía provocar una enfermedad que era, y aún es, absolutamente desconocida. Para decirlo del modo más sencillo, es un agente bacteriológico no detectable y no identificable que puede paralizar a un ser humano o a un animal a los pocos segundos del contacto, y que desorganiza las funciones vitales fundamentales, de modo que la muerte sobreviene de tres a cinco minutos después.

—¿El gas que ataca el sistema nervioso no obtiene el mismo resultado?

—Sí, en condiciones ideales. Pero las perturbaciones meteorológicas, por ejemplo el viento, la tormenta o las temperaturas extremas, pueden diluir la dosis letal de un agente nervioso o tóxico cuando se lo descarga en una amplia área. En cambio, una carga de MR puede desentenderse del tiempo, y originar una plaga localizada que es sumamente tenaz.

—Pero estamos en el siglo xx. ¿Acaso no es posible controlar las epidemias?

—Si hay medios para detectar e identificar los microorganismos, puede alcanzarse dicho objetivo. Los procedimientos de descontaminación, las inoculaciones con sueros y antibióticos, en la mayoría de los casos aminoran o contienen una grave epidemia. Pero no conocemos nada capaz de detener a MR una vez propagada en una ciudad.

—En ese caso, ¿cómo fue posible cargar la MR en un avión, y en el territorio de Estados Unidos? —preguntó Pitt.

—La respuesta es muy sencilla. El Arsenal de las Rocosas, en las afueras de Denver, fue el principal fabricante norteamericano de armas químicas y biológicas durante más de veinte años.

Pitt guardó silencio, mientras el anciano continuaba. Bass contempló el panorama de la ciudad de Lexington; pero sus ojos en realidad no lo veían.

—Marzo del cincuenta y cuatro —dijo, y los hechos del pasado comenzaron a desplegarse en su mente—. Se había dispuesto detonar sobre Bikini la bomba H. Yo tenía el mando de las pruebas con MR, porque el doctor Vetterly trabajaba con fondos de la Marina, y yo era experto en artillería y armas navales. Ese momento me pareció el más indicado para realizar nuestros experimentos ya que el mundo concentraba su atención en la explosión nuclear. Nosotros realizamos nuestras pruebas en la isla Rongelo, unos seiscientos kilómetros hacia el nordeste; y nadie prestó atención a nuestro trabajo.

—Rongelo —dijo Pitt con voz lenta—. El destino del Vixen 03.

Bass asintió.

—Una isla de coral desierta, en medio del mar. Incluso los pájaros la evitan. —Bass se interrumpió para cambiar de posición en el banco—. Organicé dos series de pruebas. La primera fue un aerosol que dispersó una pequeña cantidad de MR en el atolón. La segunda incluyó al buque de guerra *Wisconsin*. Debíamos fondearlo a treinta millas de la isla, y disparar una andanada de MR con sus baterías principales. La segunda prueba nunca se realizó.

—El mayor Vylander no entregó el material —sugirió Pitt.

—El contenido de los cilindros —dijo Bass—. Proyectiles navales cargados con MR.

—Pudo haber ordenado otro envío.

—Pude hacerlo —admitió Bass—. Pero la verdadera razón por la cual interrumpimos la serie de pruebas fue el resultado obtenido con el aerosol; resultados que infundieron un sentimiento de horror en todos los que compartían el secreto.

—Habla como si la isla hubiese quedado devastada.

—En apariencia nada había cambiado —dijo Bass, con voz casi inaudible—. La arena blanca de la playa, las palmeras, todo estaba igual que antes. Por supuesto, todos los animales que depositamos en la isla, para realizar la prueba, estaban muertos. Insistí en un período de espera de dos semanas, con el fin de que los científicos examinaran personalmente los resultados. El doctor Vetterly y tres de sus ayudantes desembarcaron en la playa, con ropas protectoras y aparatos de respiración. Diecisiete minutos después, todos estaban muertos.

Pitt hizo un esfuerzo para conservar el equilibrio.

—¿Cómo es posible?

—El doctor Vetterly había subestimado su propio descubrimiento. La potencia de otros agentes letales se esfuma después de un tiempo. Inversamente, la MR cobra más intensidad. Nunca pudimos determinar de qué modo penetró las ropas protectoras usadas por los científicos.

—¿Recuperaron los cadáveres?

—Todavía están allí —dijo Bass, con tristeza en los ojos—. Vea, señor Pitt, el terrible poder de MR no es más que una parte de su malignidad. La cualidad más aterradora de MR es su resistencia a la destrucción. Después descubrimos que los bacilos forman esporas superresistentes, que pueden hundirse en el suelo (en el caso de la isla Rongelo en el coral) y que eso les otorga una sorprendente duración de vida.

—Me parece increíble que después de treinta y cuatro años nadie pueda desembarcar sin riesgo y retirar los restos de Vetterly.

La voz del almirante Bass tenía un matiz enfermizo.

—No hay modo de determinar la fecha exacta —murmuró—, pero nuestros cálculos indicaron que un hombre no podría pisar la isla de Rongelo durante trescientos años más.

34

Fawkes se inclinó sobre la mesa de mapas del barco, y mientras estudiaba un conjunto de planos realizaba anotaciones con un lápiz. Dos hombres corpulentos y musculosos, de rostro bronceado y pensativo, estaban también de pie, uno a cada lado de Fawkes.

—Quiero que destripen todos los compartimientos, que retiren todas las tuberías y conexiones eléctricas innecesarias, incluso las mamparas.

El hombre que estaba a la izquierda de Fawkes habló con acento irónico.

—Ha perdido la cabeza, capitán. Si quita las mamparas la nave se desarmará apenas la golpee una ola común y corriente.

—Dugan tiene razón —dijo el otro—. No se puede vaciar un barco de ese tamaño sin que pierda su resistencia estructural a la presión.

—Comprendo perfectamente sus objeciones, caballeros —replicó Fawkes—. Pero para elevar la línea de flotación, necesitamos reducir el peso en un cuarenta por ciento.

—Jamás vi que se vaciara un barco sólido con el único propósito de elevar la línea de flotación —dijo Dugan—. ¿Cuál es el propósito de esta medida?

—Pueden retirar el blindaje, y también las máquinas auxiliares —continuó Fawkes, sin hacer caso de la pregunta de Dugan—. Y ya que estamos, ocupaos de retirar los mástiles.

—Vamos, capitán —rezongó Lou Metz, superintendente del astillero—. Usted nos pide que arruinemos lo que fue un magnífico barco.

—Sí, fue un magnífico barco —reconoció Fawkes—. Y creo que todavía lo es. Pero ya pasó su tiempo. El gobierno norteamericano lo vendió como chatarra y el Ejército Africano Revolucionario lo compró con un propósito muy especial.

—Eso es otra cosa que no me gusta —dijo Dugan—. Trabajar para que una pandilla de extremistas negros pueda matar a gente blanca.

Fawkes dejó el lápiz y miró fijamente a Dugan.

—No creo que ustedes comprendan la realidad de la situación —dijo—. Lo que el Ejército Africano Revolucionario haga con la nave una vez esta sale del astillero, no tiene nada que ver con la filosofía racial de cada uno. Lo que importa es que pagan mi salario lo mismo que el suyo y los de sus hombres, los cuales, si la memoria no me engaña, son ciento setenta. De todos modos, si insiste, con mucho gusto transmitiré sus opiniones a los funcionarios que están a cargo de las finanzas del Ejército Africano Revolucionario. Estoy seguro de que podrán encontrar otro astillero que coopere mejor. Y eso sería una lástima, sobre todo porque este contrato es el único que vosotros tenéis ahora. Si lo cancelamos, los cientos setenta hombres de vuestra cuadrilla tendrán que abandonar los empleos. No creo que sus familias vean con buenos ojos que los hombres se queden sin trabajo por las mezquinas objeciones que a vosotros se os ocurre formular.

Dugan y Metz cambiaron miradas de frustración y derrota. Metz evitó los ojos de Fawkes y miró con expresión hosca los planos.

—Muy bien, capitán, diga lo que quiere.

La tensa sonrisa de Fawkes dejaba traslucir una confianza originada en largos años de mando.

—Gracias, caballeros. Ahora que hemos aclarado los malentendidos, ¿podemos continuar?

Una hora después, los dos hombres del astillero abandonaron el puente y descendieron a la cubierta principal del barco.

—Creo que no lo he entendido bien —murmuró sordamente Metz—. ¿De veras ese escocés cabeza dura nos ordena eliminar la mitad de la superestructura, las chimeneas, y las torres de cañones de proa y popa, y reemplazarlas por estructuras de madera terciada pintada de gris?

—Exactamente —replicó Dugan—. Supongo que piensa eliminar peso suficiente para aligerar el barco en unas quince mil toneladas.

—Pero ¿por qué quiere reemplazarlo todo con estructuras de madera?

—No lo sé. Tal vez él y sus amigos negros esperan engañar y asustar a la marina sudafricana.

—Y hay otra cosa —dijo Metz—. Si uno compra un barco como este para usarlo en una guerra, ¿no trataría de mantener en secreto el asunto? Por mi parte, sospecho que se proponen atacar Ciudad del Cabo.

—Con cañones de madera —gruñó Dugan.

—Me gustaría decirle a ese bastardo sobrealimentado que
se llevase su contrato y su barco y se lo metiese en el culo
—rezongó Metz.

—No puedes negar que nos tiene cogidos. —Dugan se
volvió y miró la sombra que se movía detrás de las ventanas
del puente—. ¿No crees que está listo para el manicomio?

—¿Loco?

—Sí.

—Quizá como un cencerro. Pero sabe lo que hace, y eso
es lo que más me desconcierta.

—¿Qué crees que hará realmente el Ejército Africano
Revolucionario una vez llegue a África con el barco?

—Apuesto a que no llegará —dijo Metz—. Cuando hayamos terminado de arrancarle las tripas, será tan inestable que
dará una vuelta de campana antes de que salga de la bahía de
Chesapeake.

Dugan se recostó contra un cabrestante macizo. Contempló la extensión del barco. La gran masa de acero parecía un
perfil frío y malévolo; era como si la nave estuviera contenien-
do la respiración, esperando recibir una orden silenciosa para
desencadenar su terrible poder.

—Todo esto me huele raro —dijo al fin Dugan—. Espero que no estemos haciendo algo que después tengamos que
lamentar.

Fawkes examinó las anotaciones en una serie de gastadas cartas de navegación. Primero calculó la velocidad conocida y las
fluctuaciones de la corriente, y después la variación de las mareas. Después de obtener las cifras deseadas trazó kilómetro

por kilómetro el curso que debía llevarlo a destino, memorizando cada boya, cada faro y cada señal del canal, hasta que pudo representárselo todo mentalmente, sin confusiones y respetando la secuencia exacta.

La tarea que lo esperaba parecía imposible. Incluso con un análisis exacto de cada obstáculo y del modo de vencerlo, aún había muchas variables que quedaban libradas a la suerte. No podía predecir el tiempo que prevalecería cierto día, varias semanas después. La posibilidad de chocar con otro barco era también otra incógnita. No tomaba a la ligera dichos problemas, y sin embargo la posibilidad de que lo descubriesen y lo detuvieran no entraba en sus cálculos. Incluso se había disciplinado íntimamente para ignorar la posibilidad de que De Vaal ordenase suspender la misión.

Diez minutos antes de medianoche Fawkes se quitó los anteojos y se frotó los ojos cansados. Del bolsillo de la chaqueta retiró un pequeño carnet y miró los rostros desaparecidos de su familia. Después suspiró y depositó el carnet sobre un pequeño baúl dispuesto junto al catre que él usaba en la sala de control de la nave. La primera semana había dormido en el compartimiento del capitán; pero todas las comodidades ya habían desaparecido: los muebles, las instalaciones, e incluso las mamparas que antes sostenían la cabina, habían sido cortados con soplete y retirados.

Fawkes se desvistió y metió en una bolsa de dormir su voluminoso cuerpo, y dirigió una mirada a la fotografía. Después apagó la luz y se hundió en las sombras de su soledad y su odio implacable.

35

De Vaal encendió un cigarrillo.

—¿Cree posible que Fawkes se ajuste al calendario?

—Uno de mis hombres informó que tiraniza como un sádico a los operarios del astillero —replicó Zeegler—. Me parece evidente que nuestro buen capitán desencadenará Rosa Silvestre exactamente en su fecha.

—¿Qué me dice de su tripulación negra?

—Están concentrados, en condiciones de máxima seguridad, en un buque de carga fondeado frente a una isla remota de las Azores. —Zeegler se sentó frente a De Vaal antes de continuar—. Cuando todo esté dispuesto la tripulación será llevada al barco de Fawkes.

—¿Podrán operar la nave?

—Se los está entrenando en el carguero. Todos los hombres sabrán desempeñarse cuando Fawkes suelte amarras.

—¿Qué se dijo a los hombres?

—Creen que se los reclutó para probar el barco, y realizar prácticas de artillería antes de traerlo a Ciudad del Cabo.

De Vaal permaneció un momento concentrado en sus pensamientos.

—Lástima que no podamos llevar como pasajero a Lusana.

—Hay una probabilidad —dijo Zeegler.

De Vaal lo miró.

—¿Habla en serio?

—Mis fuentes dicen que salió para Estados Unidos —replicó Zeegler—. Seguirlo a través de África y saber de antemano su itinerario es casi imposible. Puede salir del continente a voluntad, prácticamente sin que nadie lo sepa. Pero no puede entrar sin mostrarse. Cuando abandone Estados Unidos, estaré esperándolo.

—Secuestro. —De Vaal pronunció lentamente la palabra, saboreando cada sílaba—. Es precisamente la bonificación que hará del todo segura la operación Rosa Silvestre.

36

El avión transatlántico de BEZA-Mozambique salió de la pista principal, usó un ramal empleado rara vez, y bajó el morro cuando el piloto aplicó los frenos.

La puerta del depósito se abrió, y un empleado de la sección de equipajes, vestido con un mono blanco y un gorro rojo de béisbol, apareció en el hueco y fijó al fuselaje una escala de aluminio. Una figura surgió del interior de la máquina, arrojó una valija grande al hombre que esperaba en el suelo y descendió por la escala. Después, la puerta se cerró y alguien retiró la escala. Los motores cobraron impulso, y el avión rodó en dirección a la terminal del aeropuerto Dulles.

En silencio, el empleado a cargo de los equipajes entregó un traje de mecánico al segundo hombre, y este se lo puso rápidamente. Subieron a un pequeño tractor que arrastraba cuatro carritos vacíos, y avanzaron en dirección a la sección de mantenimiento del aeropuerto. Tras unos minutos de trayecto, durante los cuales esquivó varias veces a los aviones estacionados, el tractor se detuvo frente a una gran entrada iluminada. Cuando el tractor se acercó, un guardia asomó la cabeza y después de identificar al conductor sofocó un bostezo y lo autorizó a continuar. El empleado respondió al saludo y dirigió el tractor hacia el aparcamiento del personal. Una vez allí, detuvo el vehículo junto a la portezuela que sostenía abierta el chófer de una gran limusina azul oscuro. Siempre en silencio, el hombre que había llegado en el avión se instaló en el asiento trasero del automóvil. El chófer recibió la maleta, la metió en el baúl del coche, y el empleado del aeropuerto retornó con su caravana vacía en dirección a la sección cargas de la terminal.

Solamente cuando la limusina comenzó a entrar en los suburbios de Georgetown, Lusana aflojó la tensión y comenzó a quitarse el mono. En ocasiones anteriores solía entrar a Estados Unidos como cualquier viajero que viene del extranjero. Pero ésos eran los tiempos en que el Ministerio de Defensa sudafricano aún no lo tomaba en serio. El temor de Lusana a un atentado estaba bien fundado. Con una sensación de alivio advirtió que el chófer detenía la limusina frente a una residencia cuyas ventanas del piso bajo estaban encendidas. Por lo menos, había alguien en casa.

El chófer llevó la maleta hasta el umbral de la puerta y se alejó en silencio. Por las ventanas abiertas llegaba el débil murmullo del televisor. Oprimió el botón del timbre.

Se encendió la luz del porche, la puerta se entreabrió apenas y una voz conocida preguntó:

—¿Quién es?

Lusana movió el cuerpo de modo que la luz le iluminase el rostro.

—Soy yo, Felicia.

—¿Hiram? —La voz femenina sonó llena de asombro.

—Sí.

La puerta se abrió lentamente. Felicia llevaba una sugestiva blusa de gasa y una falda larga de punto. Un pañuelo grande de vivos colores le ocultaba los cabellos. Permaneció de pie, inmóvil, y sus ojos buscaron los de Hiram. Quería decir algo ingenioso, pero su mente estaba en blanco. Solo se le ocurrió murmurar:

—Entra.

Hiram Lusana entró en el vestíbulo y depositó en el suelo la maleta.

—Pensé que estarías aquí —dijo.

Los ojos oscuros pasaron rápidamente de la sorpresa a la serenidad.

—Tienes sentido de la oportunidad. Acabo de regresar de Hollywood. Grabé un nuevo álbum y participé en una serie de televisión.

—Me alegro de que te vaya bien.

Ella lo miró a los ojos.

—Nunca debiste entregarme a Frederick.

—Si de algo te sirve, te diré que a menudo he lamentado mi decisión apresurada.

—Podría regresar contigo a África.

Él meneó la cabeza con tristeza.

—Quizá más adelante. Ahora no. Puedes ser más útil a nuestra causa aquí, en Estados Unidos.

Ambos se volvieron cuando Frederick Daggat, que llevaba una bata de baño, apareció en la sala de estar.

—Dios mío, general Lusana, me pareció reconocer su voz. —Miró la maleta y se le ensombreció el rostro—. No me llegó aviso de su viaje. ¿Hubo dificultades?

Lusana sonrió secamente.

—El mundo no es un lugar seguro para los revolucionarios. Me pareció prudente regresar a la Tierra de los Libres con la mayor discreción posible.

—Pero sin duda la línea aérea… los guardias aduaneros… alguien debe haber advertido su presencia.

Lusana meneó la cabeza.

—Durante el vuelo desde África estuve constantemente en la cabina del piloto. Se hicieron arreglos que me permitieron descender del avión apenas aterrizó, y evitar la terminal de Dulles.

—Tenemos leyes que prohíben el ingreso ilegal.

—Soy ciudadano norteamericano. ¿Qué importa cómo entro en mi país?

La expresión de Daggat se suavizó. Apoyó las manos en los hombros de Lusana.

—Si hay complicaciones mi gente se ocupará del asunto. Ha llegado, y eso es lo que importa.

—Pero ¿por qué tantos subterfugios? —preguntó Felicia.

—Por buenas razones. —La voz de Lusana sonó fría—. Mi servicio de espionaje ha descubierto una información importante que puede ser sumamente embarazosa para el gobierno minoritario de África del Sur.

—Esa es una acusación grave —dijo Daggat.

—Es una amenaza grave —replicó Lusana.

Los ojos de Daggat reflejaron una mezcla de confusión y curiosidad. Movió la cabeza en dirección a la sala de estar.

—Siéntese, general. Tenemos mucho que hablar.

—Siempre que te veo, pareces una vieja fotografía. Nunca cambias.

Felicia retribuyó la mirada admirativa de Loren.

—La lisonja de otra mujer es verdadera lisonja. —Movió ociosamente el hielo en su vaso—. Es sorprendente cómo pasa el tiempo. ¿Cuándo fue… hace tres, cuatro años?

—El último baile de inauguración.

—Ya lo recuerdo —dijo Felicia, sonriendo—. Fuimos a ese pequeño lugar junto al río y nos emborrachamos. Tú estabas con un tonto alto, de cara triste y ojos de perro.

—El congresista Luis Carnady. Lo derrotaron en la elección siguiente.

—Pobre Luis. —Felicia encendió un cigarrillo—. El amigo era Hiram Lusana.

—Lo sé.

—Nos separamos el mes pasado en África —dijo Felicia, como si Loren no hubiese hablado—. Tengo la sensación de que mi vida ha sido un permanente error. He apoyado todas las causas liberales del mundo, y me he enamorado de todos los hombres que prometen salvar a la raza humana.

Loren ordenó al camarero dos copas más.

—No está mal creer en la gente.

—Pues ahora no estoy muy segura de que eso haya servido de algo. Siempre me las ingenié para echar a perder las cruzadas en las cuales participé.

—No quiero ser entrometida, pero ¿Lusana y tú tuvieron diferencias personales o políticas?

—Rigurosamente personales —dijo Felicia. Sintió que se le aceleraban los latidos del corazón al comprobar que Loren comenzaba a acercarse a la trampa—. Yo no le interesaba. Se concentra exclusivamente en su lucha. Al principio creí que en lo más profundo de su ser sentía algo por mí, pero a medida que se amplió la lucha y se acentuó la presión, comenzó a distanciarse. Ahora sé que ha tomado de mí lo único que deseaba. Se diría que soy tan prescindible como uno de sus soldados en el campo de batalla.

Loren vio las lágrimas que comenzaban a asomar a los ojos de Felicia.

—¿Lo odias mucho?

Felicia la miró, sorprendida.

—¿Odiar a Hiram? Oh, no, no lo entiendes. Fui injusta con él. Permití que mis deseos fueran un obstáculo en nuestras relaciones. Debí mostrarme paciente. Quizá cuando esta guerra imponga el dominio de la mayoría negra en África del Sur, él me trate de otro modo.

—En tu lugar no abrigaría muchas esperanzas. Conozco la historia. Lusana usa a la gente como los demás usamos la pasta dentífrica. Aprovecha hasta la última gota y después el tubo.

Una expresión de cólera cruzó el rostro de Felicia.

—Ves en Hiram solamente lo que quieres ver. Pero lo bueno supera a lo malo.

Loren suspiró y se recostó en la silla cuando el camarero trajo la segunda ronda de bebidas.

—No está bien que antiguas amigas discutan después de tantos años —dijo amablemente—. Cambiemos de tema.

—De acuerdo —dijo Felicia, y su actitud varió—. ¿Y tú, Loren? ¿Hay hombres en tu vida?

—En este momento, dos.

Felicia se echó a reír.

—En Washington todos saben que uno es Phil Sawyer, el secretario de Prensa del presidente. ¿Y el otro?

—Un director de ANIM. Dirk Pitt.

—¿Hay algo serio con alguno de ellos?

—Phil es la clase de hombre que se casa: fiel, realmente aburrido, la pone a una en un pedestal dorado y quiere que sea la madre de sus hijos.

Felicia hizo una mueca.

—Por lo que dices, es un ser perfectamente terrenal. ¿Y ese Pitt?

—¿Dirk? Pura energía animal. No pide nada; va y viene como un gato callejero. Una mujer jamás podrá poseer realmente a Dirk, y sin embargo siempre está cerca cuando uno lo necesita. Es el amante que conmueve a una mujer, pero no se queda el tiempo suficiente para que ella pueda envejecer en su compañía.

—Parece mi tipo. Preséntamelo cuando tu relación termine. —Felicia bebió un sorbo de su copa—. Debe de ser difícil para ti mantener una fachada de pureza política ante los electores mientras en privado tienes un amante.

Las mejillas de Loren cobraron un color carmesí.

—Es difícil —reconoció—. Nunca fui muy buena para la intriga.

—Podrías desentenderte de lo que la gente piense. Es lo que hacen ahora la mayoría de las mujeres.

—La mayoría de las mujeres no son miembros del Congreso.

—Otra vez el antiguo patrón doble. Los miembros del Congreso pueden hacer lo que les plazca, mientras no lo incluyan en su cuenta de gastos.

—Es lamentable, pero es así —dijo Loren—. Y en mi caso, represento a un distrito principalmente rural. Los electores todavía creen en el catálogo de Sears, la cerveza de Coors y los Once Mandamientos.

—¿Cuál es el undécimo?

—«Tu congresista no se encamará por ahí si quiere ganar la próxima elección.»

—¿Dónde os reunís tú y Pitt?

—No puedo correr el riesgo de que vean a un hombre saliendo de mi apartamento, de modo que nos encontramos en su casa, o vamos en automóvil a alguna posada rural más o menos alejada.

—Parece un romance vivido en las paradas del autobús.

—Como dije, es difícil.

—Creo que puedo resolverte ese problema.

Loren miró extrañada a Felicia.

—¿Cómo?

Felicia rebuscó en su bolso y extrajo una llave. La depositó en la mano de Loren.

—Acéptala. La dirección está grabada en el extremo superior.

—¿Para qué?

—Un lugar que alquilé en Arlington. Es tuyo, siempre que lo necesites.

—Pero ¿y tú? No puedo pretender que desaparezcas casi sin preaviso.

—No será molestia —dijo Felicia, sonriendo—. Soy la invitada de un idiota que vive en los suburbios. No protestes más. ¿De acuerdo?

Loren miró la llave.

—Dios mío, tengo la sensación de que estoy aprovechándome de ti.

Felicia extendió la mano y plegó la de Loren sobre la llave.

—Si nada más que pensar en el asunto te provoca sensaciones deliciosamente obscenas, espera a ver el dormitorio del primer piso.

37

—¿Qué le parece? —preguntó Daggat. Estaba sentado frente a su escritorio.

Hiram Lusana permanecía de pie, al fondo de la habitación, y se inclinaba sobre una silla de respaldo alto, con expresión ansiosa. Dale Jarvis, director de la Agencia Nacional de Seguridad, reflexionó unos instantes antes de contestar. Tenía un rostro cordial, casi paternal. Los cabellos castaños mostraban hilos grises, y los llevaba muy cortos. Vestía un traje de tweed y una ancha corbata roja de lazo bajo la nuez de Adán caía como si estuviera derritiéndose.

—Sospecho que Rosa Silvestre es un engaño.

—¡Un engaño! —replicó Lusana—. ¡Qué absurdo!

—No lo creo —dijo serenamente Jarvis—. Todas las naciones que poseen una gran organización militar tienen un departamento cuya función es exclusivamente idear lo que en el oficio suele denominarse «juegos de factibilidad». Planes improbables, *ultra crepidam*, que no son viables ni verosímiles. Estudios estratégicos y tácticos inventados para combatir hechos imprevistos. Después se los archiva en espera del momento improbable en que sea necesario exhumarlos y aplicarlos.

—¿Y esa es su opinión de Rosa Silvestre? —preguntó Lusana con cierta acritud.

—Sin conocer los detalles, es mi opinión —contestó Jarvis—. Me atrevo a decir que el Ministerio de Defensa sudafricano tiene planes contingentes que contemplan ficticias incursiones contra la mitad de las naciones del globo.

—¿De veras cree eso?

—Sí —dijo Jarvis con firmeza—. No diga que yo lo he re-

189

velado, pero escondidos en uno de los rincones más profundos y oscuros de mi propio gobierno encontrará los planes más absurdos jamás concebidos por el hombre y la computadora: conspiraciones para arruinar a todas las naciones del planeta, incluidos nuestros amigos occidentales; propuestas de arrojar bombas nucleares en los guetos si las minorías promueven alzamientos masivos; los planes de batalla para contrarrestar invasiones originadas en México y Canadá. Ni uno de cada diez mil se utilizará jamás, pero allí están, esperando...

—Una especie de seguro —dijo Daggat.

Jarvis asintió.

—Un seguro contra lo inconcebible.

—¿De modo que es lo único que se le ocurre decir? —estalló Lusana—. ¿Piensa desechar la operación Rosa Silvestre como si se tratara de la pesadilla de un idiota?

—General, me temo que está tomando demasiado en serio todo este asunto. Jarvis no se dejó conmover por la explosión de Lusana—. Tiene que afrontar la realidad. Como solía decir mi abuelo, no hay que dejarse llevar por la credulidad.

—Rehúso aceptar eso —se obstinó Lusana.

Jarvis se quitó lentamente las gafas y las guardó en una caja.

—Por supuesto, usted puede pedir la opinión neutral de otras organizaciones de Inteligencia, pero creo que puedo afirmar, sin temor a equivocarme, que Rosa Silvestre merecerá en todas partes la misma opinión que yo formulo ahora.

—¡Exijo que verifique el propósito de De Vaal con esa operación! —gritó Lusana.

Tratando de controlar su creciente cólera, Jarvis se puso de pie, se abotonó la chaqueta y miró a Daggat.

—Congresista, si me disculpa, debo regresar a mi despacho.

—Comprendo —dijo Daggat. Se apartó del escritorio y cogió del brazo a Jarvis—. Lo acompañaré hasta el ascensor.

Jarvis asintió e hizo un gesto a Lusana, esforzándose diplomáticamente para demostrar una expresión cordial.

—¿General?

Lusana permaneció de pie, temblando, con las manos apretadas y no dijo palabra. Se volvió y miró por la ventana.

Apenas estuvieron en el corredor, Daggat dijo a Jarvis:

—Le pido disculpas por la actitud del general. Pero usted debe entender la terrible tensión que ha soportado durante estos meses. Y después, el largo vuelo de anoche desde Mozambique.

—Me han dicho que los aviones a reacción afectan al sistema nervioso de los hombres. Jarvis arqueó las cejas—. O tal vez sea producto de la mala conciencia, causada por su ingreso... irregular.

Daggat se humedeció los labios.

—¿Está usted al tanto?

Jarvis sonrió amistosamente.

—Asunto de rutina. Pero no se preocupe, congresista. Nuestra obligación es controlar a hombres como el general. La Agencia Nacional de Seguridad no se dedica a castigar las infracciones de carácter civil. Lo que Inmigración no sabe de este caso no le hará daño. Pero le ofrezco un consejo. En su lugar, no permitiría que el general permanezca demasiado tiempo en Washington. La protección dispensada a un revolucionario extremista puede ser embarazosa para un hombre de su reputación.

—El general Lusana no es un extremista.

Jarvis se encogió de hombros, indiferente.

—Eso está por verse.

La puerta del ascensor se abrió y Jarvis comenzó a entrar.

—Una cosa más —dijo Daggat—. Un favor.

—Si puedo —dijo Jarvis, y sus ojos se desviaron de Daggat a su único medio de fuga.

—Verifique la operación Rosa Silvestre. No espero que su gente realice un esfuerzo máximo —se apresuró a decir Daggat—. Solamente algunos tanteos que confirmen su efectiva realidad.

Las puertas empezaron a cerrarse. Jarvis las sostuvo con un pie.

—Promoveré una investigación —dijo—. Pero le advierto, congresista, que quizá no le agrade lo que descubramos.

Después, las puertas se cerraron y el ascensor comenzó a descender.

Daggat despertó a las diez. Estaba en su despacho, solo. Hacía rato que su personal se había marchado. Miró el reloj y calculó que había dormitado casi una hora. Se frotó los ojos y estiró los brazos, y le pareció oír la puerta principal del despacho abrirse y cerrarse. No se molestó en mirar, porque supuso que era el personal de limpieza. Al no producirse el sonido familiar de los cubos que eran vaciados y el zumbido de las aspiradoras, Daggat intuyó una presencia extraña.

Felicia Collins se apoyó lánguidamente contra el marco de la puerta, sin decir palabra, mirando fijamente a Daggat.

Un pensamiento asaltó a Daggat, que se puso de pie y esbozó un gesto de disculpa.

—Lo siento, no presté atención a la hora. Olvidé completamente nuestra cita para cenar.

—Estás perdonado —dijo ella.

Daggat descolgó su chaqueta.

—Debes de tener mucho apetito.

—Al cuarto martini el hambre desaparece. —Felicia examinó la oficina—. Imaginé que tú e Hiram estabais conferenciando.

—Lo dejé esta tarde en el Departamento de Estado. Están ofreciéndole el acostumbrado tratamiento tibio reservado a los visitantes de cuarta clase.

—¿No es peligroso que se muestre en público?

—Ya me hice cargo de las correspondientes medidas de seguridad, las veinticuatro horas del día.

—Entonces ya no es nuestro huésped.

—No, ocupa un departamento en Mayflower, por cortesía del gobierno.

Felicia estiró su opulento cuerpo y entró en la habitación.

—A propósito, he comido con Loren Smith. Me relató toda su vida amorosa.

—¿Mordió el anzuelo?

—Si te refieres a la llave de tu pequeño refugio de Arlington, afirmativo.

Él la abrazó con expresión amable y satisfecha.

—No lo lamentarás, Felicia. Esto ayudará a mejorar las cosas.

—Díselo a Loren Smith —contestó Felicia, y apartó la cara.

Él la soltó.

—¿Mencionó nombres?

—Creo que trata de convencer de las bondades del matrimonio a Phil Sawyer, al mismo tiempo que se acuesta con un tipo de la ANIM.

—¿Dijo quién era?

—Se llama Dirk Pitt.

Daggat la miró fijamente.

—¿Has dicho Dirk Pitt?

Felicia asintió.

La mente de Daggat trató de establecer una relación, y al fin lo consiguió.

—¡Caray! ¡Es perfecto!

—¿De qué estás hablando?

—Del respetable senador por California, George Pitt. ¿No lo pensaste? La congresista y muy virtuosa Loren Smith se mete en la cama con el hijo del senador.

Felicia se estremeció, como si de pronto sintiese frío.

—Por Dios, Frederick, abandona este absurdo plan antes de que causes un desastre.

—No lo creo posible —dijo Daggat, y en su rostro se dibujó una sonrisa siniestra—. Hago lo que creo mejor para el país.

—Quieres decir que haces lo que crees mejor para Frederick Daggat.

Frederick cogió a Felicia por el brazo y juntos salieron del despacho.

—Cuando hayas reconsiderado el asunto, comprenderás que yo tenía razón. —Apagó las luces—. Ahora vayamos a cenar; después prepararemos el nido de amor de Loren Smith, para su primera y única visita.

38

El almirante James Sandecker era un hombre de corta estatura, con llameantes cabellos rojos y mucha fibra. Cuando lo obligaron a retirarse de la Marina, aprovechó la considerable influencia que ejercía sobre varios miembros del Congreso para hacerse nombrar director principal de la Agencia Nacional de Investigaciones Marinas, que entonces comenzaba a formarse. De ese modo confluyeron un hombre y una organización, y el resultado fue un notable éxito. En siete breves años Sandecker convirtió un insignificante organismo de treinta personas en una gran organización de cinco mil científicos y empleados, sostenido por un presupuesto anual de más de cuatrocientos millones de dólares.

Sus enemigos lo acusaban de ser un enamorado del gran espectáculo público, de promover proyectos oceánicos que suscitaban más publicidad que los datos científicos que aportaban. Sus partidarios aplaudían el talento con el cual había convertido a la oceanografía en una actividad tan popular como la ciencia espacial. Al margen de sus cualidades o sus defectos, el almirante Sandecker se había afirmado en la ANIM tan sólidamente como J. Edgar Hoover en el FBI.

Bebió el último trago de una botella de refresco, chupó el cabo de un largo cigarro y miró los rostros severos del almirante Walter Bass, el coronel Abe Steiger, Al Giordino y Dirk Pitt.

—Lo que me cuesta aceptar —continuó— es la total falta de interés del Pentágono. Creo que por lo menos sería lógico que el informe del coronel Steiger acerca del descubrimiento del Vixen 03, y las fotos anexas, los hubiesen conmovido profundamente. Sin embargo, el coronel nos dice que sus superiores se comportaron como si fuese mejor olvidar todo el episodio.

—Hay una razón lógica que justifica esta indiferencia —contestó Bass, impasible—. Los generales O'Keefe y Burgdorf ignoran el vínculo entre el Vixen 03 y el proyecto MR, porque no quedó nada registrado.

—¿Cómo es posible?

—Lo que llegamos a saber después de la muerte del doctor Vetterly y sus científicos determinó que todos los que conocían el terrible poder de MR ocultasen hasta la más mínima prueba, y borrasen lo que pudiese recordar su existencia, porque nadie deseaba que alguien desenterrara el asunto.

—¿Quiere decir, que eliminaron un proyecto de defensa bajo las narices mismas del Estado Mayor Conjunto? —preguntó incrédulo Sandecker.

—Por orden directa del presidente Eisenhower yo debía afirmar en mis informes que el experimento había fracasado, y que la fórmula de la MR había desaparecido con el doctor Vetterly.

—¿Y aceptaron la versión?

—No tenían motivos para no hacerlo —dijo Bass—. Fuera del presidente, el secretario de Defensa Wilson, y de mí mismo y un puñado de científicos, nadie sabía exactamente lo que Vetterly había descubierto. Para el Estado Mayor Conjunto el proyecto era sencillamente otro experimento no demasiado costoso perteneciente al ingrato dominio de la guerra química y biológica. No se inquietaron demasiado, y tampoco formularon preguntas embarazosas antes de pasar a otros asuntos más promisorios.

—¿Por qué se procuró esquivar la estructura de poder de las fuerzas armadas?

—Eisenhower era un soldado veterano y aborrecía las armas destinadas a provocar masacres en masa. —Bass pareció encogerse en su silla, mientras ordenaba sus pensamientos—. Yo soy el último superviviente del equipo que trabajó con Muerte Rápida —continuó—. Lamentablemente, y contra lo que esperaba, el secreto no morirá conmigo, porque el señor Pitt descubrió accidentalmente el avión perdido hace tantos años. En ese momento no revelé los hechos (y tampoco lo haré ahora) a los hombres que dirigen el Pentágono, por temor de que contemplaran la posibilidad de recuperar la carga del Vixen 03 y conservarla, en nombre de la defensa nacional, hasta el día en que pudieran arrojarla sobre un futuro enemigo.

—Pero, si se trata de proteger a nuestro país... —protestó Sandecker.

Bass meneó la cabeza.

—Almirante, creo que usted no entiende lo horroroso de la Muerte Rápida. No se conocen medios para prevenir sus efectos letales. Le ofreceré un ejemplo: si se arrojaran ciento cincuenta gramos de MR sobre la isla de Manhattan, infectaría y mataría al noventa y ocho por ciento de la población en cuatro horas. Y ningún ser humano podría volver a pisar la isla durante más de tres siglos. Las generaciones futuras a lo sumo podrían instalarse en la costa de Nueva Jersey y contemplar cómo los altos edificios se desgastan y derrumban sobre los huesos de los antiguos habitantes.

Los hombres reunidos alrededor de la mesa palidecieron; un escalofrío les recorría el cuerpo. Durante un momento nadie habló. Permanecieron sentados e inmóviles, imaginando una ciudad con tres millones de cadáveres. Finalmente Pitt quebró el incómodo silencio.

—La gente de Brooklyn y Bronx... ¿no se vería afectada?

—Los organismos MR se difunden en colonias. Por extraño que parezca no se desplazan por el contacto humano o llevados por el viento. Tienden a localizarse. Por supuesto, si una cantidad suficiente del agente biológico fuese llevada por avión o utilizando cohetes, de modo que la distribución abarcase todo el territorio de América del Norte, la vida humana desaparecería de todo el continente hasta el año 2300.

—¿No hay nada que pueda destruir a MR? —preguntó Steiger.

—El organismo puede existir únicamente en una atmósfera que posea un elevado contenido de oxígeno gaseoso

—contestó Bass—. Podría decirse que, lo mismo que nosotros, en el agua se ahoga.

—Me asombra que Vetterly fuera el único que lograra producir este organismo —observó Pitt.

Bass sonrió apenas.

—Yo jamás habría permitido que un solo hombre conociera los datos esenciales.

—Y por eso destruyó los archivos del doctor.

—También falsifiqué todas las órdenes y todos los papeles relacionales con el proyecto… entre los cuales, a propósito, estaba el plan original de vuelo del Vixen 03.

Steiger se recostó en su asiento y suspiró con aparente alivio.

—Por lo menos así aclaramos una parte del enigma.

—Pero supongo que el proyecto dejó rastros —observó Sandecker.

—Los esqueletos todavía están en la isla Rongelo —dijo Pitt—. ¿Qué impide que los pescadores o los navegantes desprevenidos desembarquen en sus playas?

—Trataré de responder a su pregunta —dijo Bass—. En primer lugar, todas las cartas náuticas de la región indican que la isla de Rongelo es un vertedero de cianuro de hidrógeno. Además, alrededor de las costas hay boyas que indican la presencia de peligro.

—Cianuro de hidrógeno —repitió Giordino—. Parece un producto desagradable.

—Así es. Es un elemento que se combina con la sangre e impide la respiración. En ciertas dosis provoca la muerte casi inmediata. Así lo dicen las cartas, y se explica en seis idiomas en los anuncios fijados a las boyas. —Bass hizo una pausa, extrajo un pañuelo y se secó el sudor que resplandecía sobre su calvicie—. Además, los pocos registros conservados acerca del proyecto MR están guardados en una bóveda de máxima seguridad del Pentágono… la misma que contiene los documentos clasificados SLF.

—¿SLF?

—«Solamente lectura futura» —explicó Bass—. Cada carpeta está sellada e indica la fecha en la cual puede abrirse. Ni siquiera el presidente tiene autoridad para examinar el contenido de un documento antes de la fecha especificada. Se rumorea que es el armario donde se guardan los escándalos de nuestro país. La carpeta acerca de Amelia Earhart, la verdad acerca de la insistencia del gobierno en vacunar a toda la población contra la fiebre porcina a mediados de la década de 1970, y escándalos políticos comparados con los cuales el viejo asunto de Watergate parece una aventura de adolescentes. Todo eso se guarda allí. Por ejemplo, el material acerca del proyecto MR no puede abrirse hasta el año 2550. El presidente Eisenhower confiaba en que para esa fecha nuestros descendientes no alcanzarían a percibir las reales implicaciones del asunto.

Los restantes participantes de la conferencia de ANIM nunca habían oído hablar del archivo «Solamente lecturas futuras», y se mostraron asombrados.

—Supongo que la siguiente pregunta obvia —dijo Pitt—, es por qué, almirante, nos dice todo esto.

—Pedí esta reunión para aclarar el problema del Vixen 03, porque necesito confiar en alguien y quiero recuperar la MR del avión, y destruirla.

—Usted pide mucho —dijo Sandecker. Encendió otro cigarro y exhaló varias bocanadas de humo—. Si el Pentágono se entera de esto, dirá que todos somos traidores.

—Una posibilidad desagradable que no puede dejarse de lado —reconoció Bass—. Nuestro único consuelo será saber que la opinión pública y los principios morales están de nuestro lado.

—No sé por qué, pero lo cierto es que nunca pude imaginarme en el papel de salvador de la humanidad —murmuró Giordino.

Steiger miró fijamente a Bass, y quizá estaba pensando que su carrera en la fuerza aérea amenazaba con irse al garete por segunda vez en dos semanas.

—Almirante, tengo la sensación de que al elegir sus cómplices usted aplica una lógica un tanto absurda. Por ejemplo, yo mismo… ¿qué tengo que ver con la recuperación del Vixen 03?

Bass sonrió, ahora con más naturalidad.

—Créalo o no, coronel, usted es el hombre esencial del equipo. Su informe previno a la fuerza aérea de la existencia del avión. Felizmente, algún personaje muy elevado consideró inconveniente ahondar en el asunto. Su tarea consistirá en lograr que el Pentágono continúe desinteresándose del problema.

Ahora, el rostro de Pitt mostraba mayor comprensión.

—Muy bien, el almirante Sandecker respalda financieramente el esfuerzo con los recursos de la ANIM, y Giordino y yo ejecutamos la tarea de rescate. ¿Cómo se propone anular las propiedades letales de MR una vez recuperemos los cilindros?

—Los enviamos al fondo del océano —replicó Bass, sin vacilar—. Con el tiempo, a medida que la corrosión destruya la superficie, el agua neutralizará al organismo.

Pitt se volvió hacia Sandecker y explicó su plan.

—Puedo retirar a Jack Folsom y su equipo, de modo que pasen del *Chenago* al lago de la Mesa con todo el equipo necesario en el lapso de treinta y ocho horas.

El almirante Sandecker era un hombre realista. Su decisión era clara. Conocía bien a Bass, y sabía que el anciano no era un alarmista. Todos se volvieron hacia el pequeño y nervioso director de la ANIM. Parecía envuelto en el humo azul del cigarro que se elevaba hacia el techo. Finalmente, asintió.

—Muy bien, caballeros, allá vamos.

—Gracias, James —dijo Bass, complacido—. Comprendo perfectamente el riesgo que corre al creer en la palabra de un viejo lobo de mar.

—Creo que no es demasiado riesgo —replicó Sandecker.

—Acaba de ocurrírseme una idea —dijo Giordino—. Si el agua destruye ese organismo de la MR, ¿por qué no nos limitamos a dejarlo en el fondo del lago?

Bass meneó la cabeza.

—No, gracias. Si ustedes lo hallaron, lo mismo pueden hacer otros. Es mejor depositarlo definitivamente donde ningún ser humano pueda volver a descubrirlo. Solo me resta agradecer a Dios que los cilindros no fueran encontrados en todos estos años.

—Lo cual nos lleva a otro asunto —dijo Pitt, que había advertido la súbita mirada de inquietud en los ojos de Giordino y Steiger.

Sandecker depositó la ceniza de su cigarro en una bandejita de conchilla.

—¿De qué se trata?

—De acuerdo con el plan de vuelo original, el Vixen 03 salió de Buckley Field con una tripulación de cuatro hombres. ¿Es así, almirante Bass?

Bass pareció desconcertado.

—Sí, eran cuatro.

—Quizá debí hablar antes de este asunto —dijo Pitt—, pero temí complicar el problema.

—Usted no es el tipo de persona que se anda con rodeos —dijo Sandecker con impaciencia—. ¿Adónde quiere ir a parar?

—El quinto esqueleto.

—¿El quinto qué?

—Cuando llegué a los restos, encontré los huesos de un quinto hombre atado al piso del depósito de carga.

Sandecker miró a Bass.

—¿Tiene idea de la identidad del quinto cadáver?

Bass parecía un hombre a quien acaban de abofetear.

—Un miembro de los equipos de mantenimiento —murmuró—. Habría permanecido a bordo cuando el avión despegó.

—No sirve —dijo Pitt—. Aún había restos de carne sobre los huesos. Ese cadáver no estuvo sumergido en el lago tanto como los otros.

—Usted dijo que los cilindros continuaban sellados —replicó Bass, tratando de evitar la conclusión obvia.

—Sí, señor, no vi indicios de que nadie hubiese tocado la carga.

—¡Dios mío! —Bass se llevó las manos a la cara—. ¿Además de nosotros alguien conoce la existencia del avión?

—No podemos estar seguros de ello —dijo Steiger.

Bass apartó las manos y miró a Pitt con ojos vidriosos.

—Rescate el avión, señor Pitt. Por el bien de la humanidad, retire del fondo del lago al Vixen 03... y hágalo sin perder tiempo.

Pitt no podía disipar un sentimiento de temor cuando salió de la reunión y pasó por la entrada principal del edificio de la ANIM. La noche de Washington estaba cargada de humedad, y el aire pegajoso acentuaba la depresión de Pitt. Atravesó el desierto aparcamiento y abrió la portezuela de su automóvil. Estaba acomodándose al volante cuando vio una figura menuda en el asiento contiguo.

Loren dormía. Estaba arrebujada, perdida para el mundo. Llevaba un vestido verde de estilo griego y botas de cuero bajo un largo abrigo de piel. Pitt se inclinó sobre ella, le apartó los cabellos de las mejillas y la movió suavemente para despertarla. Los ojos de la joven parpadearon, y después se fijaron en los de Pitt. Los labios esbozaron una sonrisa felina, y el rostro pareció extrañamente pálido y juvenil.

—Hummm... Al fin has aparecido.

Él se inclinó y la besó.

—¿Estás loca? Una criatura seductora completamente sola en un aparcamiento desierto de Washington. Es un milagro que una pandilla no te haya atacado.

Ella lo apartó y arrugó la nariz.

—Huf, apestas a cigarro rancio.

—Porque estuve encerrado seis horas con el almirante Sandecker. —Se recostó en el asiento y puso en marcha el motor—. ¿Cómo me has encontrado?

—No fue una gran hazaña. Llamé a tu oficina para conseguir el número de Savannah. Tu secretaria dijo que ya habías regresado a la ciudad, y que participabas en una conferencia.

—¿Cómo se te ocurrió forzar la puerta de mi automóvil?

—Cedí al deseo abrumador de hacer algo absurdo y femenino. —Deslizó la mano sobre el muslo de Pitt—. ¿Te alegra?

—Soy incapaz de mentir —dijo él, sonriendo—. Eres un grato alivio después de las últimas veinticuatro horas.

—¿Un grato alivio? —Loren fingió enojo—. A decir verdad, tus palabras no son muy halagadoras para una muchacha.

—No disponemos de mucho tiempo —dijo él, con expresión grave—. Viajo de nuevo por la mañana.

—Me lo imaginaba. Por eso he preparado una agradable sorpresa.

Se acercó más, y su mano subió por el muslo de Pitt.

—Me parece increíble —murmuró Pitt, desconcertado.

—Felicia dio a entender que era excitante, pero no pensé que llegase a esto.

Pitt y Loren estaban de pie sobre una gruesa alfombra carmesí, y miraban fascinados una habitación que tenía las cuatro paredes y el techo cubiertos de extremo a extremo por espejos de marcos dorados. El único mueble era una gran cama circular elevada sobre una plataforma y cubierta con sábanas de satén rojo. La luz provenía de cuatro focos dispuestos en las esquinas del techo; y todos emitían una suave luz azul.

Loren se acercó a la alta cama y tocó con reverencia las almohadas relucientes, como si fuesen exquisitos objetos de arte. Pitt estudió la imagen de su amiga, multiplicada hasta el infinito, y después se acercó a ella por detrás y con movimientos hábiles empezó a desnudarla.

—No te muevas —dijo—. Quiero que mis ojos devoren a un millar de Loren Smith desnudas.

El rostro de Loren se tiñó de rojo, y sus ojos no se apartaron de las infinitas imágenes de sí misma en los espejos.

—Dios mío —murmuró—. Tengo la sensación de que estoy representando frente a una multitud. —Después, su cuerpo se puso tenso, y murmuró algo confuso cuando Pitt se inclinó y hundió la lengua en el ombligo femenino.

El teléfono despertó de un sueño profundo a Frederick Daggat. A su lado, Felicia gimió apenas, rodó sobre sí misma y continuó durmiendo. Daggat levantó el reloj de pulsera depositado sobre la mesita de noche y trató de leer la esfera luminosa. Eran las cuatro. Descolgó el auricular.

—Habla Daggat.

—Sam Jackson. Tengo las fotos.

—¿Problemas?

—Ninguno. Usted tenía razón. No necesité usar infrarrojo. Dejaron encendidas las luces. Y no los critico… toda la habitación rodeada de espejos. La película de alta velocidad le permitirá obtener todos los detalles deseados. Fue un notable espectáculo. Lástima que no teníamos una grabadora.

—¿No sospecharon nada?

—¿Cómo podían saber que uno de los espejos tenía doble faz? Estaban tan atareados que solamente hubiesen prestado atención a un terremoto. Por las dudas, usé una cámara especial silenciosa.

—¿Cuándo puedo ver los resultados?

—A las ocho de la mañana, si es muy urgente. Pero preferiría dormir un poco. Espere hasta la tarde, y le prometo que tendrá reproducciones de ocho por diez apropiadas para una exposición.

—Tómese su tiempo y hágalo bien —dijo Daggat—. Quiero que todos los detalles sobresalgan.

—Puede contar con eso —dijo Jackson—. A propósito, ¿quién es la dama? Es una auténtica tigresa.

—Jackson, eso no le importa. Llámeme cuando haya terminado. Y recuerde que me interesan únicamente las posiciones artísticas.

—Entendido. Buenas noches, congresista.

39

Dale Jarvis se preparaba para ordenar su escritorio e iniciar el viaje de treinta minutos hacia el hogar donde lo esperaba su esposa y la tradicional cena de los viernes —asado al horno—, cuando llamaron a la puerta y entró John Gossard, que dirigía la Sección Africana de la Agencia. Gossard había pasado a la Agencia después de prestar servicio en el Ejército, durante la guerra de Vietnam. Allí había sido especialista en logística de la guerrilla. Era un hombre tranquilo, que exhibía cierto humor cínico, y cojeaba a causa de una herida de granada que le había seccionado el pie derecho. Era sabido que bebía mucho; pero también satisfacía con detalles exactos y abundantes los pedidos de datos formulados a su sección. Sus fuentes de información eran la envidia de toda la Agencia.

Jarvis abrió las manos en un gesto de disculpa.

—John, puedes insultarme, si lo deseas; lo olvidé por completo. A decir verdad, mi intención era aceptar tu invitación a pescar.

—¿Puedes venir? —preguntó Gossard—. McDermott y Sampson, de la sección de Análisis del Sóviet, vendrán con nosotros.

—Nunca rechazo la oportunidad de enseñar a pescar a esos tipos.

—Muy bien. Ya he reservado la lancha. Saldremos del embarcadero nueve a las cinco en punto. El domingo. —Gossard depositó su portafolios sobre el escritorio de Jarvis, y lo abrió—. A propósito, antes de volver a casa decidí pasar por aquí también por otro motivo. Y es este. —Puso una carpeta frente a Jarvis—. Te permitiré que la lleves este fin de semana, siempre que no la arrojes al cubo de la basura, con tus novelas policíacas baratas.

Jarvis sonrió.

—Eso es poco probable. ¿De qué se trata?

—Los datos que pediste acerca de un extraño plan sudafricano de factibilidad llamado Rosa Silvestre.

Jarvis frunció el ceño.

—Has trabajado deprisa. Envié el pedido apenas esta tarde.

—La Sección Africana no permite que se junte polvo —dijo Gossard con fingido aire de solemnidad.

—¿Quieres aclararme algo antes de que lea el informe?

—No hay nada demasiado importante. Lo que tú sospechabas: un plan absurdo.

—En ese caso, Hiram Lusana dijo la verdad.

—En el sentido de que el plan es real —replicó Gossard—. Como verás, el asunto es muy interesante. Un concepto que da que pensar.

—Has despertado mi curiosidad. ¿Y de qué modo los sudafricanos disfrazados de negros del Ejército Africano Revolucionario se proponen realizar el ataque?

—Lo siento —dijo Gossard con una sonrisa maliciosa—. Si te lo digo, la historia ya no será tan interesante. Jarvis lo miró con expresión grave.

—¿Puedes confiar del todo en tu fuente de información?

—Mi fuente es muy buena. Un individuo extraño. Insiste en usar el seudónimo Emma. Nunca pudimos descubrir su identidad. Su información es excelente. Vende a quien puede pagar.

—Entiendo que ya has gastado bastante en la operación Rosa Silvestre —dijo Jarvis.

—No demasiado. Venía en una caja, con cincuenta documentos más. Pagamos solo diez mil dólares por todo.

A medida que las fotografías pasaban del secador a una bandeja, Sam Jackson las levantaba y alisaba los bordes, hasta obtener un resultado satisfactorio. Era un negro alto y huesudo, de cabellos ensortijados, rostro juvenil y manos largas y finas. Pasó las fotos a Daggat y se quitó el delantal.

—Eso es todo —dijo.

—¿Cuántas? —preguntó Daggat.

—Unas treinta que muestran claramente las caras. Verifiqué las mejores con una lente de aumento. El resto no sirve.

—Lástima que no sean fotografías iluminadas.

—La próxima vez agregue otras lámparas a las luces azules —dijo Jackson—. Esa pareja es muy activa en la cama, pero eso no basta para iluminar las fotos.

Daggat estudió con cuidado las fotografías de ocho por

diez, en blanco y negro. Las examinó por segunda vez. La tercera vez, seleccionó diez y las guardó en un portafolios. Devolvió a Jackson las veinte restantes.

—Reúnalas con los negativos y guárdelo todo en un sobre.

—¿Se las lleva?

—Creo que es mejor que yo sea el único responsable de este material. ¿No le parece?

Jackson no opinaba lo mismo. Dirigió una mirada inquieta a Daggat.

—Eh, hombre, los fotógrafos no suelen entregar sus negativos. No pensará reproducirlas para la venta, ¿verdad? No tengo inconveniente en tomar fotos pornográficas para un buen cliente, pero no quiero convertir esto en actividad comercial. Puede acarrearme problemas desagradables.

Daggat se acercó a Jackson, hasta que las caras de ambos quedaron separadas apenas por unos centímetros.

—Yo no soy «Eh, hombre» —dijo fríamente—. Soy Frederick Daggat, representante del Congreso de Estados Unidos. ¿Entiende, amigo?

Por un breve instante Jackson lo miró con la misma frialdad. Después bajó lentamente los ojos y contempló las manchas de productos químicos en el suelo de linóleo. Daggat controlaba la situación, porque tenía el respaldo de su influencia política. El fotógrafo no tenía más alternativa que ceder.

—Como prefiera —dijo.

Daggat asintió, y después, como si ya hubiese olvidado por completo las objeciones de Jackson, esbozó una sonrisa.

—Le agradeceré que se dé prisa. En el automóvil me espera una dama encantadora pero impaciente. Y no está dispuesta a esperar.

Jackson introdujo en un sobre grande los negativos y las copias de ocho por diez, y lo entregó todo a Daggat.

—Mis honorarios.

Daggat le entregó un billete de cien dólares.

—Pero convinimos en que serían quinientos —dijo Jackson.

—Piense que su trabajo fue un acto generoso en beneficio de su país —dijo Daggat, mientras caminaba hacia la puerta. Se volvió—. Oh, una cosa más: si no quiere tener problemas imprevistos en el futuro, será mejor que olvide todo el asunto. Nunca ocurrió.

Jackson formuló la única respuesta posible.

—Como usted diga.

Daggat asintió y salió, cerrando silenciosamente la puerta tras de sí.

—¡Hijo de puta! —masculló Jackson mientras retiraba de un cajón otra serie de fotografías—. ¡Ya recibirás tu merecido!

La esposa de Dale Jarvis estaba acostumbrada a verlo leer en la cama. Le dio el beso de buenas noches, adoptó su acostumbrada postura fetal, de espaldas a la lámpara sobre la mesita de noche, y pronto se durmió.

Jarvis se acomodó, puso dos almohadas tras la espalda, movió la lámpara con el fin de que la luz se proyectase en el ángulo apropiado, y se ajustó las gafas. Apoyó sobre las rodillas levantadas la carpeta que le había entregado John Gossard y empezó a leer. Mientras volvía las páginas, escribía observaciones en una pequeña agenda. A las dos de la mañana cerró la carpeta de la operación Rosa Silvestre.

Permaneció en la misma postura, la mirada fija durante varios minutos, contemplando la posibilidad de devolver la carpeta a Gossard y olvidar el asunto, o de investigar el fantástico plan. Decidió seguir un camino intermedio.

Descendió lentamente de la cama, para no despertar a su esposa. Caminó descalzo hasta un cuartito contiguo, donde descolgó el auricular de un teléfono y con movimientos hábiles marcó un número en la oscuridad. Respondieron inmediatamente a su llamada.

—Soy Jarvis. Quiero un informe acerca de la situación actual de todos los buques de guerra extranjeros y norteamericanos. Sí; buques de guerra. Envíenlo mañana por la mañana a mi despacho. Gracias. Buenas noches.

Regresó a la cama, besó suavemente en la mejilla a su esposa y apagó la luz.

40

El Subcomité de Relaciones Exteriores de la Cámara de representantes para la Ayuda Económica a las Naciones Africanas, presidida por Frederick Daggat, inició su sesión en una sala medio vacía, frente a un grupo de aburridos periodistas. Flanqueaban a Daggat el demócrata Earl Hunt, de Iowa, y el republicano Roscoe Meyers, de Oregón. Loren Smith estaba sentada a cierta distancia, frente a un extremo de la mesa.

La audiencia se prolongó durante la tarde, mientras los representantes de varios gobiernos africanos formulaban sus alegatos pidiendo ayuda financiera. Eran las cuatro cuando llegó el turno de Hiram Lusana, que compareció ante la subcomisión. Ahora, el recinto estaba colmado de gente. Los fotógrafos se habían encaramado en los asientos, y las luces de las cámaras fotográficas relampagueaban en rápida sucesión, mientras los periodistas escribían febrilmente en sus cuartillas o murmuraban ante los micrófonos de sus grabadoras. Lusana no prestaba atención a la conmoción. Estaba sentado frente a la mesa muy compuesto, como un croupier que sabe que la suerte lo favorece.

—General Lusana —dijo Daggat—. Bienvenido a nuestra audiencia. Creo que usted conoce el procedimiento. Esto no es más que una sesión preliminar destinada a reunir elementos. Se le concederán veinte minutos para formular sus argumentos. Después, la comisión le hará preguntas. Finalmente, nuestras opiniones y observaciones serán informadas al plenario del Comité de Relaciones Exteriores de la Cámara.

—Entiendo —dijo Lusana.

—Señor presidente.

Daggat se volvió hacia Loren.

—Sí, representante Smith.

—Me opongo a la presencia del general Lusana en esta audiencia, porque él no representa a un gobierno africano establecido.

Una ola de murmullos recorrió el recinto.

—Es cierto —dijo Lusana, los ojos fijos en Loren—. No

represento a un gobierno establecido. Pero represento el ansia de libertad de todos los negros del continente africano.

—Ya —observó Loren—. Pero las normas deben cumplirse.

—Usted no puede hacer oídos sordos, por puntos legales, al pedido de millones de seres humanos —dijo Lusana manteniendo el cuerpo inmóvil y en voz tan baja que los que estaban al fondo apenas conseguían oírlo—. El bien más preciado de un hombre es su nacionalidad. Sin ella, nada significa. En África luchamos para obtener una nacionalidad que nos pertenece por derecho propio. Estoy aquí para defender la dignidad negra. No pido dinero para comprar armas. No pido que los soldados norteamericanos luchen por nosotros. Solamente solicito los fondos necesarios para comprar alimentos y medicinas, destinados a miles de personas que están sufriendo en esta guerra contra la deshumanización.

Era un discurso magistral, pero Loren se mostró indiferente.

—General, usted es un hombre inteligente. Si refuto sus argumentos, de hecho estaré aceptando su presencia en esta audiencia. Mantengo mi objeción.

Daggat hizo un gesto imperceptible a uno de sus ayudantes, y se volvió hacia Earl Hunt.

—Se registra debidamente la protesta de la congresista Smith. ¿Qué opina, representante Hunt?

Mientras Daggat requería sus opiniones a Hunt y Roscoe Meyers, el ayudante se acercó a Loren y le entregó un gran sobre blanco.

—¿Qué es esto?

—Señora, tengo instrucciones de decirle que es muy urgente que abra ahora mismo el sobre. —Después, se alejó rápidamente y salió del recinto por una puerta lateral.

Loren abrió el sobre y extrajo la primera de una serie de fotografías. Representaba su cuerpo desnudo, enlazado con el de Pitt en una febril postura. Devolvió rápidamente la fotografía al sobre, y palideció intensamente; una expresión de miedo y repulsión invadió su rostro.

Daggat se volvió hacia ella.

—Congresista Smith, según parece estamos en un callejón sin salida. El representante Hunt y yo concordamos en que debe escucharse al general Lusana. El representante Meyers opina lo mismo que usted. Como presidente de esta audiencia, ¿puedo persuadirla, en beneficio de la equidad, de que permita al general exponer su posición?

Loren sintió que se le erizaba el vello de la nuca. Daggat le sonreía burlonamente. Podía verlo en la expresión de su rostro: no era ajeno al contenido del sobre. Trató de contener la náusea que le subía por la garganta; de pronto comprendió que Felicia Collins la había traicionado en beneficio de la causa de Lusana. Maldijo en silencio su propia estupidez que la había llevado a dejarse enredar con la misma ingenuidad con que una adolescente se deja atrapar por un rufián de la gran ciudad.

—¿Congresista Smith? —dijo Daggat, apremiándola. No tenía alternativa. Ahora Daggat la controlaba. Bajó los ojos y tembló.

—Señor presidente —dijo, completamente derrotada—, retiro mi objeción.

A los cuarenta y tres años, Bárbara Gore aún tenía la silueta de una modelo de *Vogue*. Se mantenía delgada, y tenía piernas bien formadas y su rostro de pómulos altos aún no había engrosado. Años atrás había tenido una relación con Dale Jarvis, pero hacía mucho que el mutuo interés sexual se había enfriado; y ahora, ella era nada más que una buena amiga, y la secretaria personal de Jarvis.

Se sentó frente al escritorio, las hermosas piernas cruzadas en un ángulo cómodo para las mujeres y agradable para el ojo masculino. Pero Jarvis no le prestó atención. Estaba absorto en el dictado. Un momento después, lo interrumpió bruscamente y comenzó a buscar en una pila de informes confidenciales.

—Si me dices qué buscas —dijo pacientemente Bárbara—, quizá pueda ayudarte.

—Un informe acerca de todos los barcos de guerra actuales. Prometieron entregarlo hoy.

Ella suspiró, extendió la mano hacia la pila y extrajo varias hojas azules.

—Llegó a las ocho de la mañana. —A veces, Bárbara se exasperaba ante el desorden de Jarvis; pero hacía mucho que había aprendido a aceptar el modo de ser de su jefe, y ahora le seguía la corriente.

—¿Qué dice?

—¿Qué quieres que diga? —preguntó ella—. No te has molestado en informarme qué buscas.

—Por supuesto, quiero comprar un barco de guerra. ¿Quién lo vende?

Bárbara le dirigió una expresión agria y examinó los papeles azules.

—Me temo que no tienes suerte. La Unión Soviética tiene uno, y lo usa para entrenar a los cadetes navales. Hace mucho que Francia desmanteló los suyos. Lo mismo ocurre con Gran Bretaña, aunque todavía conserva uno en homenaje a la tradición.

—¿Y Estados Unidos?

—Se han conservado cinco, como monumentos.

—¿Dónde están ahora?

—En los estados cuyos nombres llevan: *Carolina del Norte*, *Texas*, *Alabama* y *Massachusetts*.

—Dijiste cinco.

—La Marina tiene el *Missouri* en Bremerton, Washington. Ah, casi lo olvido, el *Arizona* todavía figura en las listas navales; según se afirma, por razones sentimentales.

Jarvis entrelazó las manos tras la cabeza y miró fijamente el techo.

—Creo recordar que hace pocos años el *Wisconsin* y el *Iowa* estaban amarrados en los astilleros navales de Filadelfia.

—Buena memoria —dijo Bárbara—. De acuerdo con el informe, el *Wisconsin* fue desguazado en 1984.

—¿Y el *Iowa*?

—Vendido como chatarra.

Jarvis se puso de pie y se acercó a la ventana. Por unos instantes miró hacia la calle, con las manos hundidas en los bolsillos. Después dijo:

—La carpeta de Rosa Silvestre.

Como si le hubiese adivinado el pensamiento, Bárbara replicó:

—Aquí la tienes.

—Envíala a John Gossard de la Sección Africana, y dile que el asunto me interesó mucho.

—¿Eso es todo?

Jarvis se volvió.

—Sí —dijo—. Pensándolo bien eso es todo.

A la misma hora un pequeño ballenero echó el ancla a unos cien metros de Punta Walnut, Virginia, y viró lentamente hasta que su proa cortó la corriente. Patrick Fawkes desplegó una vieja y gastada silla, y la afirmó en el estrecho puente de popa, de modo que el respaldo y las patas traseras quedaron asegurados por los bordes de las mamparas. Después apuntó hacia la borda una caña de pescar, y arrojó al agua un hilo sin anzuelo.

Acababa de abrir una canasta de picnic, y estaba retirando un trozo de queso de Cheshire y una botella de whisky cuando un remolcador que arrastraba tres lanchones cargados hasta el tope lo saludó al pasar con un estridente golpe de silbato. En respuesta, Fawkes agitó las manos, mientras el oleaje de las embarcaciones que pasaban imprimía un fuerte balanceo a su pequeña embarcación. Fawkes anotó en una libreta la hora a la que había pasado el remolcador.

La vieja silla crujió en actitud de protesta cuando él hundió su enorme cuerpo con el almohadón del asiento. Después, Fawkes comió un trozo de queso y bebió un trago de la botella.

Cada vez que pasaba un navío comercial o una embarcación de placer, el pescador aparentemente somnoliento lo anotaba en la libreta. También registraba la hora, el rumbo y la velocidad. Un barco interesó a Fawkes más que el resto. Dirigió sus binoculares a un destructor portamisiles hasta que el buque desapareció detrás de un promontorio; y observó cuidadosamente las lanzaderas vacías de los misiles, y la actitud despreocupada de la tripulación en cubierta.

Hacia el final de la tarde una ligera lluvia comenzó a repiquetear sobre la cubierta vieja y despintada. A Fawkes le agradaba la lluvia. En el mar, cuando había tormenta, a menudo subía al puente del barco para afrontar la furia del temporal, y después se burlaba de sus subordinados que preferían el té caliente y la comodidad de la cabina de mando. Incluso ahora, Fawkes desdeñó la protección de una pequeña cabina y prefirió continuar en el puente, y solamente se puso sobre los hombros un impermeable para proteger de la humedad la piel y la ropa.

Se sentía bien; la lluvia limpiaba el aire que sus pulmones absorbían; el queso le llenaba el estómago y el whisky le calentaba la sangre. Dejó vagar su pensamiento y pronto comenzó a evocar imágenes de su familia perdida. Le pareció percibir de nuevo los olores de su granja en Natal, y el sonido de la voz de Myrna que lo llamaba a cenar resonó claro e inequívoco en sus oídos.

Cuatro horas después se esforzó por retornar a la realidad, mientras el remolcador, con su hilera de barcazas ahora vacías, reaparecía a lo lejos, siguiendo el camino de regreso. Se puso rápidamente de pie y anotó el número y la posición de las luces de navegación. Después, Fawkes levó el ancla, puso en marcha el motor y avanzó sobre la estela del último lanchón.

41

La nieve caía densa sobre el lago de Mesa, Colorado, cuando los buzos de la ANIM, protegidos de las heladas aguas por sus trajes térmicos, terminaron de desprender las alas y la cola del Vixen 03. Después pasaron dos enormes eslingas de acero debajo del fuselaje mutilado.

Llegaron el almirante Bass y Abe Steiger, seguidos por un camión azul de la fuerza aérea, donde viajaban varios miembros del Equipo de Recuperación e Identificación de Restos, así como cinco ataúdes.

A las diez de la mañana se habían reunido todos, y Pitt hizo señas a los operarios de la grúa. Los cables que colgaban de las cabrias flotantes descendieron lentamente hacia las aguas rizadas por el viento, y se tensaron y temblaron cuando los operarios a cargo de los motores acentuaron la tensión. Las cabrias se inclinaron unos grados a causa del esfuerzo, y las uniones crujieron. Después, bruscamente, como si de los extremos invisibles se hubiese retirado un gran peso, volvieron a enderezarse.

—Ya se desprendió del lodo —anunció Pitt.

Confirmando lo anterior, Giordino, que estaba de pie al lado, y tenía puestos los audífonos, hizo un gesto de asentimiento.

—Los buzos informan que ya está subiendo.

—Dile al operador de la eslinga que sube el morro que lo mantenga bajo. No queremos que los cilindros caigan por el agujero de la cola.

Giordino transmitió las órdenes de Pitt por un minúsculo micrófono unido a los audífonos.

El aire frío de la montaña estaba cargado de tensión; todos se mantenían inmóviles, expectantes, los ojos fijos en el espejo de agua que se extendía entre las grúas. El único ruido era el escape de los motores. Formaban un equipo veterano de muchos rescates; pero a pesar de todas las naves que habían recuperado del mar, nunca dejaban de sentir la misma emoción durante una operación de salvamento.

El almirante Bass descubrió que estaba reviviendo esa noche nevada de muchos años atrás. Le parecía casi imposible relacionar la imagen del mayor Raymond Vylander con los huesos descarnados que, bien lo sabía, estaban en la cabina de mando del avión. Se acercó al borde del agua, hasta que esta le lamió los zapatos, y comenzó a experimentar una sensación ardiente en medio del pecho y en el hombro izquierdo.

De pronto, el agua bajo los cables pasó del azul al marrón lodoso, y el techo curvo del Vixen 03 recibió la luz del día por primera vez en treinta y cuatro años. La superficie de aluminio, otrora brillante, a causa de la corrosión había cobrado un matiz gris blancuzco, y aparecía surcada por plantas acuáticas mezcladas con cieno. Cuando los cables se elevaron aún más en el aire, el agua sucia brotó en cascadas de la herida abierta hacia el extremo posterior del fuselaje.

Las insignias azules y amarillas que recorrían el extremo superior del fuselaje eran notablemente claras, y las palabras SERVICIO MILITAR DE TRANSPORTE AÉREO aún eran perfectamente legibles. El Vixen 03 ya no parecía un avión. Era más fácil verlo como una enorme ballena muerta a la cual le hubiesen arrancado las aletas y la cola. Los cables de control cortados y retorcidos, las líneas eléctricas y los conductos hidráulicos que colgaban de las heridas abiertas hubieran podido ser las entrañas.

Abe Steiger fue el primero en interrumpir un silencio sobrecogedor.

—Es probable que esa sea la causa del desastre —dijo, señalando el rasgón en el depósito de carga, a poca distancia de la cabina de control—. Seguramente perdió una paleta de la hélice.

Bass contempló la ominosa evidencia, pero no hizo comentarios. Se acentuó el dolor del pecho. Apelando a toda su fuerza de voluntad procuró olvidarlo, mientras inconscientemente se masajeaba el brazo izquierdo para aliviar la molestia. Trató de espiar a través del parabrisas del avión, pero el cieno acumulado a lo largo de los años le impedía ver nada. Las grúas habían elevado el fuselaje unos tres metros sobre la superficie del lago, y entonces un pensamiento asaltó a Bass, y el marino se volvió y miró dubitativo a Pitt.

—Por lo que veo, no dispone de una balsa. ¿Cómo piensa traer a tierra los restos?

Pitt sonrió.

—Almirante, aquí pediremos ayuda al cielo. —Hizo un gesto a Giordino—. Bien, avisa a Dumbo.

Dos minutos después, como si hubiera sido un gran pterodáctilo salido de su nido del Mesozoico, un helicóptero de líneas poco armoniosas apareció sobre las copas de los árboles, con sus grandes rotores batiendo con un ruido peculiar el enrarecido aire de la montaña. El piloto suspendió al helicóptero gigante sobre las grúas ancladas. Dos ganchos descendieron gradualmente del vientre de la máquina, y se los unió rápidamente a los cables que sostenían el fuselaje. Después, el piloto elevó levemente todo el peso, y los ganchos conectados a las grúas se aflojaron y soltaron. El Dumbo se agitó en el aire, y sus turbinas tuvieron que esforzarse para sostener el tremendo peso. Muy suavemente, como si estuviese maniobrando una carpa de cristal frágil, el piloto llevó hacia tierra al Vixen 03.

Pitt y los demás se volvieron de espaldas cuando una nube de espuma levantada por las paletas del rotor cayó sobre ellos desde el lago. Giordino, que hizo caso omiso de las salpicaduras, avanzó para colocarse en un lugar donde el piloto pudiese verlo claramente, y comenzó a mover las manos al tiempo que dirigía por el transmisor la operación de descenso.

El Dumbo necesitó solo cinco minutos para depositar la carga y desaparecer de nuevo sobre los árboles. Después, todos permanecieron de pie, inmóviles, mirando fijamente, y nadie se decidía a aproximarse a los restos. Steiger dio una orden a sus hombres de la fuerza aérea, y estos se acercaron al avión y empezaron a descargar los ataúdes, disponiéndolos en el suelo en una fila ordenada. Uno de los hombres de Pitt trajo una escala, y la apoyó contra el fuselaje del avión. Pitt permaneció en silencio, y con un gesto de mano indicó que el almirante Bass debía ser el primero en entrar.

Una vez en el interior del fuselaje, Bass se abrió paso entre los cilindros y se dirigió a la cabina de control. Permaneció inmóvil varios segundos, con el rostro pálido y descompuesto.

—¿Se siente bien, señor? —preguntó Pitt, que se había acercado por detrás.

La voz que respondió sonó remota e inexpresiva.

—No puedo decidirme a mirarlos.

—De nada serviría —dijo amablemente Pitt.

Bass se apoyó pesadamente contra la mampara, y sintió que se acentuaba el dolor del pecho.

—Solo un momento, para reaccionar. Después me ocuparé de los cilindros.

Steiger se acercó a Pitt, avanzando con cuidado entre los cilindros como si temiese tocarlos.

—Cuando usted dé la orden, vendré con mis hombres a retirar los restos de la tripulación.

—Será mejor comenzar con el misterioso huésped. —Pitt movió la cabeza en dirección a una pila de cilindros—. Lo encontrará atado a la pared, a unos tres metros de distancia hacia la derecha.

Steiger revisó el sector indicado por Pitt y se encogió de hombros con el rostro inexpresivo.

—No encuentro nada.

—Está casi encima del cadáver —dijo Pitt.

—Por Dios, ¿qué quiere decir? —preguntó Steiger—. Le digo que aquí no hay nada.

—Usted debe de estar ciego. —Pitt apartó a Steiger y miró. Las correas continuaban unidas a los anillos de la pared, pero el cuerpo ataviado con el viejo uniforme caqui había desaparecido.

Pitt miró mientras su mente trataba de asimilar la realidad de los restos ausentes. Se arrodilló y examinó las correas podridas. Las habían cortado.

Los ojos de Steiger expresaban cierta duda.

—El día que usted se sumergió el agua estaba helada. Quizá creyó ver algo… —No concluyó la frase, pero la sugerencia era muy clara.

Pitt se incorporó.

—Estaba aquí —dijo, sin esperar réplica y sin recibirla.

—¿Pudo haber desaparecido por la abertura durante la operación de rescate? —sugirió Steiger.

—Es imposible. Los buzos que acompañaron el fuselaje hasta la superficie habrían informado de la aparición de restos sueltos.

Steiger empezó a decir algo, pero de pronto volvió los ojos, asombrado, cuando un extraño sonido ahogado llegó desde el otro extremo del compartimiento.

—¿Qué demonios es eso?

Pitt no perdió tiempo en responder.

Encontró al almirante Bass caído en el piso húmedo, pugnando por respirar, la piel bañada en sudor frío. La insoportable intensidad del dolor había convertido su rostro en una máscara atormentada.

—¡El corazón! —gritó Pitt a Steiger—. Dígale a Giordino que ordene regresar al helicóptero.

Pitt empezó a abrir las ropas que cubrían el cuello y el pecho del almirante. Bass aferró la muñeca de Pitt.

—Las… las cápsulas —jadeó.

—Cálmese. Lo trasladaremos inmediatamente a un hospital.

—Las cápsulas… —repitió Bass.

—Están seguras en los cilindros —lo tranquilizó Pitt.

—No… no… usted no lo entiende. —Ahora, la voz era un murmullo áspero—. Los cilindros… los conté… eran veintiocho.

Las palabras de Bass apenas eran audibles, y Pitt tuvo que acercar el oído a sus labios temblorosos.

Giordino llegó corriendo, con varias mantas.

—Steiger me avisó —dijo con voz tensa—. ¿Cómo está?

—Más o menos igual —contestó Pitt. Liberó su muñeca y presionó suavemente la mano de Bass—. Me ocuparé de eso, almirante. Se lo prometo.

Bass parpadeó, con ojos turbios, y asintió para indicar que había entendido.

Pitt y Giordino lo habían cubierto, y le habían apoyado la cabeza en una manta doblada cuando reapareció Steiger, seguido por dos hombres de la fuerza aérea que traían una camilla. Solo entonces Pitt se incorporó y salió del fuselaje. El helicóptero ya había regresado y aterrizado cuando retiraron del Vixen 03 a Bass, todavía inconsciente.

Steiger aferró el brazo de Pitt.

—¿Qué quiso decirle?

—El inventario de los cilindros —replicó Pitt—. Contó veintiocho.

—Espero que el viejo se salve —dijo Steiger—. Por lo menos, tuvo la satisfacción de saber que recuperamos esa monstruosidad. Ahora, lo único que resta es arrojar los cilindros al océano. Será el final de esta historia de horror.

—No, me temo que es solo el comienzo.

—Parece una adivinanza.

—De acuerdo con el almirante Bass, el Vixen 03 no salió de Buckley Field con veintiocho cilindros cargados con Muerte Rápida.

Steiger percibió una helada amenaza en el tono de Pitt.

—Pero su inventario… contó veintiocho.

—Debió contar treinta y seis —dijo Pitt ominosamente—. Faltan ocho cilindros.

IV
VIAJE SIN RETORNO

42

Washington, DC - Diciembre de 1988

El edificio de la Agencia Nacional de Investigaciones Marinas, una estructura tubular cubierta de vidrio verde reflector, se elevaba hasta una altura de treinta pisos sobre una loma de Washington Este.

En el último piso, el almirante James Sandecker estaba sentado detrás de un inmenso escritorio con una escotilla modificada que había sido rescatada de un navío confederado en el estrecho de Albemarle. Se oyó el zumbido de su línea privada.

—Sandecker.

—Aquí Pitt.

Sandecker movió una llave de una pequeña consola que activaba una cámara de televisión. En medio de la oficina, la imagen de tamaño natural de Pitt apareció en tres dimensiones y en color.

—Eleve la cámara que tiene frente a usted —dijo Sandecker—. Ahora aparece descabezado.

Gracias al milagro de la holografía por satélite, el rostro de Pitt pareció crecer a partir de los hombros, y la proyección de su persona, incluso la voz y los gestos, reprodujo fielmente el original. La principal diferencia, que nunca dejaba de divertir a Sandecker, era que podía atravesar la imagen con una mano, porque aquella carecía totalmente de sustancia.

—¿Así está mejor? —preguntó Pitt.

—Por lo menos ahora está entero. —Sandecker no perdió más tiempo—. ¿Qué noticias hay de Walter Bass?

Pitt parecía fatigado; estaba sentado en una silla plegadiza, bajo un gran pino, y una leve brisa agitaba sus cabellos oscuros.

—El cardiólogo del Hospital Militar Fitzsimons de Denver informa que sus constantes se han estabilizado. Si sobrevive las próximas cuarenta y ocho horas, tiene buenas posibilidades de recuperarse. Apenas esté bastante fuerte para viajar, lo trasladarán al Hospital Naval de Bethesda.

—¿Qué hay de las cápsulas?

—Las llevamos a un ramal ferroviario de Leadville —contestó Pitt—. El coronel Steiger se ofreció para transportarlas hasta el muelle seis de San Francisco.

—Diga a Steiger que le agradecemos su cooperación. He ordenado a nuestro buque de investigación del Pacífico que entre al puerto. El capitán tiene instrucciones de arrojar los cilindros lejos de la plataforma continental, a una profundidad de tres mil metros. —Sandecker vaciló antes de formular la pregunta siguiente—. ¿Ha encontrado los ocho cilindros que faltaban?

La expresión negativa de Pitt fue respuesta suficiente, incluso antes de que la imagen hablase.

—No tuvimos suerte, almirante. Una exploración minuciosa del fondo del lago no reveló ningún rastro.

Sandecker advirtió la frustración reflejada en el rostro de Pitt.

—Ha llegado el momento de informar al Pentágono.

—¿Cree sinceramente que sería sensato?

—¿Qué otra alternativa nos queda? —preguntó a su vez Sandecker—. No disponemos de medios para realizar una investigación en gran escala.

—Solo necesitamos una pista —insistió Pitt—. Es muy probable que los cilindros estén almacenados en un depósito, acumulando polvo. Incluso es posible que los ladrones no sepan qué contienen realmente.

—Acepto su teoría —dijo Sandecker—. Pero ¿quién querría apoderarse de ese material? Dios mío, cada cilindro pesa casi una tonelada, y por su aspecto es fácil identificarlo como proyectiles navales anticuados.

—Si resolvemos este problema, también sabremos quien asesinó al padre de Loren Smith.

—Sin cuerpo del delito no hay crimen —dijo Sandecker.

—Sé muy bien lo que vi —dijo Pitt con ecuanimidad.

—Eso en nada modifica la situación. El dilema que todos afrontamos es el modo de localizar esos cilindros perdidos, y hacerlo antes de que a alguien se le ocurra jugar al perito en demoliciones.

De pronto, Pitt pareció más animado.

—Algo de lo que usted acaba de decir me ha dado una idea. Concédame cinco días para encontrar los cilindros. Si no descubro nada, el asunto queda en sus manos.

Sandecker sonrió al observar la expresión intensa en el rostro de Pitt.

—Ocurre que, por donde lo mire, este asunto es mío —dijo con cierta aspereza—. Como funcionario oficial superior implicado en este embrollo, se convirtió en una responsabilidad desde el mismo día en que usted se apoderó sin autorización de un avión y un sistema de televisión submarina perteneciente a la ANIM.

Pitt miró al almirante, pero permaneció discretamente silencioso. Sandecker dejó que Pitt asimilara la observación, mientras él se frotaba los ojos. Después dijo:

—Muy bien, aunque la idea no me gusta mucho, aceptaré el riesgo.

—Así pues, ¿me concede ese plazo?

Sandecker respondió:

—Tiene cinco días, Pitt. Pero, Dios nos ayude si no obtiene resultados.

Movió la llave del hológrafo y la imagen de Pitt se desdibujó y desapareció.

43

Faltaba poco para la caída del sol cuando Maxine Raferty se apartó de la cuerda para tender la ropa y observó a Pitt subir por el camino. La mujer continuó su trabajo y colgó la última de las camisas de su marido antes de agitar la mano en un gesto de saludo.

—Señor Pitt, me alegro de verlo.

—Señora Raferty.

—¿Loren está con usted en la cabaña?

—No, tuvo que quedarse en Washington. —Pitt miró en dirección a la casa—. ¿Lee está allí?

—Está arreglando el fregadero de la cocina. —Una fuerte brisa descendía de las montañas del oeste, y a Maxine le pareció extraño que Pitt llevase al brazo su jersey—. Por favor, entre.

Lee Raferty estaba sentado frente a la mesa de la cocina, limando un trozo de tubería. Alzó los ojos cuando entró Pitt.

—Señor Pitt. Vamos, siéntese; llega a tiempo. Me disponía a abrir una botella de mi depósito de jugo de uva.

Pitt acercó una silla.

—¿Fabrica vino, además de cerveza?

—Aquí en la montaña hay que arreglárselas solo —dijo Lee, sonriendo y señalando la tubería con el cigarro—. Por ejemplo, esto que ve aquí. Me costó una fortuna traer un fontanero de Leadville. Es más barato hacerlo uno mismo. Una filtración. Un niño podría repararlo.

Raferty depositó la tubería oxidada sobre un diario viejo, se puso de pie y de un armario cogió dos vasos y una jarra de cerámica.

—Quería hablar con usted —dijo Pitt.

—Pues aquí me tiene. —Lee llenó hasta el borde los vasos—. Eh, ¿a qué se debe esa conmoción en el lago? Oí decir que encontraron un avión viejo. ¿Podría ser el mismo acerca del cual usted preguntaba?

—Sí —contestó Pitt, y sorbió un trago de vino. Lo sorprendió un poco descubrir que la bebida era bastante suave—. Esa es parte de la razón por la cual estoy aquí. Esperaba que usted me aclarase por qué mató a Charlie Smith.

La única reacción fue un ligero fruncimiento del ceño gris.

—¿Qué yo… maté al viejo Charlie? ¿De qué demonios está hablando?

—Una pelea entre socios que creían haber descubierto una mina de oro en el fondo de un lago.

Lee miró fijamente a Pitt e inclinó la cabeza con expresión dubitativa.

—Está diciendo cosas absurdas.

—En todo caso, usted jamás creyó que un forastero aparecería en su casa para formular preguntas acerca de un avión perdido. Fue un error no eliminar el tanque de oxígeno y el tren delantero. Me inclino ante el talento teatral que usted y su esposa demostraron. Me tragué esa farsa de los ancianos en su casa en medio de las montañas con toda la credulidad de un turista. Después que me marché, usted vigiló todos mis movimientos, y cuando vio que exploraba el fondo del lago, se convenció de que había descubierto el avión y el cadáver de Charlie Smith. Entonces cometió un error: se dejó dominar por el pánico y retiró los restos de Charlie, y muy probablemente enterró los huesos en algún rincón de las montañas. Si lo hubiera dejado en el depósito de carga del avión, el sheriff se habría visto en grandes dificultades para vincularlo con un asesinato cometido hace tres años.

—Le costará mucho probarlo —dijo Lee, y con absoluta calma volvió a encender el cigarro—, porque no podrá presentar el cuerpo.

—No será así ante el tribunal —repuso Pitt con tono indiferente—. Inocente hasta que se demuestre la culpabilidad, pero a menudo es a la inversa. Mató a su prójimo para beneficiarse; ese es su caso. Comencemos por el principio… el caso de un inventor excéntrico llamado Charlie Smith que estaba probando su última creación, un artefacto para arrojar automáticamente el hilo de pescar. En uno de los ensayos los anzuelos cayeron en aguas profundas y se engancharon en un objeto. Charlie, que era un experto pescador, pensó que el anzuelo se había clavado en un tronco sumergido, y manipuló hábilmente el hilo hasta que consiguió desengancharlo. Pero sintió un peso, y comprendió que con el anzuelo venía otra cosa: un tanque de oxígeno de un avión. Los engastes se había aflojado, erosionados después de años de inmersión, y los tirones de Charlie fueron todo lo que el tanque necesitó para desprenderse y subir a la superficie del lago.

»Lo mejor habría sido llamar al sheriff. Desgraciadamente para Charlie, era un hombre de espíritu inquisitivo. Tenía que comprobar que allí abajo había un avión, de modo que consiguió una cuerda y una barra de hierro, y comenzó a dragar el fondo del lago. Durante una de las pasadas seguramente enganchó y arrancó el tren delantero, ya bastante flojo, y que por eso mismo se desprendió fácilmente de su montura. Las sospechas se confirmaron, y se despertó la codicia de Charlie, que empezó a oler el grato aroma del tesoro. De modo que en lugar de representar el papel del honesto ciudadano e informar de su descubrimiento, fue en busca de Lee Raferty.

—¿Para qué me necesitaba Charlie?

—Porque usted era jubilado de la Marina, y veterano buzo de aguas profundas… parecía hecho a la medida. Me atrevo a decir que el equipo de inmersión y el compresor de aire que usted y Charlie utilizaron se encuentran en este mismo instante en su garaje. Una inmersión a cuarenta y cinco metros de profundidad debe de haber sido juego de niños para su experiencia. El extraño cargamento del avión espoleó su imaginación. ¿Qué esperaban encontrar en los cilindros? ¿Quizá viejas bombas atómicas? A lo sumo, puedo imaginar el tremendo trabajo que se tomaron dos hombres de casi setenta años, que debieron de sumergirse en aguas heladas y transportar pesos de casi una tonelada desde las profundidades del lago hasta la orilla. Admiro el talante que ambos demostraron. Ojalá cuando llegue a la misma edad tenga por lo menos la mitad de la capacidad física que ustedes demostraron.

—No fue tan difícil. —Lee sonrió; se hubiera dicho que no temía en absoluto a Pitt—. Después que Charlie ideó una pequeña carga explosiva para ensanchar la abertura del fuselaje, no tuve dificultad en unir un cable a cada cilindro, y arrastrarlo hasta la costa con la camioneta de doble tracción.

—Cuando uno quiere —dijo Pitt—. ¿Y después, Lee? Una vez los cilindros estuvieron en tierra, para un ex marino y experto en demoliciones era evidente que estaban contemplando proyectiles que correspondían únicamente a un viejo acorazado. Pero ¿qué valían ahora? Excepto como chatarra, ¿podría venderse un viejo proyectil naval?

Lee Raferty reanudó la tarea de limar los bordes ásperos de la tubería.

—Ha adivinado bastante bien, señor Pitt. Lo reconozco. Por supuesto, no acierta en todo, pero lo hace bastante bien. Sin embargo, subestima la inteligencia de un par de viejos zorros. Demonios, apenas los vimos comprendimos que los cilindros no eran proyectiles capaces de perforar blindajes. Charlie no necesitó más de diez minutos para comprender que se trataba de recipientes que contenían gas venenoso.

Pitt se desconcertó. Dos viejos les habían ganado la partida a todos.

—¿Cómo lo supieron? —preguntó con voz tensa.

—Por fuera parecían proyectiles navales comunes, pero vimos ciertos detalles propios de una granada destinada a explotar en el aire. Ya conoce el tipo de artefacto: después de alcanzar determinada altura, se suelta un paracaídas y una pequeña carga explosiva vuela la cabeza y enciende un colchón de fósforo. Excepto que este artefacto infernal estaba preparado para soltar una cantidad de pequeñas bombas de gas letal.

—¿Charlie conjeturó que contenían gas simplemente mirando los cilindros?

—Descubrió la escotilla de salida del paracaídas. Allí tuvo el primer indicio. Después rodeó el artefacto, desmanteló la cabeza, desconectó la carga y espió dentro.

—¡Santo Dios! —murmuró Pitt, al borde de la desesperación—. ¿Charlie abrió la espoleta?

—¿Y qué importancia tiene eso? Charlie era maestro en demoliciones.

Pitt respiró hondo y formuló la pregunta obvia.

—¿Y qué hicieron con los cilindros?

—Según entendí el asunto, nos pertenecían.

—¿Dónde están ahora? —preguntó Pitt.

—Los vendimos.

—¿Qué? —exclamó Pitt—. ¿A quién?

—A la Corporación de Armas Phalanx, de Newark, Nueva Jersey. Compran y venden armas a todo el mundo. Hablé con el vicepresidente, un sujeto bastante ladino, parece más un vendedor ambulante de ferretería que un comerciante de la muerte. Se llama Orville Mapes. En fin, vino a Colorado, examinó el proyectil y nos ofreció cinco mil dólares por cada artefacto que enviáramos a su depósito. Y sin preguntas.

—Puedo imaginar el resto —dijo Pitt—. Charlie pensó que si se detonaban esas granadas, él sería responsable de millares, y quizá de centenares de miles de muertes. Pero usted, Lee, se mostró más insensible. Para usted el dinero tenía más importancia que la moral. Discutieron y después pelearon, y Charlie perdió. Usted escondió el cadáver en el avión hundido, después detonó unos cartuchos de dinamita, arrojó una bota y su pulgar entre los restos, y lloró a lágrima viva en su funeral.

Raferty no reaccionó ante la acusación de Pitt. Sus ojos de mirar suave no se apartaron de la tubería. Sus manos limaban lenta y tranquilamente los extremos irregulares. Pitt pensó que lo veía excesivamente despreocupado. Raferty no se comportaba como un hombre a quien se acaba de acusar de asesinato. Ciertamente, no tenía la mirada de una rata acorralada.

—Es una lástima que Charlie no opinase lo mismo que yo. —Raferty se encogió de hombros, casi con tristeza—. Al contrario de lo que usted puede creer, señor Pitt, no soy un hombre codicioso. No intenté vender de una sola vez los proyectiles. Casi podría decirse que los consideré una especie de cuenta de ahorro. Cuando Max y yo necesitábamos unos dólares, retiraba un cilindro, y llamaba a Mapes. Él enviaba un camión a recoger la mercadería y me pagaba en efectivo. Una operación limpia, sin impuestos.

—Me gustaría saber cómo asesinó a Charlie Smith.

—Lamento desilusionarlo, señor Pitt, pero no me agrada arrebatar la vida de un ser humano. —Raferty se inclinó hacia delante y su rostro arrugado pareció adquirir una expresión lasciva—. Max es la persona realmente enérgica. Ella se ocupa de matar. De un tiro atravesó el corazón del viejo Charlie.

—¿Maxine? —El sentimiento que conmovió a Pitt no se originó en la súbita revelación, sino en que comprendía ahora que había cometido un grave error.

—Arroje una moneda al aire a veinte pasos, y Max puede dividirla en dos —continuó Raferty, haciendo una señal a alguien por encima del hombro de Pitt—. Querida, informa de tu presencia al señor Pitt.

Dos sonidos metálicos respondieron a Raferty, y siguió un golpe seco.

—El cartucho que cayó al suelo le indica que el viejo Winchester de Max está cargado y amartillado —dijo Raferty—. ¿Tiene alguna duda?

Pitt apoyó firmemente ambos pies en el suelo, y flexionó la mano semioculta bajo el jersey.

—Una buena representación, Lee.

—Si no me cree, mire detrás de usted. Pero se lo advierto, no haga movimientos bruscos.

Pitt se volvió gradualmente y se encontró con Maxine Raferty, cuyos bondadosos ojos azules lo miraban fijamente sobre la mira de un rifle de repetición. El cañón apuntaba, sostenido firmemente, a la cabeza de Pitt.

—Lo siento, señor Pitt —dijo ella con tristeza—. Pero Lee y yo no deseamos pasar en la cárcel los pocos años que nos quedan.

—Otro asesinato no los salvará —repuso Pitt. Puso en tensión los músculos de la pierna mientras calculaba la distancia entre él y Maxine. Era un metro y medio—. He traído a mis propios testigos.

—¿Has visto a alguien, querida? —preguntó Lee.

Maxine meneó la cabeza.

—Subió solo por el camino. Y continué vigilando después que entró en la casa. Nadie lo siguió.

—Me lo imaginaba —dijo Lee Raferty, y suspiró—. Señor Pitt, usted ha tratado de engañarnos. Si hubiese contado con pruebas sólidas contra Maxine y yo, habría traído al sheriff.

—Oh, pero lo he traído —sonrió Pitt, y pareció relajarse—. Está sentado en un automóvil, a menos de un kilómetro de aquí, y lo acompañan dos ayudantes que están escuchando todo lo que decimos.

Raferty se tensó.

—¡Maldita sea, miente!

—Adhirió un transmisor a mi pecho —dijo Pitt, y la mano izquierda aflojó el botón superior de la camisa—. Aquí mismo, bajo mi...

Maxine había bajado el rifle apenas un centímetro cuando Pitt se echó a un lado y disparó la automática Colt que sostenía bajo los pliegues de la chaqueta.

El Winchester y la Colt parecieron explotar al mismo tiempo.

Al Giordino y Abe Steiger habían llegado unos minutos antes que Pitt, y se habían echado al suelo detrás de un bosquecillo de pinos. Con sus prismáticos, Steiger observó a Maxine, que estaba colgando la ropa—. ¿Puede ver al marido? —preguntó Giordino.

—Debe de estar en la casa. —Los prismáticos se movían apenas en las manos de Steiger—. Pitt ya está acercándose.

—Esa Colt 45 debe de parecer un tercer brazo.

—La disimula con el jersey. —Steiger apartó una rama para ver mejor—. Ahora, Pitt entra en la casa.

—El tiempo se acorta —dijo Giordino. Inició un movimiento para incorporarse, cuando el brazo robusto de Steiger lo inmovilizó.

—¡Un momento! La vieja bruja mira hacia aquí, para comprobar si lo siguen.

Permanecieron silenciosos e inmóviles varios minutos,

mientras Maxine se paseaba alrededor de la casa, escudriñando los árboles que circundaban el lugar. Dirigió una última mirada al camino y desapareció por una esquina de la casa, saliendo del campo visual de Steiger.

—Déme tiempo para acercarme por el fondo, antes de avanzar hacia la puerta principal —dijo Steiger.

Giordino asintió.

—Tenga cuidado con los osos.

Steiger le dirigió una sonrisa tensa y se internó en una pequeña hondonada. Aún le faltaban unos cuarenta metros para llegar a la meta cuando oyó los disparos.

Giordino había estado haciendo tiempo cuando de pronto desde la casa llegaron las detonaciones. Se incorporó de un salto, descendió corriendo por una pequeña loma, y salvó de un salto la empalizada que rodeaba la casa. En ese momento, Maxine Raferty apareció por la puerta principal, como un vehículo sin control; descendió trastabillando los peldaños del porche y cayó al suelo. Giordino se detuvo en seco, sorprendido por la visión del vestido manchado de sangre. Permaneció así, pegado al suelo, mientras la mujer se incorporaba con la agilidad de un gimnasta. Solo cuando ya era demasiado tarde Giordino vio que sostenía en la mano un viejo rifle.

Maxine, que se disponía a entrar nuevamente en la casa, de pronto vio a Giordino, de pie en el patio. La mujer sostuvo desmañadamente el Winchester, una mano bajo recámara y otra sobre el cañón, y desde la cadera disparó una vez.

La fuerza del disparo levantó a Giordino por el aire y lo arrojó al pasto, y en su muslo izquierdo se formó una gran mancha roja que tiñó la tela de su pantalón.

Pitt tenía la sensación de que todo ocurría en cámara lenta. El cañón del Winchester le explotó en la cara. Al principio pensó que estaba herido, pero cuando tocó el suelo descubrió que aún podía mover las extremidades y el cuerpo. El disparo de

Maxine le había rozado la oreja, y la bala de Pitt había golpeado la culata del Winchester, y después de rebotar había destrozado una vieja lámpara de queroseno.

Lee Raferty rugió como un animal y descargó un golpe con el cañón. Alcanzó a Pitt en el hombro y le rozó el cráneo. Pitt dejó escapar un grito de dolor y giró sobre sí mismo, tratando de evitar el desmayo y esforzándose por aclarar la visión. Apuntó la Colt a la figura confusa que según sabía era Lee.

Maxine golpeó la Colt con el cañón del fusil, la arrancó de la mano de Pitt y la envió al hogar.

Maxine trató de amartillar nuevamente el maltratado fusil mientras Lee avanzaba, esgrimiendo el tubo de plomo. Pitt alzó el brazo izquierdo para contener el golpe, y le sorprendió no oír el crujido del hueso al romperse. Golpeó con ambos pies y alcanzó a Lee en las rodillas, y el viejo de cuerpo enjuto cayó sobre él.

—¡Dispara, maldita sea! —gritó Lee a su esposa—. ¡Dispara!

—¡No puedo! —gritó ella—. Estás en mi línea de fuego.

Lee soltó el tubo y se debatió con violencia para desprenderse, pero Pitt le aferró el cuello con el brazo derecho y lo sostuvo. Maxine brincaba alrededor, apuntando el Winchester y esforzándose frenética por disparar sin herir a su marido. Pitt mantenía aferrado a su antagonista y movía el cuerpo de Lee, usándolo como escudo mientras trataba de ponerse de pie. De pronto, Lee se retorció bruscamente, clavó la rodilla en la ingle de Pitt y se liberó.

A través de una ardiente bruma de dolor, Pitt consiguió aferrar una lámpara de queroseno y arrojarla a Maxine, golpeándola en el pecho. La mujer gritó cuando el vidrio se hizo añicos, rasgando el vestido y penetrando en uno de sus grandes y flácidos pechos. Después, Pitt se abalanzó, golpeando a la mujer con toda su fuerza. Una mujer de edad avanzada como Maxine no podía hacer frente al ataque brutal de Pitt, y salió despedida con tal fuerza que atravesó la puerta principal de la casa.

—¡Bastardo! —gritó Lee. Se arrojó al hogar, recogió la Colt caída entre las cenizas y se volvió hacia Pitt.

Una ventana se desintegró súbitamente y Abe Steiger cayó en el interior de la cocina, derribando la mesa. Lee giró velozmente, y así dio a Pitt el instante que necesitaba para aferrar el tubo que yacía en el suelo. El asombrado Steiger nunca podría olvidar el terrible sonido del tubo rompiendo el hueso de la sien de Lee Raferty.

Giordino se sentó en el suelo, los aturdidos ojos fijos en la pierna herida. Miró a Maxine, sin entender muy bien qué había ocurrido. Después, dejó caer flojamente la mandíbula y miró impotente mientras ella retiraba el cartucho vacío y volvía a amartillar el rifle. Maxine apuntó al pecho de Giordino, y apretó el gatillo.

El estampido fue ensordecedor y la bala rompió el esternón, salpicando de sangre y fragmentos de hueso el suelo a pocos centímetros de los pies de Giordino. Maxine permaneció inerte unos segundos antes de caer formando un montículo voluminoso y grotesco mientras la sangre le brotaba entre los pechos y manchaba el pasto.

Pitt se apoyó contra un parante del porche; su mano sostenía la Colt con el cañón todavía apuntando. Bajó el arma y se acercó a Giordino. Steiger se acercó a mirar, palideció y vomitó en un parterre.

Los ojos de Giordino estaban fijos en un trozo blanco y reluciente de cartílago, cuando Pitt se arrodilló a su lado.

—Tú… ¿le volaste el pecho a esa viejita tan amable? —preguntó Giordino.

—Sí —replicó Pitt, que no se sentía muy orgulloso de sí mismo.

—Gracias a Dios —murmuró Giordino, mientras señalaba—. Creí que eso que del suelo me pertenecía.

44

—¡Imbécil! —exclamó Thomas Machita de pie frente al escritorio—. ¡Maldito imbécil!

El coronel Randolph Jumana estaba sentado y contemplaba con indulgencia la explosión de Machita.

—Tenía excelentes razones para impartir esas órdenes.

—¿Quién le dio autoridad para atacar la aldea y masacrar a nuestros hermanos negros?

—Mayor, usted no considera ciertos hechos esenciales. —Jumana se quitó un par de gafas con montura de carey y se acarició un lado de la nariz achatada—. En ausencia del general Lusana yo estoy al mando del Ejército Africano Revolucionario. Me limito a cumplir sus directivas.

—¿Desviando los ataques de los objetivos militares a las aldeas civiles? —exclamó irritado Machita—. ¿Aterrorizando a nuestros hermanos cuyo único delito es trabajar por una paga miserable para los sudafricanos?

—La estrategia, mayor, es meter una cuña entre los blancos y los negros. Todos los negros que trabajan para el gobierno merecen que se los considere traidores.

—Los negros que son miembros de las Fuerzas de Defensa están en esa situación —arguyó Machita—. Pero no podremos obtener apoyo asesinando a maestras de escuela, carteros y peones de campo.

El rostro de Jumana cobró una expresión fría e impersonal.

—Si matar a cien niños nos permite adelantar en una hora la victoria definitiva sobre los blancos, no vacilaré en impartir la orden.

Una oleada de repugnancia abrumó a Machita.

—¡Eso es simple carnicería!

—Hay un antiguo proverbio occidental —dijo secamente Jumana—. El fin justifica los medios.

Machita miró al obeso coronel y sintió un escalofrío.

—Cuando el general Lusana se entere de esto lo expulsará del Ejército Africano Revolucionario.

Jumana sonrió.

—Demasiado tarde. Mi campaña para sembrar el temor y provocar el desastre en África del Sur es irreversible. —Jumana consiguió parecer aún más siniestro—. El general Lusana es un forastero. Nunca será aceptado del todo por las tribus del interior ni por los líderes negros de las ciudades. Le aseguro que jamás será primer ministro en Ciudad del Cabo.

—Sus palabras significan traición.

—Por otra parte —continuó Jumana— usted nació en Liberia antes de que sus padres emigrasen a Estados Unidos. Su piel es tan negra como la mía. Su sangre no se ha manchado a causa de la promiscuidad sexual con los blancos, como es el caso de la mayoría de los negros norteamericanos. Machita, le convendría considerar la incorporación a nuestro bando.

Machita replicó fríamente.

—Usted prestó el mismo juramento que yo cuando nos alistamos en el Ejército Africano Revolucionario, el juramento de defender los principios establecidos por Hiram Lusana. Lo que usted me propone es repugnante. No quiero tener nada que ver con ello. Puede estar seguro, coronel, de que su traición será conocida dentro de una hora por el general Lusana.

Dicho esto, Machita se volvió y salió del despacho de Jumana cerrando la puerta con un fuerte golpe.

Unos segundos después, el ayudante de Jumana llamó a la puerta y entró.

—El mayor parece nervioso.

—Una pequeña diferencia de opinión —dijo Jumana, imperturbable—. Lástima que sus motivos no sean los más legítimos. —Hizo un gesto en dirección a la puerta—. Dése prisa, llame a dos de mis guardias y vaya al sector de comunicaciones. Encontrará al mayor Machita en el acto de transmitir un mensaje al general, en Washington. Interrumpa la transmisión y arréstelo.

—¿Que arreste al mayor? —El ayudante se mostró sorprendido—. ¿Bajo qué acusación?

Jumana reflexionó un momento.

—Comunicar secretos al enemigo. Bastará para encerrarlo en una celda del subsuelo hasta que se lo juzgue y fusile.

Hiram Lusana estaba de pie en la entrada de la biblioteca de la Cámara de Representantes, y paseó los ojos por las diferentes mesas, hasta que encontró a Frederick Daggat. El congresista se había instalado frente a una larga mesa de caoba, y tomaba notas de un gran libro encuadernado.

—Espero no interrumpirlo —dijo Lusana—. Pero su mensaje parecía urgente, y su secretaria dijo que lo encontraría aquí.

—Tome asiento —dijo Daggat con expresión poco amistosa.

Lusana acercó una silla y esperó.

—¿Ha leído la última edición de los diarios de la mañana? —preguntó Daggat, los ojos fijos en el libro.

—No; estuve reunido con el senador Moore, de Ohio. Se mostró más comprensivo con nuestra causa después que le expliqué los propósitos del Ejército Africano Revolucionario.

—Por lo que veo, tampoco el senador leyó los diarios.

—¿De qué está hablando?

Daggat introdujo la mano en el bolsillo interior de la chaqueta y entregó a Lusana un recorte de periódico.

—Aquí tiene, amigo. Léalo y llore.

LOS INSURGENTES MASACRAN A CIENTO SESENTA Y CINCO
ALDEANOS EN UNA INCURSIÓN

TAZAREEN (África del Sur) (UPI) – Por lo menos 165 habitantes negros de la aldea de Tazareen, en la región de Transvaal, perecieron en una masacre aparentemente insensata ejecutada por insurgentes del Ejército Africano Revolucionario durante una incursión iniciada al alba, según informan funcionarios de África del Sur.

Un oficial militar que se encuentra en el lugar dijo que la incursión fue ejecutada por aproximadamente doscientos guerrilleros que entraron en la aldea, disparando indiscriminadamente sobre todo el mundo y descargando sus machetes.

«Murieron cuarenta y seis mujeres y niños, y algunos pequeños todavía estaban en sus cunas, aferrados a sus muñecas —dijo un atónito investigador, mientras señalaba los restos quemados de la aldea otrora próspera—. Desde el punto de vista militar fue algo absurdamente inútil, un acto de salvajismo animal.»

Una niña de unos cuatro años fue encontrada con el cuello cortado. Había mujeres embarazadas con grandes golpes en el abdomen, lo cual indicaba que habían muerto a puntapiés.

Los funcionarios del Ministerio de Defensa no supieron explicar el motivo del ataque. Todas las víctimas eran civiles. La instalación militar más próxima está a unos veinte kilómetros de distancia.

Hasta ahora, el Ejército Africano Revolucionario, comandado por el expatriado norteamericano Hiram Jones, que ahora se hace llamar Hiram Lusana, ha librado una guerra estrictamente militar, atacando únicamente a las fuerzas e instalaciones de la defensa sudafricana.

Los ataques bárbaros de otros grupos insurgentes han sido usuales en la frontera septentrional de África del Sur. Los jefes militares consideran desconcertante este nuevo método.

La única masacre anterior relacionada con el Ejército Africano Revolucionario fue el ataque a la granja Fawkes, en Umkono, Natal, donde murieron treinta y dos personas.

Es sabido que Irma-Jones Lusana está actualmente en Washington gestionando apoyo para el Ejército Africano Revolucionario.

Lusana no pudo encajar el artículo hasta haberlo leído cuatro veces. Finalmente, alzó los ojos, conmovido, y abrió las manos en un gesto de asombro.

—No tengo nada que ver con esto —dijo.

Daggat apartó los ojos del libro.

—Le creo, Hiram. Sé muy bien que esa clase de estupidez no es una de sus características. Sin embargo, en su carácter de comandante usted es responsable de la conducta de sus tropas.

—¡Jumana! —explotó Lusana, que de pronto había comprendido—. Está equivocado, congresista, *en efecto* soy estúpido. Tom Machita trató de advertirme de los planes del renegado Jumana, pero yo me negué a escucharlo.

—El corpulento coronel cargado de medallas —dijo Daggat—. Recuerdo haberlo visto en el cóctel. Según usted dijo era el líder de una tribu importante.

Lusana asintió.

—Un «hijo favorito» de la tribu Srona. Pasó más de ocho años en las cárceles sudafricanas, hasta que yo organicé su fuga. Goza de firme apoyo en toda la provincia de Transvaal. Me pareció que desde el punto de vista político era oportuno designarlo segundo jefe.

—Como muchos africanos que de pronto adquieren poder, parece que tiene delirios de grandeza.

Lusana se puso de pie y con expresión fatigada se apoyó contra un estante de libros.

—Idiota —murmuró, casi para sí—. ¿No puede comprender que está destruyendo la misma causa por la cual lucha?

Daggat se puso de pie y apoyó una mano en el hombro de Lusana.

—Le sugiero que aborde el primer avión de regreso a Mozambique y reconquiste el control de su movimiento. Difunda comunicados en los cuales niegue la participación del Ejército Africano en la masacre. Si es necesario atribúyala a otros grupos insurgentes, pero actúe y ordene su casa. Yo haré todo lo posible para moderar la reacción negativa en Estados Unidos.

Lusana extendió la mano.

—Gracias congresista, le agradezco todo lo que ha hecho.

Daggat le estrechó cálidamente la mano.

—Y la subcomisión, ¿cómo votará ahora? —dijo Lusana.

Daggat sonrió, confiado.

—Tres a dos a favor de la ayuda al Ejército Africano Revolucionario, siempre que usted resulte convincente frente a las cámaras de la televisión cuando niegue toda participación en la masacre de Tazareen.

El coronel Joris Zeegler se había instalado en el sótano de una escuela, a unos quince kilómetros del límite entre la provincia de Natal y Mozambique. Mientras se continuaba dictando clase en los dos pisos superiores, Zeegler y varios altos oficiales de las Fuerzas de Defensa estudiaban mapas aéreos y una maqueta a escala del cuartel general del Ejército Africano Revolucionario, que estaba del otro lado de la frontera, a unos treinta y cinco kilómetros de distancia.

Zeegler entornó los ojos para ver mejor a través del humo del cigarrillo que colgaba de sus labios, y con un apuntador señaló un edificio en miniatura, en el centro de la maqueta.

—El antiguo edificio de la administración universitaria —dijo— es el centro principal de Lusana. Una red de comunicaciones suministradas por los chinos, las oficinas de los oficiales superiores, la sección de espionaje, las aulas destinadas a adoctrinamiento… todo está allí. Esta vez han ido demasiado lejos. Destruyan el campo, y a todos sus ocupantes, y habrán cortado la cabeza del Ejército Africano Revolucionario.

—Disculpe, señor —dijo un capitán de rostro rojizo y espeso bigote—, pero entiendo que Lusana se encuentra en Estados Unidos.

—En efecto. Ahora está en Washington, y solicita de rodillas el apoyo financiero de los yanquis.

—En ese caso, ¿de qué sirve cortar la cabeza de la serpiente si el cerebro está en otro sitio? ¿Por qué no esperamos su regreso y lo incluimos en la operación?

Zeegler le dirigió una mirada fría y condescendiente.

—Capitán, su estilo literario necesita refinarse. Pero respondiendo a su pregunta… no sería práctico esperar el retorno de Lusana. Nuestras fuentes de inteligencia han confirmado que el coronel Randolph Jumana organizó un motín en las filas del Ejército Africano Revolucionario.

Hubo miradas de sorpresa entre los oficiales reunidos alrededor de la maqueta. Era la primera vez que oían hablar de la eliminación de Lusana.

—Ahora es el momento de atacar —continuó Zeegler—. Con el asesinato brutal de mujeres y niños indefensos en Tazareen, Jumana justifica la represalia. El primer ministro aprobó la incursión en territorio enemigo, con el fin de destruir el cuartel general del Ejército Africano Revolucionario. Por supuesto, anticipamos las habituales protestas diplomáticas de los países del Tercer Mundo. Es una formalidad, y nada más.

Un hombre de aspecto rudo, con grado de mayor y uniforme de camuflaje, alzó una mano. Zeegler lo autorizó a hablar.

—El informe de inteligencia también menciona la presencia de asesores vietnamitas, y posiblemente de algunos observadores chinos. Supongo que nuestro gobierno deberá sufrir ciertas consecuencias si liquidamos a esos bastardos.

—Ocurren accidentes —dijo Zeegler—. Si por casualidad un extranjero se pone en la línea de fuego, no debe preocuparles el hecho de que una bala perdida lo envíe directamente al paraíso de Buda. No tiene nada que hacer en África. El ministro de Defensa De Vaal está al tanto de la probabilidad de que ello ocurra, y está dispuesto a aceptar las consecuencias del problema.

Zeegler volvió a mirar la maqueta.

—Ahora, caballeros, veamos la última fase del ataque. Hemos decidido imitar el ejemplo del Ejército Africano Revolucionario y estudiar previamente con todo detalle la disposición del campo de batalla. —Sonrió sin alegría—. Excepto que nos proponemos asestarles un golpe más decisivo.

Thomas Machita temblaba en su celda. No recordaba haber sentido tanto frío. La temperatura de esa región africana había seguido su curso normal, desde el calor extremo la tarde anterior a un frío intenso en las horas anteriores al alba.

Los esbirros de Jumana habían retirado a Machita del cuarto de radio antes de que pudiese enviarle un mensaje de advertencia a Lusana, en Washington. Lo habían golpeado salvajemente antes de quitarle las ropas, y arrojarlo a una celda húmeda en el subsuelo del edificio. Un ojo estaba tan inflamado que se le había cerrado por completo; un corte profundo sobre la otra ceja se había coagulado durante la noche, y solo conseguía ver después de desprender la sangre seca. Tenía los labios hinchados y había perdido dos dientes, cortesía de un certero culatazo. Cambió de posición sobre una sucia pila de hojas secas, tratando de contener un gemido ante el dolor provocado por las costillas rotas.

Machita yacía, dominado por un oscuro sentimiento de frustración, mirando sin ver las paredes de cemento de su prisión, mientras la luz del nuevo día se filtraba a través de una pequeña ventana cerrada por barrotes, a cierta altura sobre su cabeza. La celda no era más que un cubículo de un metro y medio de lado, y apenas había espacio suficiente para acostarse, siempre que alzara las rodillas. La puerta baja y arqueada que comunicaba con el vestíbulo del subsuelo era caoba de siete centímetros de espesor, y carecía de cerrojo o picaporte en la cara interior.

Por la ventana le llegaron voces y con un esfuerzo doloroso consiguió incorporarse y mirar afuera. La ventana daba al campo de desfiles, y el suelo estaba al nivel de los ojos. Los comandos especiales estaban en formación para el pase de lista y la inspección. Enfrente, los ventiletes de la cocina despedían ondulantes ondas de calor, mientras los cocineros encendían sus hornallas. Una compañía de reclutas provenientes de Angola y Zimbabue salió somnolienta de sus tiendas, acicateada por los veteranos jefes de sección.

Comenzó como un día cualquiera de adoctrinamiento político e instrucción de combate, pero este debía ser muy distinto.

Los ojos atentos al reloj, Joris Zeegler habló con voz neutra por el micrófono de una radio de campaña.

—¿Tónico uno?

—Tónico uno en posición, señor— dijo una voz en el receptor.

—¿Tónico dos?

—Preparados para la acción, coronel.

—Empiezo la cuenta —dijo Zeegler—. Cinco, cuatro, tres, dos...

La formación de comandos dispuesta en el campo cayó al suelo como respondiendo a una orden. Machita no podía creer que doscientos hombres hubieran muerto casi instantáneamente, a consecuencia de una salva de disparos provenientes del denso matorral que rodeaba el perímetro del campo. Apretó el rostro contra los barrotes, sin prestar atención al dolor, moviendo la cabeza para ver mejor con el único ojo más o menos sano. La intensidad del fuego aumentó cuando los confundidos soldados del Ejército Africano Revolucionario iniciaron su inútil contraataque dirigido al enemigo invisible.

Machita podía distinguir los disparos de los rifles automáticos chinos CK-88 del Ejército Africano Revolucionario, de los fusiles Felo de fabricación israelí, utilizados por las Fuerzas de Defensa sudafricanas. El Felo emitía una suerte de ladrido mientras descargaba enjambres de mortales discos, afilados como navajas, que podían cortar con una andanada un tronco de veinte centímetros.

Machita comprendió que los sudafricanos habían cruzado la frontera en una incursión relámpago para vengarse de Tazareen.

—¡Maldito seas, Jumana! —gritó, poseído por una rabia impotente—. Tú provocaste esto.

Los hombres caían por doquier, en frenéticas contorsiones. Eran tantos los que cubrían el campo de desfiles que no podía caminarse de un extremo al otro sin pisar carne desgarrada. Un helicóptero de las Fuerzas de Defensa se acercó a la barraca principal, donde una compañía de hombres se había refugiado. Un bulto voluminoso cayó del helicóptero y aterrizó en el techo. Unos segundos después el edificio volaba en una resonante explosión de ladrillo y polvo.

La infantería sudafricana aún no había revelado sus posiciones. Estaba destruyendo al núcleo principal del Ejército

Africano Revolucionario con el mínimo riesgo. El planeamiento y la ejecución eficaces habían aportado buenos dividendos a los blancos.

El verde y el pardo del camuflaje del helicóptero apareció un instante en el campo visual de Machita, y después sobrevoló el edificio principal, donde estaba la celda.

Machita preparó su cuerpo dolorido para soportar la explosión inevitable. La confusión fue el doble o quizá el triple de lo que había esperado. Sintió que le faltaba aire en los pulmones. Después, el techo de la celda se derrumbó y su minúsculo mundo se oscureció por completo.

—Ya vienen, señor —dijo un sargento, saludando marcialmente.

Pieter de Vaal hizo un movimiento con su bastón.

—En ese caso, creo que debemos darles la bienvenida, ¿no le parece?

—Sí, señor.

El sargento abrió la portezuela trasera del automóvil mientras él se alisaba meticulosamente el uniforme bien cortado. Luego echó a andar hacia el campo de aterrizaje cubierto de pasto.

Ambos permanecieron de pie un minuto, tratando de seguir el movimiento del helicóptero, cuyos faros de aterrizaje disipaban las sombras del anochecer. Después, el vendaval desatado por las paletas de los rotores los obligó a llevarse la mano a la gorra y volverse de espaldas, mientras los pequeños guijarros impulsados por el viento les salpicaban el cuerpo.

Con perfecta precisión, los helicópteros de las Fuerzas de Defensa descendieron uno tras otro, formando una línea en el aire, a corta distancia del suelo. Después, a una orden del comandante del escuadrón, se posaron suavemente como una sola unidad, y las luces se apagaron. Zeegler descendió del primer helicóptero y corrió hacia De Vaal.

—¿Cómo ha ido? —preguntó el ministro de Defensa.

La sonrisa de Zeegler era apenas visible en la oscuridad.

—Para la historia militar, ministro. Una hazaña. No es posible describirlo de otro modo.

—¿Bajas?

—Cuatro heridos, ninguno grave.

—¿Y los rebeldes?

Zeegler hizo una pausa de efecto.

—La cuenta de cadáveres indicó dos mil trescientos diez. Por lo menos doscientos más están enterrados bajo los escombros de los edificios destruidos. Solo un puñado habrá escapado a la selva.

—¡Santo Dios! —De Vaal pareció impresionado—. ¿Habla en serio?

—Conté dos veces los cuerpos.

—Nunca pensamos que lograríamos abatir más de unos centenares de rebeldes.

—Un golpe de suerte —dijo Zeegler—. El campamento estaba preparado para una inspección. Fue lo que los norteamericanos llamarían tiro al pichón. El coronel Randolph Jumana cayó con la primera andanada.

Jumana era un idiota —observó De Vaal—. Tenía los días contados. Thomas Machita… ese sí es peligroso. Machita es el único bastardo del Ejército Africano Revolucionario que podría ocupar el lugar de Lusana.

—Identificamos a varios oficiales del Estado Mayor de Lusana, incluso el coronel Duc Phon Lo, su asesor militar vietnamita, pero el cuerpo de Machita no apareció. Creo que sus restos quedaron enterrados bajo toneladas de escombros. —Zeegler hizo una pausa y miró a De Vaal—. En vista del éxito, herr ministro, creo que conviene anular la operación Rosa Silvestre.

—¿Abandonar cuando estamos ganando?

Zeegler asintió silenciosamente.

—Soy pesimista, coronel. El Ejército Africano Revolucionario necesitará meses, quizá años para levantarse, pero lo hará. —De Vaal pareció hundirse en un en sueño íntimo. Después reaccionó—. Mientras África del Sur viva bajo la amenaza del gobierno negro, no tenemos más remedio que utilizar todos los métodos posibles para sobrevivir. Rosa Silvestre se ejecutará de acuerdo con el plan.

—Me sentiré mejor cuando Lusana esté en nuestras manos.

De Vaal dirigió una sonrisa a Zeegler.

—¿No se ha enterado?

—¿De qué?

—Hiram Lusana jamás retornará a África. Jamás.

Machita no supo cuándo comenzó a recuperar la conciencia. Estaba sumergido en la oscuridad. Después, el dolor comenzó a acentuarse en sus terminaciones nerviosas, y gimió involuntariamente. Sus oídos registraron el sonido, pero nada más.

Trató de alzar la cabeza, y una bola amarillenta apareció arriba y a la izquierda. Poco a poco, el extraño objeto adquirió un perfil más definido y se convirtió en marco de referencia. Estaba mirando la luna llena.

Trató de sentarse, con la espalda apretada contra una pared fría y desnuda. A la luz que se filtraba entre los escombros, pudo ver que el piso superior había caído poco más de medio metro antes de quedar apretado y sostenido por las estrechas paredes de la celda.

Después de un breve descanso para reunir fuerzas, Machita comenzó a abrirse paso entre los escombros. Sus manos descubrieron una tabla corta y la usó para golpear los bordes del piso superior, hasta que al fin ensanchó bastante la abertura y pudo pasar por ella. Espió cautelosamente el aire frío de la noche. Nada se movía. Dobló las rodillas e impulsó hacia arriba el cuerpo, y sus manos tocaron el pasto del campo de desfiles. Un fuerte impulso, y quedaría libre.

Machita respiró hondo y miró alrededor. Entonces comprendió el milagro de su salvación. La pared del edificio, frente al campo de desfiles, se había desplomado hacia dentro, hundiendo el piso de la planta baja; y este había protegido eficazmente su celda del resto de los escombros y de la búsqueda asesina de los sudafricanos.

Nadie dio la bienvenida a Machita cuando este se incorporó, porque en el campamento no había un solo ser humano. La luna iluminaba un paisaje árido y fantasmagórico. Todas las instalaciones y edificios habían sido arrasados. El campo estaba vacío; habían retirado los cadáveres de los hombres.

Era como si el Ejército Africano Revolucionario nunca hubiese existido.

45

—Ojalá pudiese ayudarlo, pero en realidad no veo cómo hacerlo.

Lee Raferty había estado en lo cierto, pensó Pitt. Orville Mapes en efecto parecía más un buhonero que un traficante de armas. Pero Raferty se había equivocado en una cosa: Mapes ya no era vicepresidente; había ascendido a presidente y director del consejo de la Corporación de Armas Phalanx. Pitt miró fijamente los ojos grises del hombrecillo regordete.

—La consulta de sus registros de inventario sería útil.

—No abro mis registros a un desconocido. Mis clientes no verían con buenos ojos a un proveedor que revela sus transacciones.

—La ley exige que usted comunique sus ventas de armas al Departamento de Defensa. Entonces, ¿dónde está el secreto?

—Señor Pitt, ¿usted pertenece a ese departamento? —preguntó Mapes.

—Indirectamente.

—Entonces, ¿a quién representa?

—Lo siento, no puedo decirlo.

Mapes meneó la cabeza con irritación y se puso de pie.

—Soy un hombre atareado. No tengo tiempo para juegos.

Pitt permaneció sentado.

—Siéntese, señor Mapes... por favor.

Mapes se encontró mirando un par de ojos verdes duros como el jade. Vaciló y luego volvió a sentarse con movimientos lentos.

Pitt hizo un gesto en dirección al teléfono.

—Para que ambos sepamos a qué atenernos le propongo que llame al general Elmer Grosfield.

Mapes adoptó una expresión hosca.

—El inspector principal de embarques a países extranjeros y yo rara vez concordamos.

—Entiendo que al general Grosfield no le agrada que se vendan armas secretas a países hostiles.

Mapes se encogió de hombros.

—El general es un hombre de mente estrecha. —Mapes se recostó en su asiento y miró reflexivamente a Pitt—. ¿Puede decirme cuál es su relación con Grosfield?

—Digamos que respeta mi juicio más que el suyo.

—Señor Pitt, ¿percibo una velada amenaza? Si no coopero con usted, me denunciará a Grosfield... ¿no es así?

—Mi pedido es sencillo —dijo Pitt—. Que verifique el paradero de los proyectiles navales que compró a Lee Raferty en Colorado.

—No tengo que mostrarle nada, señor —replicó obstinadamente Mapes—. Por lo menos si no me ofrece una explicación lógica, o una buena identificación, o una orden del juez.

—¿Y si el general Grosfield formula el pedido?

—En ese caso quizá decida cooperar.

Pitt señaló de nuevo el teléfono.

—Le indicaré su número privado.

—Lo tengo —dijo Mapes, y buscó en una pequeña libreta. Encontró la página que buscaba—. No es que no confíe en usted, señor Pitt. Pero si no le importa, prefiero usar un número de mi propio archivo.

—Como guste —dijo Pitt.

Mapes descolgó el auricular, insertó la tarjeta en el teléfono de discado automático y oprimió el botón correspondiente.

—Son más de las doce —dijo—. Es probable que Grosfield haya salido a almorzar.

Pitt meneó la cabeza.

—El general es un fanático del deber. Come en su despacho.

—Siempre imaginé algo parecido —gruñó Mapes.

Pitt sonrió y confió en que Mapes no advertiría la ansiedad que sentía en ese momento.

Abe Steiger se secó el sudor de las manos en las perneras del pantalón y a la tercera llamada descolgó el teléfono, y mordió un plátano antes de hablar.

—Habla el general Grosfield —murmuró.

—General, habla Orville Mapes, de Armas Phalanx.

—Mapes, ¿dónde está? Parece que habla desde el fondo de un barril.

—General, a usted también se lo oye muy mal.

—Me ha sorprendido en mitad de un emparedado de mantequilla de cacahuete. ¿Qué le pasa, Mapes?

—Lamento interrumpir su almuerzo, pero ¿conoce a un tal Dirk Pitt?

Steiger hizo una pausa y respiró hondo antes de contestar.

—Pitt. Sí, conozco a Pitt. Es un investigador del Comité Senatorial de las Fuerzas Armadas.

—¿Entonces, sus credenciales son buenas?

—No las hay mejores —dijo Steiger—. ¿Por qué lo pregunta?

—Está sentado frente a mí y quiere inspeccionar mi inventario.

—Ya me preguntaba cuándo llegaría hasta usted. —Steiger dio otro bocado al plátano—. Pitt está dirigiendo la investigación del asunto Stamton.

—¿El asunto Stamton? Jamás oí hablar de eso.

—No me extraña. No se hace publicidad. A un senador bien intencionado se le metió en la cabeza que el ejército oculta depósitos de gas venenoso. De modo que ha iniciado una investigación para encontrarlo. —Steiger tragó el último trozo de plátano y arrojó la piel en uno de los cajones del general Grosfield—. Pitt y sus investigadores no descubrieron absolutamente nada. Y ahora, se dedica a investigar a los vendedores particulares.

—¿Qué sugiere?

—Lo que sugiero —barboteó Steiger— es que entregue a ese bastardo lo que le pide. Si usted tiene cilindros de gas en sus depósitos, entrégueselos y ahórrese disgustos. El Comité Stamton no se propone enjuiciar a nadie. Lo único que desean es asegurarse de que ningún dictador del Tercer Mundo se apodere de armas peligrosas.

—Gracias por el consejo, general —dijo Mapes.

—Adiós, señor Mapes.

Steiger colgó y dejó escapar un hondo suspiro de satisfacción. Luego, limpió el auricular con un pañuelo y salió al vestíbulo. Se disponía a cerrar la puerta del despacho del general cuando apareció un capitán con el uniforme verde del Ejército. Los ojos del capitán mostraron cierto recelo al ver a Steiger.

—Discúlpeme, coronel, pero si busca al general Grosfield, ha salido a almorzar.

Steiger se enderezó y miró al capitán con su expresión más altiva, para subrayar la diferencia de grados, y dijo:

—No conozco al general. Esta selva de cemento me ha llevado a perder la orientación. Busco el Departamento Militar de Accidentes y Seguridad. Me asomé a esta oficina para pedir aclaración.

El capitán pareció aliviado ante la perspectiva de evitar una situación embarazosa.

—Oh, qué diablos, yo me pierdo diez veces al día. Encontrará Accidentes y Seguridad en el piso inferior. El ascensor está a la vuelta de la próxima esquina, a su derecha.

—Gracias, capitán.

—De nada, señor.

En el ascensor, Steiger sonrió perversamente mientras se preguntaba qué pensaría el general Grosfield cuando encontrara la piel de plátano en su cajón.

A diferencia de la mayoría de los guardias de seguridad, que visten uniformes mal cortados, con cinturones deformados por pesados revólveres, el personal de Mapes tenía más bien el aspecto de una tropa de combate vestida a la última moda, según podían imaginarla los directores de la revista *El hombre elegante*. Había dos de guardia a la entrada de los depósitos de Phalanx, y vestían uniformes de fajina bien cortados, y estaban armados con los más modernos rifles de asalto.

Mapes aminoró la marcha de su Rolls-Royce descapotable y alzó ambas manos, al parecer para saludar a los guardias. Uno de estos asintió e hizo una señal a su compañero, que abrió el portón desde dentro.

—Supongo que esa fue una señal —dijo Pitt.

—¿Cómo dice?

—Levantar las manos.

—Así es —dijo Mapes—. Si usted viniese apuntándome con un revólver, yo habría mantenido las manos en el volante. Un gesto normal. Después, mientras pasábamos, y cuando usted tuviese la atención fija en el guardia que abre el portón, su compañero se habría acercado discretamente por detrás y le habría disparado en la cabeza.

—Me alegro de que haya recordado que debía alzar las manos.

—Usted es muy observador, señor Pitt —dijo Mapes—. Sin embargo, ahora me ha obligado a cambiar la señal dirigida a los guardias.

—Me duele que no confíe en que yo guardaré su secreto.

Mapes no contestó al sarcasmo de Pitt. Mantuvo los ojos fijos en un estrecho camino de asfalto que corría entre hileras aparentemente interminables de galpones prefabricados. Después de avanzar casi un kilómetro y medio llegaron a un campo abierto atestado de carros de combate en diferentes grados de deterioro. Un pequeño ejército de mecánicos trabajaba en diez de los grandes vehículos, estacionados en formación al borde del camino.

—¿Cuántas hectáreas tiene? —preguntó Pitt.

—Dos mil quinientas —contestó Mapes—. Usted está viendo el sexto ejército del mundo desde el punto de vista del equipo. Y Armas Phalanx es el séptimo por la importancia de su fuerza aérea.

Mapes entró en un camino de tierra que corría entre varias construcciones erigidas en la ladera de una colina, y se detuvo frente a una con el rótulo ARSENAL 6. Descendió del automóvil y extrajo una llave, la insertó en un gran candado de bronce y retiró este. Abrió un par de puertas de acero y encendió la luz.

En el interior del depósito, que tenía forma de caverna, había millares de cajas de munición y cajones con granadas. Se amontonaban en un túnel que parecía prolongarse hasta el infinito. Pitt nunca había visto tanta destrucción potencial reunida en un mismo sitio.

Mapes indicó un pequeño vehículo.

—No es necesario fatigarse caminando. Este almacén se prolonga bajo tierra casi tres kilómetros.

Hacía frío en el arsenal, y el zumbido del vehículo eléctrico parecía prolongarse en el aire húmedo. Mapes viró hacia un túnel lateral, y aminoró la marcha. Sostuvo un mapa a la luz de una lámpara y lo estudió.

—A partir de este punto y a lo largo de cien metros está el último depósito mundial de proyectiles navales de dieciséis pulgadas. Son obsoletos porque solo pueden usarlos los acorazados, y ya no queda ninguno operativo. Las cápsulas de gas que compré a Raferty deben de estar apiladas cerca del centro.

—No veo señales de los cilindros —dijo Pitt.

Mapes se encogió de hombros.

—Los negocios son los negocios. Los cilindros de acero inoxidable cuestan dinero. Los vendí a una compañía de productos químicos.

—El depósito parece interminable. Se necesitarán horas para encontrar lo que buscamos.

—No —replicó Mapes—, Las cápsulas de gas se asignaron al lote seis. —Se apartó del vehículo y caminó entre las pilas de proyectiles, y finalmente señaló hacia un lugar—. Sí, ahí están. —Cruzó por un estrecho pasaje y se detuvo.

Pitt permaneció en el corredor principal, pero incluso a la escasa luz de las lamparillas del techo advirtió una expresión extraña en el rostro de Mapes.

—¿Algún problema?

Mapes guardó silencio, y meneó la cabeza.

—No entiendo —dijo al fin—. Veo solamente cuatro. Debería haber ocho.

Pitt se alarmó.

—Seguramente han de estar por aquí.

—Comience a buscar por el otro extremo, empezando por el lote treinta —ordenó Mapes—. Yo volveré al lote uno y comenzaré por allí.

Unos cuarenta minutos después se encontraron a medio camino. Los ojos de Mapes tenían una expresión desconcertada. Extendió las manos en un gesto de impotencia.

—Nada.

—¡Maldición, Mapes! —exclamó Pitt, y su voz se repitió en ecos sobre las paredes de cemento—. ¡Sin duda las vendió!

—¡No! —protestó el hombrecillo—. Fueron una mala compra. Calculé mal. Todos los gobiernos temían ser el primero en usar gas después de Vietnam.

—Muy bien, tenemos cuatro y faltan cuatro —dijo Pitt, tratando de dominarse—. ¿Qué hacemos ahora? Pareció que durante un instante la situación impedía pensar a Mapes.

—El inventario… compararemos el inventario con las facturas de venta.

Mapes usó un teléfono a la entrada del túnel para avisar a su oficina. Cuando él y Pitt regresaron, el contable de Armas Phalanx tenía los registros sobre el escritorio. Mapes revisó rápidamente las páginas con los asientos contables. Necesitó menos de diez minutos para encontrar la respuesta.

—Me he equivocado —dijo en voz baja.

Pitt permaneció en silencio, esperando, con las manos apretadas.

—Las cápsulas de gas fueron vendidas.

Tampoco ahora Pitt habló, pero sus ojos tenían una expresión asesina.

—Un error —dijo Mapes con voz tenue—. El personal retiró las cápsulas de un lote equivocado. La orden de embarque se refería a cuarenta proyectiles pesados del lote dieciséis. Solamente puedo suponer que el primer dígito, el uno, no apareció en la copia destinada al personal, y que leyeron «lote seis».

—Me parece oportuno señalar, Mapes, que aquí reina cierto desorden. —Pitt apretó los puños. ¿Quién realizó la compra?

—Lamentablemente, el mismo mes llegaron tres pedidos.

Dios mío, pensó Pitt, ¿por qué todo es tan difícil?

—Anotaré los nombres de los compradores.

—Espero que comprenda mi situación —dijo Mapes con el tono cortante del hombre de negocios—. Si mis clientes se enteran de que he revelado estos datos... usted comprenderá por qué este asunto debe ser confidencial.

—Francamente, Mapes, me gustaría meterlo en uno de sus propios cañones y disparar. Ahora, déme esa lista antes de que le eche encima al fiscal general y al Congreso.

Una leve palidez se insinuó en el rostro de Mapes. Cogió un bolígrafo y en una hoja escribió los nombres de los compradores. Se la entregó a Pitt.

El Museo Británico Imperial de Guerra de Londres había comprado una de las granadas. Dos habían ido a parar a manos de los Veteranos de Guerra, en la ciudad de Dayton, Oklahoma. Las treinta y siete restantes habían sido compradas por un agente que representaba al Ejército Africano Revolucionario. No se indicaba ninguna dirección.

Pitt guardó el papel en el bolsillo y se puso de pie.

—Enviaré un equipo de hombres que retire las cápsulas de gas que hay en el túnel —dijo fríamente. Detestaba a Mapes, y detestaba todo lo que el regordete mercader de la muerte representaba. Pitt no pudo salir del despacho sin disparar una última andanada—. ¿Mapes?

—¿Sí?

Mil insultos se agitaban en la mente de Pitt, pero no pudo decidirse por ninguno. Finalmente, cuando la expresión expectante de Mapes se convirtió en desconcierto, Pitt habló.

—¿Cuántos hombres murieron o quedaron mutilados el año pasado y el anterior a causa de su mercadería?

—No me ocupo de lo que otros hacen con mis artículos —repuso Mapes con despreocupación.

—Si una de estas cápsulas de gas reventara usted quizá sería responsable de millones de muertes.

—¿Millones, señor Pitt? —Los ojos de Mapes lo miraron con dureza—. Para mí, esa expresión no es más que una estadística.

46

Steiger posó suavemente el avión de caza Spook F-140 en la pista de la base Sheppard de la fuerza aérea, en las afueras de Wichita Falls, Texas. Después de informar al responsable de operaciones aéreas, cogió un automóvil de la base y enfiló hacia el norte, atravesando río Rojo para entrar en Oklahoma. Pasó a la autopista estatal cincuenta y tres y poco después estacionó a un lado del camino; experimentaba la súbita necesidad de orinar. Aunque era poco más de la una de la tarde, en kilómetros y kilómetros no se veían automóviles ni signos de vida.

Steiger no recordaba haber visto una extensión tan llana y desolada. El paisaje barrido por el viento estaba desierto, excepto un galpón lejano y una parva de heno abandonada. Era un paisaje deprimente. Si alguien hubiese depositado un arma en la mano de Steiger, habría sentido el impulso de dispararse un tiro, nada más que por pura melancolía. Se abrochó el pantalón y subió al automóvil.

Poco después, una torre de agua apareció junto al camino absolutamente recto. Siguió una pequeña localidad con muy pocos árboles, y al fin pasó frente a un cartel que le daba la bienvenida a Dayton, la Reina del Cinturón Triguero. Detuvo el vehículo frente a una vieja y sórdida estación de servicio, cuyos surtidores estaban aún coronados por filtros de vidrio.

De una fosa de engrasado emergió un viejo con traje de mecánico, y se acercó a la ventanilla del coche.

—¿En qué puedo servirlo?

—Estoy buscando la sede local de los Veteranos de Guerra —dijo Steiger.

—Si tiene que hablar en el almuerzo, llega tarde —le reprendió el anciano.

—Vengo por otros motivos —dijo Steiger, sonriendo.

El hombre no pareció impresionarse. Del bolsillo extrajo un trapo sucio y se limpió las manos engrasadas.

—Vaya hasta el semáforo que hay en mitad de la ciudad y doble a la izquierda. No tiene pérdida.

Steiger siguió las instrucciones y estacionó en el aparcamiento de grava de un edificio mucho más moderno que las restantes construcciones de la ciudad. Varios automóviles salían del lugar y levantaban nubes de polvo rojizo. Steiger supuso que el almuerzo había concluido. Entró en el edificio y permaneció un momento en la entrada de un espacioso salón con piso de madera. Los platos de varias mesas todavía exhibían restos de pollo frito. Tres hombres reunidos en un lado advirtieron su presencia y lo saludaron. Un individuo alto y desmañado, de unos cincuenta años y por lo menos un metro ochenta y cinco, se separó del resto y caminó hacia Steiger. Tenía el rostro áspero y los cabellos cortos y lustrosos peinados hacia atrás. Extendió la mano.

—Buenas tardes, coronel. ¿Qué lo trae a Dayton?

—Busco al comandante de la sección, el señor Billy Lovell.

—Soy Billy Lovell. ¿Qué puedo hacer por usted?

—Encantado de conocerlo —dijo—. Me llamo Steiger. Abe Steiger. Vengo de Washington por un asunto urgente.

Lovell lo miró con expresión cordial pero reflexiva.

—Me asombra, coronel. No me dirá que un satélite espía de los rusos, un arma supersecreta descendió en un campo próximo a la ciudad, ¿verdad?

Steiger meneó la cabeza.

—Nada tan dramático. Estoy buscando un par de proyectiles navales que ustedes compraron a la Corporación de Armas Phalanx.

—Ah, ¿esos proyectiles fallados?

—¿Fallados?

—Sí, pensábamos detonarlos durante el picnic del día de los Veteranos. Los depositamos en un viejo tractor y trabajamos toda la tarde, pero no explotaron. Quisimos que Phalanx los cambiase. —Meneó la cabeza—. Rehusaron. Dijeron que todas las ventas eran definitivas.

Steiger sintió un escalofrío en la columna vertebral.

—Quizá no son el tipo de proyectil que puede detonar.

—No. —Lovell meneó la cabeza—. Phalanx dijo que eran proyectiles navales con su correspondiente carga explosiva.

—¿Todavía los tienen?

—Por supuesto, están aquí. Ha pasado delante de ellos cuando entró.

Lovell salió con Steiger. Los dos proyectiles adornaban la entrada del edificio. Estaban pintados de blanco y a los costados les habían soldado cadenas que bordeaban el camino.

Steiger contuvo la respiración. Las granadas tenían los extremos redondeados. Sintió que se le doblaban las rodillas y tuvo que sentarse en los peldaños. Lovell estudió la expresión absorta de Steiger.

—¿Ocurre algo?

—¿Intentaron que eso explotara? —preguntó Steiger con incredulidad.

—Les disparamos casi cien tiros. Aplastamos un poco los extremos, pero nada más.

—Es un milagro… —murmuró Steiger.

—¿Qué?

—No son granadas explosivas —explicó Steiger—. Son granadas de gas. Los mecanismos de detonación no se activan mientras no se liberan los paracaídas. Los disparos de ustedes carecieron de efecto porque a diferencia de los proyectiles explosivos comunes estos no están preparados para detonar.

—¡Dios mío! —exclamó Lovell—. ¿Quiere decir que esos artefactos contienen gas venenoso?

Steiger se limitó a asentir.

—Caray, podríamos haber liquidado a la mitad del condado.

—Y algo más —murmuró por lo bajo Steiger. Se puso de pie—. Quiero ir al lavabo y usar un teléfono, por ese orden.

—Por supuesto, venga conmigo. El lavabo está al final del salón, a la izquierda, y en mi despacho hay un teléfono. —Lovell se detuvo y sus ojos cobraron una expresión astuta—. Si les entregamos esas granadas… bien, quizá…

—Le prometo que usted y su sección recibirán diez granadas de dieciséis pulgadas en excelentes condiciones, lo suficiente para que en la próxima celebración del día de los Veteranos se diviertan como nunca.

Lovell sonrió de oreja a oreja.

—Cuente conmigo, coronel.

En el lavabo, Steiger se mojó la cara con agua fría. Los ojos que se reflejaban en el espejo estaban inyectados en sangre y denotaban cansancio, pero también irradiaban esperanza. Había rastreado con éxito dos proyectiles de Muerte Rápida. Solo le restaba desear que Pitt tuviese la misma suerte.

Steiger cogió el teléfono en el despacho de Lovell y pidió a la operadora una llamada de larga distancia, a cobro revertido.

Pitt dormía en un diván de su despacho de la ANIM cuando su secretaria Zerri Pochinsky se inclinó sobre él y lo despertó. Los largos cabellos castaños de la joven enmarcaban un rostro cálido y bonito, que desbordaba de admiración hacia su jefe.

—Tiene un visitante y dos llamadas —dijo con su suave acento sureño.

Pitt se esforzó por reaccionar y se sentó en el diván.

—¿Qué llamadas?

—La congresista Smith —contestó Zerri con cierta acritud—, y el coronel Steiger por larga distancia.

—¿Y el visitante?

—Dice que se llama Sam Jackson. No tiene cita previa, pero insiste en que es importante.

Pitt había conseguido desperezarse del todo.

—Atenderé primero la llamada de Steiger. Diga a Loren que la llamaré, y haga pasar a Jackson apenas termine de hablar por teléfono.

Zerri asintió.

—El coronel está en la línea tres.

Se acercó al escritorio y pulsó uno de los botones del teléfono.

—Abe?

—Saludos de la soleada Oklahoma.

—¿Cómo le ha ido?

—Muy bien —dijo Steiger—. Conseguí los dos proyectiles.

—Excelente —dijo Pitt, sonriendo por primera vez en varios días—. ¿Hubo problemas?

—Ninguno. Me quedaré aquí hasta que vengan a recogerlos.

—En Dulles tengo un Catlin de la ANIM, con una cabria especial. ¿Dónde pueden aterrizar?

—Un momento.

Pitt alcanzó a oír voces apagadas, mientras Steiger hablaba con alguien en el otro extremo de la línea.

—Muy bien —dijo Steiger—. El comandante de la sección de Veteranos dice que hay un pequeño aeródromo privado a unos seiscientos metros al sur de la ciudad.

—Es el doble de lo que necesita un Catlin —dijo Pitt.

—¿Y usted, ha habido suerte?

—El conservador del Museo Imperial Británico de Guerra dice que la granada que compraron a Phalanx para organizar una exposición naval y recordatoria de la Segunda Guerra Mundial posee las características típicas de los proyectiles destinados a perforar blindajes.

—De modo que el Ejército Africano Revolucionario tiene las dos cápsulas que faltan.

—Lo cual complica las cosas —dijo Pitt.

—¿Para qué necesitan grandes granadas navales en la selva africana?

—Es el misterio que tendremos que resolver —dijo Pitt, frotándose los ojos enrojecidos—. Por lo menos, gozamos de la ventaja temporal de que ya no están en nuestro territorio.

—Y ahora, ¿qué hacemos? —preguntó Steiger—. No podemos explicar a un grupo de terroristas que deben devolver el arma más horrenda de todos los tiempos.

—Ante todo —dijo Pitt—, es necesario localizar las cápsulas. Con ese fin, el almirante Sandecker ha convencido de la necesidad de realizar ciertas investigaciones a un viejo marino que ahora trabaja en la Agencia Nacional de Seguridad.

—Un asunto delicado. Esos tipos no son tontos. Es posible que formulen preguntas muy embarazosas.

—No es probable —dijo Pitt—. El almirante ha tendido una excelente cortina de humo. Casi consiguió engañarme a mí.

47

Era una elección difícil. Dale Jarvis vaciló entre el pastel de manzana y el merengue de limón, cargado de calorías. Finalmente, se olvidó de la dieta, decidió comer los dos y los depositó sobre una bandeja, junto a una taza de té. Después, pagó a la empleada que atendía la caja registradora y se sentó frente a una mesa, contra una pared de la espaciosa cafetería de la Agencia Nacional de Seguridad en Fort Meade, Maryland.

—Uno de estos días reventarás.

Jarvis dejó de comer y miró el rostro solemne de Jack Ravenfoot, jefe de la sección interna de la agencia. Ravenfoot era todo músculo, el único cheyenne de pura sangre en Washington que tenía el distintivo Phi Beta Kappa concedido en Yale, además del grado de comodoro retirado.

—Prefiero los alimentos sabrosos, aunque engorden, en lugar de la carne salada de búfalo y ese topo hervido que tú llamas alimento.

Ravenfoot alzó los ojos al cielo.

—Ya que lo mencionas, no he comido topo de la pradera (me refiero al producto auténtico) desde la celebración de la victoria, después de Little Big Horn.

—Ustedes los indios saben herir la cara pálida donde más le duele —dijo Jarvis, sonriendo—. Acerca una silla.

Ravenfoot permaneció de pie.

—No, gracias. Debo asistir a una reunión que se inicia dentro de cinco minutos. Pero te diré que John Gossard, de la Sección Africana, mencionó que te había llegado algo acerca de cierto proyecto muy extraño que se relaciona con acorazados.

Jarvis masticó lentamente un pedazo de tarta de manzana.

—Acorazado, en singular. ¿Qué ocurre?

—Un viejo amigo de la Marina, James Sandecker...

—¿El director de ANIM? —lo interrumpió Jarvis.

—El mismo. Me pidió que investigase un cargamento especial de antiguas granadas navales de dieciséis pulgadas.

—Y tú pensaste en mí.

—Los acorazados llevaban granadas de dieciséis pulgadas —dijo Ravenfoot—. Lo sé. Fui oficial ejecutivo en el *New Jersey* durante la orgía de Vietnam.

—¿Sabes para qué las quiere Sandecker? —preguntó Jarvis.

—Dice que un equipo de científicos se propone arrojarlas sobre las formaciones coralinas del Pacífico.

Jarvis se detuvo entre un mordisco y el siguiente.

—¿Cómo?

—Están realizando experimentos sismológicos. Según parece, las granadas perforantes arrojadas desde un avión que vuela a setecientos metros sobre una isla de coral originan un temblor casi idéntico al de un terremoto.

—Yo diría que los explosivos comunes tienen el mismo efecto.

Ravenfoot se encogió de hombros.

—No puedo discutir el asunto. No soy sismólogo.

Jarvis volvió a atacar el merengue de limón.

—No veo nada interesante para la sección de evaluación, y

tampoco un propósito siniestro en el pedido del almirante. ¿Dónde cree Sandecker que podrá hallar esas granadas especiales?

—El Ejército Africano Revolucionario las tiene.

Jarvis bebió un sorbo de café y se limpió los labios con una servilleta.

—¿Por qué quiere tratar con el Ejército Africano Revolucionario si cualquier traficante en excedentes de armas puede suministrarle esos viejos proyectiles?

—Se trata de un tipo experimental producido hacia el final de la guerra de Corea… nunca se utilizó. Sandecker afirma que es más eficaz que el proyectil común. —Ravenfoot se apoyó en el respaldo de una silla—. Pregunté a Gossard acerca de la participación del Ejército Africano Revolucionario en este asunto. Cree que Sandecker está equivocado. Las guerrillas tienen tan poca necesidad de esas granadas como un corredor de fondo de cálculos en la vejiga… Cree que las granadas que la ANIM busca están oxidándose en algún depósito naval.

—Y si el Ejército Africano realmente tuviese esas granadas, ¿cómo se las arreglaría Sandecker para tratar con ellos?

—Supongo que propondría un canje, o compraría las granadas a un precio inflado. Después de todo, es el dinero de los contribuyentes.

Jarvis se recostó en el asiento y hundió el tenedor en el merengue. Ya no tenía apetito.

—Me agradaría hablar con Sandecker. ¿Tienes inconveniente?

—Como prefieras. Sin embargo, creo que te convendría más tratar con su director de proyectos especiales. Es el hombre que dirige la búsqueda.

—¿Cómo se llama?

—Dirk Pitt.

—¿El hombre que rescató el *Titanic* hace pocos meses?

—El mismo. —Ravenfoot miró su reloj de pulsera y tomó nota de la hora—. Debo irme. Si sabes algo de esas granadas, te agradeceré me lo comuniques. James Sandecker es un viejo amigo. Todavía le debo unos favores.

—Cuenta con ello.

Una vez Ravenfoot se alejó, Jarvis permaneció varios minutos sentado, revolviendo ociosamente el pastel con el tenedor. Luego se puso de pie y caminó de regreso a su oficina, absorto en sus pensamientos.

Apenas vio entrar a su jefe, Bárbara Gore comprendió que la intuición de Jarvis estaba trabajando a pleno. Había visto muchas veces esa expresión de profunda concentración, y pudo identificarla sin dificultad. Sin esperar una orden, recogió la agenda y el lápiz, y acompañó a Jarvis al interior del despacho. Allí, tomó asiento, cruzó sus bellas piernas y esperó.

Jarvis permaneció de pie, los ojos fijos en la pared. Después se volvió lentamente y pareció que veía por primera vez a su secretaria.

—Llama a Gossard y organiza una reunión con el personal de su Sección Africana, y dile que he cambiado de opinión acerca de Rosa Silvestre.

—¿Cambiaste de opinión? ¿Es posible que después de todo el asunto sea real?

Jarvis no contestó inmediatamente.

—Quizá, solo quizá.

—¿Algo más?

—Sí, pide a los de Informes que envíen todo lo que tengan acerca del almirante James Sandecker y de Dirk Pitt.

—¿Trabajan en la ANIM?

Jarvis asintió.

Bárbara lo miró con curiosidad.

—¿No creerás que hay una relación entre ambos problemas?

—Es demasiado temprano para decirlo —dijo Jarvis—. Podríamos decir que estoy recogiendo hilos sueltos, para comprobar si corresponden al mismo ovillo.

48

Frederick Daggat y Felicia Collins esperaban en la limusina cuando Loren atravesó el pórtico del Capitolio. La observaron mientras descendía elegantemente los peldaños, los rizos color canela agitados por una suave brisa. Vestía un conjunto color níspero, con chaqueta de doble solapa y chaleco. Alrededor del cuello llevaba un largo pañuelo de seda gris. El portafolios estaba forrado con la misma tela del traje.

El chófer de Daggat abrió la puerta izquierda para Loren. La joven se sentó al lado de Felicia, mientras Daggat ocupaba cortésmente uno de los asientos plegables.

—Está encantadora, Loren —dijo Daggat con excesiva familiaridad—. La mente de mil colegas masculinos estaba en otro sitio cuando pronunció su discurso en la Cámara.

—La condición de mujer tiene sus ventajas durante el debate —dijo fríamente Loren—. Estás muy distinguida, Felicia.

En el rostro de Felicia se dibujó una expresión extraña. De Loren esperaba todo menos un cumplido. Se alisó la falda de su vestido blanco y evitó la mirada de Loren.

—Te agradezco que hayas aceptado hablar con nosotros —dijo serenamente.

—¿Acaso tenía alternativa? —El rostro de Loren denotaba resentimiento—. Temo preguntar qué me exigirán ahora.

Daggat subió el cristal que los separaba del chófer.

—Mañana se votará el proyecto de ayuda al Ejército Africano Revolucionario.

—Y por eso ambos alzaron la cabeza del lodo, para ver si yo continuaba obedeciendo —dijo amargamente Loren.

—Te niegas a comprender —repuso Felicia—. En todo esto no hay nada personal. Frederick y yo no obtenemos ninguna ventaja financiera. La única recompensa es la prosperidad de nuestra raza.

Loren la miró fijamente.

—De modo que utilizan el chantaje para promover esa gran causa moral.

—Naturalmente, si de ese modo conseguimos salvar miles de vidas. —Daggat habló como si estuviera explicando el problema a un niño—. Cada día que la guerra se prolonga significa un centenar de muertes. Tarde o temprano, los negros vencerán en África del Sur. Eso es evidente. Pero lo que importa es cómo triunfen. Hiram Lusana no es un psicópata asesino como lo fue Idi Amin. Me ha asegurado que cuando sea primer ministro el único cambio importante que promoverá es la igualdad de derechos para los negros de África del Sur. Todos los principios democráticos que son la base del gobierno actual mantendrán su vigencia.

—¿Cómo pueden ser tan tontos para aceptar la palabra de un criminal? —preguntó Loren.

—Hiram Lusana creció en uno de los peores barrios bajos de la nación —continuó pacientemente Daggat—. Su padre abandonó a su madre y ocho hermanos cuando tenía siete años. No pretendo que usted comprenda lo que significa tener que actuar como alcahuete de sus propias hermanas para poder conseguir un poco de comida. Congresista Smith, ni siquiera pretendo que imagine lo que es vivir en el quinto piso de una pensión de mala muerte, tapando las grietas con periódicos para evitar la entrada de la nieve, con baños atascados porque no hay agua, con un ejército de ratas que esperan la caída del sol. Si el crimen es el único medio de sobrevivir, uno lo acepta con los brazos abiertos. Sí, Lusana fue un delincuente. Pero cuando tuvo oportunidad de levantarse, consagró sus energías a modificar las mismas circunstancias que destruyeron su vida.

—En ese caso, ¿por qué representa el papel de Dios en África? —dijo Loren con expresión desafiante—. ¿Por qué no trata de mejorar las condiciones de los negros en su propio país?

—Porque Hiram cree que una raza debe partir de una base sólida. Los judíos miran con orgullo a Israel; los anglosajones tienen una fecunda herencia británica. En cambio, nuestra patria todavía trata de dejar atrás la sociedad primitiva. No es un secreto que los negros que gobiernan en la mayor parte de África han hecho de todo el asunto un espantoso embrollo. Hiram Lusana es nuestra única esperanza de encaminar a la raza negra por la buena senda. Es nuestro Moisés y África del Sur es nuestra Tierra Prometida.

—¿No se muestra demasiado optimista?

Daggat la miró.

—¿Optimista?

—De acuerdo con los últimos informes militares de África del Sur, sus fuerzas de Defensa entraron en Mozambique y destruyeron al Ejército Africano Revolucionario y su cuartel general.

—Leí los mismos informes —dijo Daggat—, y nada ha cambiado. Quizá una derrota temporal, pero nada más. Hiram Lusana aún vive. Organizará un nuevo ejército, y me propongo hacer todo lo que esté a mi alcance para ayudarlo.

—Que así sea —agregó Felicia.

Los tres estaban demasiado absortos en sus propios pensamientos y no advirtieron un automóvil que se adelantaba a la limusina y después aminoraba la marcha. En el semáforo siguiente el conductor acercó el automóvil al bordillo y saltó a la calle. Antes que el chófer de Daggat pudiera reaccionar, el hombre se acercó corriendo a la limusina, abrió bruscamente la puerta trasera y subió al vehículo.

Daggat abrió la boca, sorprendido. Felicia lo miró con el cuerpo rígido y los labios apretados. Solo Loren pareció simplemente desconcertada.

—¿Quién demonios es usted? —preguntó Daggat. Por encima del hombro del desconocido, vio que el chófer metía la mano en la guantera, en busca del revólver.

—Es muy poco observador, ya que no me reconoce después de ver mis fotos —dijo el hombre, riendo.

Felicia tiró de la manga a Daggat.

—Es él —murmuró.

—¿Quién? —exclamó Daggat.

—Pitt. Mi nombre es Dirk Pitt.

Loren examinó a Pitt. Desde hacía varios días no lo veía, y con dificultad relacionaba a este hombre con el mismo que le había hecho el amor. Tenía los ojos hundidos a causa de la falta de sueño, y el mentón cubierto por una barba de tres días. En el rostro había arrugas que ella nunca había visto antes... arrugas provocadas por la tensión y el agotamiento. Extendió la mano y presionó la de Pitt.

—¿De dónde sales? —preguntó Loren.

—Coincidencia —replicó Pitt. Venía a verte y pasaba frente a la escalinata del Capitolio cuando vi que subías a este automóvil. Y cuando lo alcancé, advertí que tu acompañante era el congresista Daggat.

El chófer había bajado el cristal que lo separaba del asiento trasero y sostenía un pequeño revólver a pocos centímetros de la cabeza de Pitt. Daggat se tranquilizó visiblemente. Se sentía nuevamente dueño de la situación.

—Quizá era hora de que nos conociéramos, señor Pitt. —Esbozó un gesto con la mano. El chófer obedeció y retiró el arma.

—Lo mismo digo —dijo Pitt, sonriendo—. De hecho, esto me ahorra un viaje a su despacho.

—¿Deseaba verme?

—Sí, decidí ordenar algunas copias. —Pitt extrajo unas cuantas fotografías, y formó con ellas un pequeño abanico—. Por supuesto, las he visto mejores, pero se tomaron estas en condiciones que no eran precisamente ideales.

Loren se llevó una mano a la boca.

—¿Sabías de la existencia de estas terribles fotografías? No quise que te enteraras.

—Veamos —dijo Pitt, como si Loren no hubiese hablado. Dejó caer una a una las fotografías sobre las rodillas de Daggat—. Pediré una docena de estas, y cinco de estas…

—No me agrada su patético sentido del humor —dijo Daggat, interrumpiéndolo.

Pitt le dirigió una mirada inocente.

—Pensé, si está en el negocio de las fotos pornográficas, no tendría inconveniente en servir a sus clientes… o mejor será decir «modelos». Por supuesto, espero me hagan un descuento.

—¿Cuál es su juego, señor Pitt? —preguntó Felicia.

—¿Juego? —Pitt pareció divertido—. No hay juego.

—Puede arruinarnos políticamente —dijo Loren—. Mientras conserve los negativos de las fotografías, domina la situación.

—Vamos, vamos —dijo Pitt, sonriendo a Loren—. El congresista Daggat piensa retirarse de la profesión de chantajista. De todos modos, no tiene talento para eso. No aguantaría ni diez minutos si tuviese que enfrentar a un auténtico profesional.

—¿Como usted? —dijo Daggat amenazadoramente.

—No; como mi padre. Creo que usted lo conoce. El senador George Pitt. Cuando le expliqué lo que usted hizo, pidió en broma una serie de fotos. En realidad, nunca antes había visto en acción a su muchacho de cabellos rubios.

—Usted está loco —murmuró Felicia.

—¿Ha hablado con su padre? —murmuró Daggat. Parecía un tanto desconcertado—. No lo creo.

—El momento de la verdad —dijo Pitt con una sonrisa—. ¿El nombre de Sam Jackson le dice algo?

Daggat silbó entre dientes.

—De modo que habló. ¡El muy bastardo habló!

—Cantó como una estrella de rock. A propósito, lo odia profundamente. Sam espera ansioso el momento de atestiguar contra usted en la audiencia del Comité de Ética de la Cámara.

Un rastro de temor se manifestó en la voz de Daggat.

—No se atreverá a mostrar estas fotos en el curso de una investigación.

—¿Qué demonios puedo perder? —dijo Pitt—. De todos modos, mi padre piensa retirarse el año próximo. Recuerde lo que le digo: cuando se conozcan estas fotos, probablemente tendré que protegerme del acoso de la mitad de las secretarias de la ciudad.

—Cerdo egoísta —dijo Felicia—. No le preocupa lo que pueda ocurrirle a Loren.

—Me preocupa —dijo suavemente Pitt—. Por su condición de mujer, soportará molestias, pero no será un precio muy alto si de ese modo nuestro amigo Daggat pasa algunos años en el taller de la penitenciaría. Y cuando lo dejen en libertad bajo palabra, tendrá que buscarse una profesión nueva, pues su partido no querrá saber nada con él.

Daggat se sonrojó y se inclinó amenazador hacia Pitt.

—¡Tonterías! —exclamó.

Pitt dirigió a Daggat una mirada que habría impresionado a un tiburón.

—El congreso no ve con buenos ojos a la gente que utiliza estas tácticas para aprobar leyes. Hace unos años su plan habría sido eficaz, congresista, pero ahora hay mucha gente en el Capitolio, y lo expulsarán de un puntapié si se enteran de este asunto.

Daggat aflojó los músculos. Estaba derrotado, y lo sabía.

—¿Qué quiere de mí?

—Que destruya los negativos.

—¿Eso es todo?

Pitt asintió. El rostro de Daggat adoptó una expresión astuta.

—¿No reclama su libra de carne, señor Pitt?

—No todos pertenecemos a la misma cloaca, congresista. Según creo, Loren considerará que es mejor para todos los interesados olvidarse del asunto. —Pitt abrió la portezuela y ayudó a descender a Loren—. Ah, una cosa más. Sam Jackson me dejó una declaración jurada acerca de la tarea que usted le encomendó. Confío en que no será necesario usarla, porque si descubro que usted me traicionó, le prometo que no tendré piedad.

Pitt cerró de un golpe la puerta y se inclinó hacia el chófer.

—Muy bien, amigo, adelante.

Loren y Pitt permanecieron de pie, mirando la limusina, hasta que esta desapareció en el tránsito. Después, Loren se puso de puntillas y besó la mejilla barbuda de Pitt.

—¿Por qué? —preguntó él, sonriendo.

—Una recompensa por salvarme de una situación embarazosa.

—Pitt, experto en salvamentos. Siempre me ha gustado ayudar a las congresistas en apuros. —La besó en los labios, sin prestar atención a las miradas de curiosidad de los transeúntes—. Y esa es tu recompensa por la actitud generosa.

—¿Actitud generosa?

—Debiste hablarme de las fotografías. Te habría evitado muchas noches insomnes.

—Pensé que podía resolverlo sola —dijo ella, evitando la mirada de Pitt—. Las mujeres deben acostumbrarse a afrontar sus problemas.

Le pasó el brazo sobre los hombros, y la condujo a su automóvil.

—En ciertas ocasiones, incluso una feminista convencida necesita un hombre en quien apoyarse.

Mientras Loren subía al automóvil, Pitt vio un trocito de papel sujeto a uno de los limpiaparabrisas. Al principio creyó que era publicidad, y se disponía a quitarlo; pero la curiosidad pudo más y leyó el texto. El mensaje estaba escrito con letra clara. «Estimado señor Pitt. Le agradecería que llame lo antes posible. Gracias, Dale Jarvis.»

Impulsado por el instinto, Pitt miró hacia ambos lados de la calle, intentando identificar al misterioso mensajero. Pero fue inútil. Había casi ochenta personas en un radio de cien metros, y cualquiera hubiera podido dejar el papel en el automóvil mientras él hablaba con Daggat.

—¿Conoces a un tal Dale Jarvis? —preguntó a Loren.

Ella pensó un momento.

—El nombre no me dice nada. ¿Por qué?

—Según parece —dijo Pitt con expresión pensativa—, me ha dejado una carta de amor.

49

El frío aire invernal se filtraba por las grietas del piso del camión y mordía la piel de Lusana. Yacía boca abajo, las manos y las piernas fuertemente atadas a los costados. Las costillas metálicas del suelo le golpeaban la cabeza con cada sacudida del camión en el camino. Los sentidos de Lusana apenas funcionaban. La capucha sobre la cabeza le impedía ver y lo desorientaba, y tenía el cuerpo entumecido.

El último recuerdo era el rostro sonriente del capitán del avión en el bar del aeropuerto reservado a los pasajeros de primera clase. Los pocos pensamientos lúcidos que había logrado elaborar después de ese momento, desembocaban siempre en la misma imagen.

—Soy el capitán Mutaapo —había dicho el piloto alto y delgado. Era un negro calvo, de edad madura, pero la sonrisa confería un aire juvenil a su rostro. Llevaba el uniforme verde oscuro de Aerolíneas BEZA-Mozambique, con muchos alamares dorados en las mangas—. Señor Lusana, un representante de mi gobierno ha ordenado que le asegure un viaje en las mejores condiciones posibles.

—Fue necesario adoptar precauciones para entrar en Estados Unidos —había dicho Lusana—, pero dudo mucho de que corra peligro si parto rodeado de turistas norteamericanos.

—Pero de todos modos, señor, la responsabilidad es mía... por usted y los ciento cincuenta pasajeros restantes. Deseo preguntarle si espera peligros que puedan amenazar nuestras vidas.

—Ninguno, capitán, se lo aseguro.

—Bien. —Mutaapo sonrió—. Bebamos una copa por un vuelo tranquilo y cómodo. ¿Qué le apetece tomar, señor?

—Un martini con un poco de angostura, gracias.

Qué estupidez, pensó Lusana mientras el camión cruzaba un paso a nivel. Demasiado tarde había comprendido que los pilotos de las líneas comerciales no pueden beber alcohol en las veinticuatro horas previas a iniciar un vuelo. Demasiado tarde había advertido que su bebida estaba drogada. La sonrisa del falso aviador parecía haberse inmovilizado en el tiempo, antes de desdibujarse lentamente y disolverse en la nada.

Lusana no podía medir las horas o los días. No podía saber que lo mantenían en estado permanente de estupor mediante inyecciones de drogas. Rostros desconocidos aparecían y reaparecían cuando le quitaban momentáneamente la capucha, y los rasgos faciales flotaban en una bruma etérea antes de que volviesen a cerrarse las sombras.

El camión frenó y oyó voces apagadas. Después, el conductor puso nuevamente el vehículo en marcha y avanzó, volviendo a detenerse un kilómetro después.

Lusana oyó abrirse las puertas traseras y sintió dos pares de manos que lo alzaban sin ceremonias y subían su cuerpo entumecido a una especie de rampa. De la oscuridad le llegaron sonidos extraños. El sonido de una sirena lejana. Sonidos metálicos, como de puertas de acero que se abrían y cerraban. También percibió el olor de la pintura fresca y el aceite.

Lo arrojaron bruscamente sobre otro suelo duro y allí lo dejaron, y Lusana oyó el ruido de pasos que se alejaban. Después sintió que le cortaban las cuerdas que lo inmovilizaban. Finalmente le quitaron la capucha. La única luz provenía de una pequeña bombilla roja en una pared.

Durante casi un minuto Lusana permaneció inmóvil, mientras la circulación se normalizaba y la vida retornaba lentamente a los miembros doloridos. Se frotó los ojos, y parpadeó. Le pareció que estaba en el puente de un barco. El resplandor rojo que venía de la pared le reveló la rueda de un timón y una ancha consola con luces multicolores que reflejaban una larga hilera de ventanas cuadradas, distribuidas a lo largo de tres o cuatro paredes grises.

De pie junto a Lusana, sosteniendo todavía la capucha en la mano, estaba un hombre corpulento. El individuo, que desde la posición en que se encontraba Lusana parecía un gigante, lo miraba con rostro bondadoso y sonreía. Lusana no se dejó engañar. Sabía bien que los asesinos más crueles mostraban expresiones angelicales antes de cortar el cuello de sus víctimas. Y sin embargo, el rostro de ese hombre parecía extrañamente desprovisto de intenciones sanguinarias. En cambio, dejaba entrever una especie de curiosidad.

—Usted es Hiram Lusana. —La voz profunda arrancó ecos a las mamparas de acero.

—Así es —contestó Lusana con voz ronca. Su propia voz le sonó extraña. No la había usado durante casi cuatro días.

—No sabe cuánto deseaba conocerlo —dijo el gigante.

—¿Quién es usted?

—¿El nombre Fawkes le dice algo?

—¿Debería conocerlo? —dijo Lusana, decidido a resistir.

—Sí; es peligroso que olvide los nombres de las personas a las que asesinó.

Una idea comenzaba a adquirir forma en Lusana.

—Fawkes... el ataque a la granja Fawkes, en Natal.

—Mataron a mi esposa y mis hijos. Quemaron mi casa. E incluso masacraron a mis peones. A familias enteras de la misma raza a la que usted pertenece.

—Fawkes... usted es Fawkes —repitió Lusana y su mente aturdida por las drogas no conseguía formular claramente la idea.

—Sé que ese sucio asunto fue obra del Ejército Africano Revolucionario —dijo Fawkes, y su voz cobró matices de dureza—. Fueron sus hombres; usted impartió las órdenes.

—Yo no fui responsable de ese ataque. —La bruma comenzaba a disiparse en la mente de Lusana, y él empezaba a recuperar el equilibrio, por lo menos interiormente. Los brazos y las piernas aún no le respondían—. Lamento la suerte corrida por su familia. Una trágica y absurda masacre. Pero tendrá que echar la culpa a otros. Mis hombres son inocentes.

—Sí, imaginé que lo negaría.

—¿Qué se propone hacer conmigo? —preguntó Lusana, y sus ojos no reflejaban miedo.

Fawkes miró a través de las ventanas del puente. Fuera reinaba la oscuridad y una ligera bruma cubría los cristales. En sus ojos se adivinaba una extraña tristeza.

Se volvió hacia Lusana.

—Usted y yo haremos un viaje sin retorno.

50

El taxi dejó atrás una entrada lateral del aeropuerto nacional de Washington exactamente a las nueve y treinta de la noche, y Jarvis descendió detrás de un hangar solitario que se elevaba en un extremo poco usado del campo. Excepto el débil resplandor de las luces a través de los cristales polvorientos de una puerta, el enorme edificio parecía sombrío y cavernoso. Jarvis empujó la puerta, y lo sorprendió un poco que no crujiera. Los goznes bien engrasados giraron silenciosamente.

El amplio interior estaba iluminado por grandes tubos fluorescentes. Un venerable y antiguo trimotor Ford parecía un enorme ganso en el centro del piso de concreto; sus alas se extendían protectoras sobre varios automóviles antiguos en diferentes etapas de restauración. Jarvis se acercó a un vehículo que parecía un montón de hierro oxidado. Dos pies asomaban bajo el radiador.

—¿Usted es Pitt? —preguntó Jarvis.

—¿Y usted Jarvis?

—Sí.

Pitt salió de debajo del coche y se sentó.

—Veo que ha conseguido encontrar mi humilde morada.

Jarvis vaciló, y contempló el grasiento traje de mecánico y la apariencia desordenada de Pitt.

—¿Vive aquí?

—Tengo un apartamento arriba —dijo Pitt, señalando un entrepiso de paredes de cristal, encima del hangar.

—Posee una hermosa colección —dijo Jarvis, e indicó las reliquias—. ¿Qué modelo es este que tiene guardabarros negros y aplicaciones plateadas?

—Un Maybach-Zeppelin 1936 —contestó Pitt.

—¿Y este en el cual está trabajando?

—Una landaulette abierta, Renault 1912.

—Parece un poco maltratada —dijo Jarvis, pasando el dedo sobre el óxido.

Pitt sonrió.

—A decir verdad no está tan mal, si considera que permaneció setenta años sumergida en el mar.

Jarvis lo comprendió.

—¿Del *Titanic*?

—Sí. Me la regalaron después del rescate. Por así decirlo, una especie de recompensa por los servicios prestados.

Pitt guió a su visitante hasta la escalera que conducía a su apartamento. El ojo profesional de Jarvis examinó rutinariamente el original decorado. A juzgar por los objetos náuticos que adornaban las habitaciones, el ocupante era un hombre que había viajado mucho. Antiguos cascos de cobre para buzo. Compases marinos, cascos de madera, campanas de barco, incluso botellas y clavos viejos, todo con los correspondientes rótulos que indicaban los nombres de los barcos famosos de donde los había retirado Pitt. Era como recorrer un museo de la vida de un hombre.

Invitado por Pitt, Jarvis se sentó en un sofá de cuero. Miró directamente a los ojos a su anfitrión.

—¿Me conoce usted, señor Pitt?

—No.

—Sin embargo no ha tenido inconveniente en recibirme.

—¿Quién puede resistirse a la curiosidad? —dijo Pitt, sonriendo—. No todos los días encuentro en mi parabrisas un número telefónico que según he comprobado pertenece a la Agencia Nacional de Seguridad.

—Por supuesto, adivinó que lo seguían.

Pitt se instaló en un sillón de cuero, y descansó los pies en una otomana.

—Señor Jarvis, dejemos los rodeos y vayamos al grano. ¿Cuál es su juego?

—¿Juego?

—Su interés en mí.

—Muy bien, señor Pitt —dijo Jarvis—. Las cartas sobre la mesa. ¿Cuál es el verdadero propósito que mueve a la ANIM a buscar un tipo especial de granada naval de gran calibre?

—¿Seguro que no desea usted una copa? —contestó Pitt.

—No, gracias —replicó Jarvis, para quien no pasó inadvertida la maniobra de Pitt.

—Si usted sabe que buscamos esos proyectiles, también conoce la razón.

—¿Pruebas sismológicas en formaciones de coral?

Pitt asintió.

Jarvis apoyó un brazo en el respaldo del sofá.

—¿Cuándo piensan realizar las pruebas?

—Las últimas dos semanas de marzo del año próximo.

—Comprendo. Jarvis le dirigió una mirada benigna y paternal, y después descargó el golpe directo al corazón—: He conversado con cuatro sismólogos, dos de su propia agencia. No ven con buenos ojos la idea de arrojar desde un avión granadas navales de dieciséis pulgadas. Más aún, creen que es absolutamente ridículo. También me enteré que la ANIM no ha programado pruebas sismográficas en el Pacífico. En resumen, señor Pitt, esa astuta mentira no engaña a nadie.

Pitt cerró los ojos, en actitud reflexiva. Podía mentir, o sencillamente callar. No; en realidad sus alternativas se habían reducido a cero. De hecho, él y Steiger y Sandecker no podrían lograr que el Ejército Africano Revolucionario devolviese prontamente las cápsulas de MR. Habían llevado el asunto hasta donde lo permitían los recursos limitados que ellos podían movilizar. Llegó a la conclusión de que había llegado el momento de acudir a los profesionales. Abrió los ojos y miró a Jarvis.

—Si yo pudiera depositar en sus manos un organismo infeccioso capaz de matar durante trescientos años, ¿usted qué haría?

La pregunta de Pitt tomó desprevenido a Jarvis.

—No sé adónde quiere ir a parar.

—Mantengo la pregunta —dijo Pitt.

—¿Se trata de un arma?

Pitt asintió.

Jarvis experimentó un sentimiento de inquietud.

—No conozco un arma de esas características. Hace diez años todos los miembros de las Naciones Unidas renunciaron incondicionalmente a las armas químicas y biológicas.

—Por favor, responda a la pregunta —insistió Pitt.

—Supongo que la entregaría a nuestro gobierno.

—¿Está seguro de que sería la actitud más apropiada?

—Por Dios, ¿qué pretende? Es un caso meramente hipotético.

—Un arma así debe ser destruida —dijo Pitt. Sus ojos verdes parecieron perforar el cerebro de Jarvis.

Se hizo un breve silencio. Después, Jarvis dijo:

—¿Ese arma existe?

—Así es.

Las piezas del rompecabezas comenzaban a ocupar su lugar, y por primera vez en años Jarvis deseó no haber sido tan eficiente. Miró a Pitt y sonrió con desgana.

—Ahora le aceptaré esa copa —dijo en voz baja—. Y después, creo que usted y yo debemos intercambiar ciertos datos muy importantes.

Pasaba la medianoche cuando Phil Sawyer detuvo el automóvil frente a la casa de apartamentos donde vivía Loren. Sawyer era lo que la mayoría de las mujeres consideran un hombre apuesto, con un rostro enérgico y los cabellos prematuramente canosos bien peinados.

Loren le dirigió una mirada provocativa.

—¿Quieres abrir la puerta del apartamento? La cerradura siempre me da trabajo.

Él sonrió.

—¿Cómo podría negarme?

Descendieron del automóvil y atravesaron en silencio el jardín que se extendía frente a la casa. El húmedo sendero reflejaba la luz de las farolas de la calle. Loren se apretó contra el cuerpo del hombre para protegerse de la llovizna fría que le mojaba los cabellos y la ropa. El portero los saludó y sostuvo abierta la puerta del ascensor. Frente a la puerta del apartamento, ella rebuscó en su bolso y entregó la llave a Sawyer. Él la introdujo en la cerradura, abrieron la puerta y ambos entraron en él.

—Prepárate una copa —dijo ella, mientras se sacudía los cabellos húmedos—. Volveré enseguida.

Loren entró en el dormitorio y Sawyer se acercó a un pequeño bar portátil y se sirvió un coñac. Estaba bebiendo el segundo cuando Loren regresó a la habitación. La joven se había puesto un pijama cuya chaqueta era de tela gris plata, y los pantalones con reborde de encaje. Cuando pasó por la puerta, la luz del dormitorio marcó las líneas esbeltas de su figura a través del nailon vaporoso. La combinación del pijama, los cabellos color canela y los ojos violeta de pronto convirtieron a Sawyer en un adolescente confundido.

—Me resultas seductora —atinó a decir.

—Gracias. —Loren se sirvió un Galliano y se sentó junto a Sawyer en el diván—. Phil, fue una cena encantadora.

—Me alegro de que pienses así.

Ella se acercó más y le acarició suavemente la mano.

—Esta noche pareces distinto. Nunca te vi tan sereno. Ni una sola vez mencionaste al presidente.

—Dentro de seis semanas y tres días el nuevo presidente electo presta juramento, y termina mi batalla de ocho años con los caballeros y las damas de los medios de difusión. Dios mío, nunca creí que me sentiría tan satisfecho de trabajar en una administración que llega a su fin.

—¿Qué te propones hacer después de la transmisión del mando?

—A mi jefe se le ocurrió una excelente idea. Apenas abandone el cargo se embarcará en un queche de doce metros rumbo al Pacífico Sur, donde se dedicará a beber y hacer el amor hasta morir. —Sawyer dejó su copa y miró a Loren—. Por mi parte, prefiero el Caribe, sobre todo si se trata de una luna de miel.

Loren comenzó a tener un presentimiento.

—¿Tiene en mente alguna persona en especial?

Sawyer dejó sobre la mesa las dos copas, tomó entre las suyas las manos de Loren.

—Congresista Smith —dijo con burlona seriedad—, le imploro respetuosamente que vote a favor del matrimonio con Phil Sawyer.

Los ojos de Loren cobraron una expresión sombría y pensativa. Aunque había tenido la certeza de que ese momento llegaría tarde o temprano, no atinaba a definir su propia respuesta. Sawyer interpretó mal la vacilación de Loren.

—Sé lo que estás pensando —dijo amablemente—. Te preguntas cómo será la vida con un secretario de Prensa desocupado, ¿verdad? Pues bien, no temas. He sabido de buena fuente que los jefes del partido desean que presente mi candidatura a senador en las próximas elecciones.

—En ese caso —dijo ella—, mi respuesta es afirmativa.

Sawyer no advirtió el sentimiento de inquietud en los ojos de Loren. Le sostuvo la cabeza entre las manos y suavemente la besó en los labios. La habitación pareció desvanecerse y el olor de mujer que emanaba del cuerpo de Loren lo envolvió. Se sintió extrañamente sereno cuando hundió el rostro en los pechos femeninos.

Después, mientras Sawyer yacía cansado y dormido, las lágrimas de Loren mancharon la almohada. Lo había intentado desesperadamente, con toda su alma. Había hecho el amor con fiereza; e incluso se había obligado a emitir los previstos sonidos guturales, pero había sido inútil. Mientras representaba la ardiente escena de amor, comparaba constantemente a Sawyer con Pitt. No había modo de explicar lógicamente la diferencia. Dentro de su cuerpo ambos suscitaban la misma sensación, y sin embargo Pitt la convertía en un animal salvaje y exigente, y en cambio Sawyer la dejaba vacía e insatisfecha.

Apretó el rostro contra la almohada para sofocar los sollozos. Maldito seas, Dirk Pitt, se dijo. ¡Ojalá ardas en el infierno!

—No sé cual de las dos versiones es más absurda —dijo Pitt—, si la suya o la mía.

Jarvis se encogió de hombros.

—Es difícil decirlo. Lo terrible es que todo esto parece posible… las cápsulas de Muerte Rápida y mi operación Rosa Silvestre quizá concuerden.

—Un ataque a una importante ciudad costera con un acorazado tripulado por negros sudafricanos que fingirán ser terroristas del Ejército Africano Revolucionario es una locura.

—No, no es locura —dijo Jarvis—. El plan tiene un toque

genial. Unas pocas bombas que estallan aquí y allá, o un ataque puntual difícilmente pueden conmover a una nación. Pero un viejo acorazado con las banderas desplegadas, que bombardea una población impotente, es la mejor forma del sensacionalismo.

—¿Qué ciudad?

—No se especificó el nombre de ninguna. Esa parte del plan continúa siendo el misterio.

—Felizmente falta el ingrediente principal.

—Un acorazado —dijo Jarvis.

—Usted dijo que todos fueron retirados del servicio activo.

—El último fue vendido como chatarra hace meses. El resto está formado por monumentos que no pueden operar.

Pitt desvió los ojos un momento.

—Recuerdo que hace pocas semanas vi un navío grande anclado en el muelle de la bahía de Chesapeake.

—Probablemente un crucero pesado portamisiles —dijo Jarvis.

—No, estoy seguro de que tenía tres grandes torres de artillería —afirmó Pitt—. Yo volaba hacia Savannah, y el avión pasó sobre el barco antes de virar hacia el sur.

Jarvis no se dejó convencer.

—No tengo motivos para dudar de la exactitud de mi información; sin embargo, en beneficio de la seguridad, pediré que comprueben el dato.

—Otra cosa —dijo Pitt, que abandonó la silla y revisó una hilera de enciclopedias depositadas en un estante. Retiró un volumen de encuadernación oscura y pasó las páginas.

—¿Ha recordado algo? —preguntó Jarvis.

—Operación Rosa Silvestre —contestó Pitt.

—¿Qué hay con eso?

—El nombre. ¿No significará algo?

—Los nombres en código rara vez tienen un significado descifrable —dijo Jarvis—. Podrían revelar el secreto.

—Le apuesto una botella de buen vino a que este tiene significado.

Pitt abrió el libro. Las páginas mostraban un mapa. Jarvis se caló las gafas y echó una ojeada al libro.

—Y bien, el mapa de Iowa. ¿Qué tiene de particular?

Pitt señaló una imagen hacia la mitad del borde derecho de la página.

—La flor es el símbolo de Iowa —dijo en voz baja—, es la rosa silvestre.

El rostro de Jarvis palideció bruscamente. —Pero el acorazado *Iowa* fue convertido en chatarra.

—Convertido en chatarra, ¿o *vendido* para usarse como chatarra? —dijo Pitt—. La diferencia es importante.

En la frente de Jarvis se dibujaron líneas de preocupación. Pitt miró a Jarvis y dejó que la inquietud se acentuara.

—Yo de usted, trataría de inspeccionar todos los astilleros instalados en la costa occidental de Maryland.

—Su teléfono. —Era más una orden que un pedido.

Pitt señaló el aparato depositado al extremo de una mesa.

Jarvis marcó un número. Después, mientras esperaba la respuesta, miró a Pitt.

—¿Tiene un automóvil que no sea una antigualla?

—Fuera hay un automóvil de la ANIM.

—He venido en taxi —dijo Jarvis—. ¿Está dispuesto a llevarme?

—Necesito un minuto para cambiarme —contestó Pitt.

Cuando Pitt salió del cuarto de baño, Jarvis esperaba en la puerta.

—Ha acertado —dijo Jarvis—. Hasta ayer el *Iowa* estaba amarrado en el astillero Forbes, de Maryland.

—Conozco el lugar —dijo Pitt—. Está a pocos kilómetros de la desembocadura del río Patuxent.

51

Mientras Pitt conducía bajo la lluvia, Jarvis parecía hipnotizado por el movimiento de los limpiaparabrisas. Finalmente, pareció volver a la realidad e hizo un gesto en dirección al camino.

—Creo que la próxima ciudad es Lexington Park.

—Faltan seis kilómetros —dijo Pitt sin volverse.

—En las afueras hay una estación de servicio abierta toda la noche —continuó Jarvis—. Deténgase junto al teléfono público.

Unos minutos después los faros iluminaron el cartel que anunciaba los límites de Lexington Park. Un kilómetro y medio más lejos, sobre una amplia curva, la estación de servicio brillantemente iluminada se destacaba en la noche oscura. Pitt enfiló el sendero y estacionó junto a una cabina telefónica.

El empleado de la estación de servicio estaba refugiado en la tibieza de su oficina, los pies apoyados en una vieja estufa de petróleo. Apartó la revista y durante dos o tres minutos miró con recelo a Pitt y Jarvis, que se movían del otro lado de las ventanas empapadas de agua. Llegó a la conclusión de que no eran atracadores y continuó leyendo. La luz de la cabina telefónica se apagó y Jarvis volvió deprisa al automóvil.

—¿Hay noticias? —preguntó Pitt.

Jarvis asintió.

—Mi gente ha descubierto una información desagradable.

—Las malas noticias y el mal tiempo van juntos —dijo Pitt.

—El *Iowa* fue retirado de la nómina oficial y rematado como excedente. La mejor oferta fue de una empresa llamada Malvis Bay Investment Corporation.

—Nunca oí hablar de ella.

—Esa corporación es una pantalla del Ejército Africano Revolucionario.

Pitt movió levemente el volante para evitar un profundo charco en el camino.

—¿Quizá Lusana echó a perder los sueños del Ministerio de Defensa sudafricano ofertando más por el barco?

—Lo dudo. Jarvis se estremeció a causa del frío húmedo, y extendió las manos hacia los ventiletes de calefacción del salpicadero—. Estoy convencido de que el Ministerio de

Defensa sudafricano compró el *Iowa*, y que lo hizo bajo el disfraz de la Malvis Bay Investment.

—¿Cree que Lusana lo sabe?

—No tiene modo de saberlo —contestó Jarvis—. Es usual guardar reserva acerca de los nombres de los compradores.

—Cristo —murmuró Pitt—, la venta de las cápsulas por Armas Phalanx al Ejército Africano Revolucionario…

—Si continuamos investigando —observó Jarvis con voz tensa—, sospecho que descubriremos que Lusana y el Ejército Africano Revolucionario no tuvieron nada que ver con el asunto.

—Ahí delante está el astillero Forbes —dijo Pitt.

La alta empalizada que circundaba el astillero corría paralela al camino. En la puerta principal Pitt frenó frente a un cable que cerraba la entrada. La lluvia impedía ver el barco. Incluso las enormes grúas estaban envueltas en sombras. El guardia se acercó a la portezuela de Pitt casi antes de que este hubiese bajado la ventanilla.

—¿En qué puedo servirlos, señores? —preguntó.

Jarvis se inclinó frente a Pitt y mostró sus credenciales.

—Deseamos confirmar la presencia del *Iowa* en el astillero.

—Puede creerme, señor, todavía está amarrado al muelle. Están reparándolo desde hace casi seis meses. Pitt y Jarvis cambiaron miradas inquietas cuando oyeron la palabra «reparación».

—Tengo orden de no permitir la entrada de personas sin pase o autorización de los jefes de la empresa —dijo el guardia—. Lamentablemente tendrán que esperar hasta la mañana para visitar el barco.

La cólera tiñó el rostro de Jarvis. Pero antes de que pudiera pronunciar un discurso invocando su cargo, un automóvil se detuvo a pocos metros y apareció un hombre vestido de etiqueta.

—¿Hay problemas, O'Shea? —preguntó.

—Estos señores quieren entrar en el astillero —contestó el guardia—, pero no tienen pase.

Jarvis descendió del automóvil y se acercó al desconocido.

—Soy Jarvis, director de la Agencia Nacional de Seguridad. Mi amigo es Dirk Pitt de la ANIM. Es urgente que inspeccionemos el *Iowa*.

—¿A las tres de la madrugada? —murmuró confundido el hombre, mientras estudiaba la identificación de Jarvis a la luz de los focos. Después se volvió hacia el guardia.

—Está bien, déjeles pasar. —Se volvió de nuevo hacia Jarvis—. El camino hacia el muelle es un poco complicado. Será mejor que los acompañe. A propósito, soy Metz, Lou Metz, superintendente del astillero.

Metz regresó a su automóvil y dijo algo a una mujer que ocupaba el asiento del pasajero.

—Mi esposa —explicó, mientras se acomodaba en el asiento trasero del coche de Pitt—. Esta noche es nuestro aniversario. Volvíamos a casa después de celebrarlo, y vine al astillero a recoger unos planos.

O'Shea desenganchó la cadena y la dejó caer al suelo húmedo. Con un gesto de mano indicó a Pitt que esperase, y se acercó a la ventanilla.

—Señor Metz, si ve al chófer del autobús, pregúntele por qué se retrasa tanto.

Metz pareció desconcertado.

—¿El chófer del autobús?

—Entró a eso de las siete de la tarde. Traía a un grupo de unos setenta negros. Se dirigían al *Iowa*.

—¿Y usted les permitió entrar? —preguntó Metz con expresión incrédula.

—Todos tenían pase… incluso el chófer del camión que les seguía.

—¡Fawkes! —exclamó irritado Metz—. ¿Qué se propone ahora ese escocés loco?

Pitt pisó el acelerador y enfiló al interior del astillero.

—¿Quién es Fawkes? —preguntó.

—El capitán Patrick McKenzie Fawkes —dijo Metz—. Retirado de la Marina Real. No intenta ocultar el hecho de que una banda de terroristas negros lo contrató para reparar el barco. Ese hombre está como una cabra.

Jarvis se volvió hacia Metz.

—¿Por qué?

—Fawkes me obligó a reformar prácticamente todo el barco. Nos ordenó que le arrancásemos todo lo que pudiéramos, y que reemplazáramos con madera la mitad de la superestructura.

—El *Iowa* no fue diseñado para flotar como un corcho —dijo Pitt—. Si se modifican los centros de flotación y gravedad, puede dar una vuelta de campana con mal tiempo.

—Por supuesto —rezongó Metz—. He discutido meses con ese bastardo testarudo. Incluso exigió que retiráramos dos motores de turbina General Electric que se encontraban en perfecto estado, y que tapáramos los ejes correspondientes. —Se interrumpió y tocó el hombro de Pitt—. Tuerza a la derecha en la próxima pila de planchas de acero, y después a la izquierda, donde están los rieles de la grúa.

La temperatura había descendido y la lluvia estaba convirtiéndose en una cortina helada. La luz de los faros reveló dos grandes sombras que parecían cajas.

—El autobús y el camión —anunció Pitt. Estacionó el automóvil, pero dejó en marcha el motor y encendidas las luces.

—No hay indicios de los chóferes —dijo Jarvis.

Pitt retiró una linterna de la guantera y descendió del coche. Jarvis lo siguió, pero Metz se hundió en la noche sin decir palabra. Pitt dirigió el haz de luz de la linterna hacia las ventanillas del autobús y la trasera del camión. Ambos estaban vacíos.

Pitt y Jarvis rodearon los vehículos abandonados y encontraron a Metz a pocos metros de distancia, inmóvil. Tenía empapada la chaqueta del traje de etiqueta, y los cabellos húmedos pegados al cráneo. Parecía una víctima a la cual hubieran rescatado del agua.

—¿El *Iowa*? —preguntó Jarvis.

Metz agitó los brazos en dirección a la oscuridad.

—Hijo de puta.

—¿Qué?

—¡Ese maldito escocés se ha llevado el barco!

—Dios mío, ¿está seguro?

El rostro y la voz de Metz expresaban una suerte de desesperado apremio.

—Cuando se trata de acorazados, no me olvido del lugar en que los dejo. Aquí estuvo amarrado durante la reparación. —De pronto vio algo y corrió hacia el borde del muelle—. Eh, ¡miren eso! Las cuerdas de amarre todavía están atadas a los postes. Esos idiotas soltaron amarras desde el barco. Como si no pensaran volver a amarrarlo nunca.

Jarvis se inclinó y siguió el curso de las gruesas cuerdas, hasta el punto en que se hundían en las oscuras aguas.

—La culpa es mía. Fue un acto de negligencia criminal no prestar atención a los indicios premonitorios.

—Todavía no podemos estar seguros de que en efecto se proponen desencadenar un ataque —dijo Pitt.

Jarvis meneó la cabeza.

—Lo harán, de eso puede estar seguro. —Con aire de fatiga apoyó el cuerpo contra un pilar—. Si por lo menos supiésemos la fecha y el objetivo.

—Es fácil determinar la fecha —dijo Pitt.

Jarvis lo miró intrigado, y esperó.

—Usted dijo que la idea básica era promover un movimiento de simpatía hacia los blancos sudafricanos y provocar la irritación norteamericana contra los revolucionarios negros —continuó Pitt—. ¿No le parece que hoy es un día perfecto?

—Ahora son las doce y cinco de la noche del miércoles. Jarvis habló con voz tensa—. Pero ¿qué importancia tiene la fecha?

—Los cerebros de la operación Rosa Silvestre poseen un soberbio sentido de la oportunidad —dijo Pitt con sequedad e ironía—. Hoy es siete de diciembre, aniversario de Pearl Harbor.

V

EL *IOWA*

52

Pretoria, África del Sur - 7 de diciembre de 1988

Pieter de Vaal estaba solo y leía un libro en su despacho del Ministerio de Defensa. Era el comienzo de la tarde, y la luz estival se filtraba por las ventanas en arco. Se oyó un suave golpe en la puerta.

—¿Sí? —dijo De Vaal sin apartar los ojos del libro.

Entró Zeegler.

—Hemos tenido noticias de que Fawkes desencadenó la operación.

El rostro de De Vaal no reveló especial interés. Apartó el libro y entregó una hoja de papel a Zeegler.

—Ordene al responsable de las comunicaciones que envíe personalmente este mensaje al Departamento de Estado norteamericano.

> Tengo el deber de advertir a su gobierno de un ataque inminente a la costa norteamericana, realizado por terroristas del Ejército Africano Revolucionario bajo el mando del capitán Patrick Fawkes, retirado de la Marina Real. Lamento profundamente cualquier participación que por inadvertencia mi gabinete haya tenido en esta grave infamia.
>
> ERIC KOERSTMANN
> *Primer Ministro*

—Está usted reconociendo nuestra culpabilidad en nombre del primer ministro, que ignora totalmente la existencia de la operación Rosa Silvestre —dijo el asombrado Zeegler—. ¿Puedo preguntar por qué?

De Vaal juntó las manos sobre el escritorio y miró a Zeegler.

—No veo motivo para discutir los detalles.

—En ese caso, ¿puede preguntar por qué ha enviado a Fawkes a su propia destrucción?

El ministro regresó a su libro al mismo tiempo que hacía un gesto despectivo.

—Ocúpese de enviar el mensaje. Responderé a sus preguntas en el momento oportuno.

—Prometimos a Fawkes que intentaríamos rescatarlo —insistió Zeegler.

De Vaal suspiró impaciente.

—Fawkes sabía que era hombre muerto cuando aceptó el mando de la operación.

—Si sobrevive y habla ante las autoridades norteamericanas, su confesión será desastrosa para nuestro gobierno.

—Tranquilícese, coronel —dijo De Vaal con una sonrisa torcida—. Fawkes no vivirá para hablar.

—Parece estar muy seguro, ministro.

—Lo estoy —dijo De Vaal—. Absolutamente seguro.

En las entrañas del *Iowa* una figura vestida con un grasiento mono de mecánico y una gruesa chaqueta de lana emergió de un corredor y entró en lo que había sido la enfermería de la nave. Cerró la puerta y permaneció inmóvil, envuelta en las sombras. Apuntó el haz de una linterna y lo paseó por la habitación desnuda. Se habían retirado varios tabiques y el lugar parecía una caverna inmensa.

Seguro de que estaba solo, el hombre se arrodilló en el suelo y de un bolsillo de la chaqueta extrajo una pequeña pistola. Agregó un silenciador al extremo del cañón e insertó en la empuñadura un cargador con veinte balas.

Apuntó a la oscuridad con la automática Hocker-Rodine 27.5, y disparó. Se oyó un *piff* muy tenue, seguido por dos golpes secos cuando la bala rebotó en los tabiques. Complacido con el resultado, el hombre fijó el arma a su pantorrilla derecha. Después de avanzar unos pasos para asegurarse de que la pistola no estorbaba sus movimientos, Emma apagó la linterna, regresó al pasillo y se dirigió a la sala de máquinas.

53

Carl Swedborg, capitán del pesquero *Molly Bender*, golpeó el barómetro con los nudillos, lo miró un momento, y después se acercó a la mesa de mapas y cogió una taza de café. Mientras visualizaba el sector del río que aún debía recorrer, bebía el café y miraba el hielo que se formaba sobre cubierta. Odiaba las noches húmedas e incómodas. La humedad se filtraba en sus huesos, que ya tenían setenta años, y torturaba sus articulaciones. Debía haberse jubilado hacía una década, pero era viudo, sus hijos habían abandonado el hogar hacía mucho tiempo y Swedborg no podía soportar la idea de pasar los días ociosos en una casa vacía. Mientras pudiese encontrar trabajo en un barco, continuaría navegando, y quizá acabaran sepultándolo en el mar.

—Por lo menos, la visibilidad alcanza medio kilómetro —dijo distraídamente.

—He visto cosas peores, mucho peores. —El comentario provenía de Brian Donegal, un inmigrante irlandés de elevada estatura y cabellos desordenados que manejaba la rueda del timón—. Es mejor soportar el mal tiempo al salir y no al entrar.

—De acuerdo, —dijo secamente Swedborg. Se estremeció y abrochó el último botón de su impermeable—. Atención al timón, y manténgase lejos de la boya del canal Punta Quebrada.

—Descuide, capitán. Mi fiel nariz de Belfast olfatea como un sabueso las señales del canal.

El modo de hablar de Donegal rara vez dejaba de arrancar una sonrisa a Swedborg. Los labios del capitán se curvaron involuntariamente, y el anciano habló con una severidad afectada.

—Prefiero que use los ojos.

El *Molly Bender* pasó Punta Quebrada y continuó su curso río abajo, dejando atrás una boya que se encendía y apagaba como un semáforo. Las luces de las orillas brillaban a lo lejos a través de la cellisca cada vez más espesa.

—Algo se acerca por el canal —anunció Donegal.

Swedborg cogió los binoculares y miró hacia proa.

—El barco que va en cabeza tiene tres luces blancas. Quiere decir que es un remolcador con las barcazas a popa. Está muy oscuro y no puedo distinguir el perfil. Sin embargo, es un convoy bastante largo. Alcanzo a ver las dos luces blancas de la última embarcación, unos doscientos cincuenta metros detrás del remolcador.

—Capitán, vamos a chocar. Las luces del mástil están en línea con nuestra proa.

—¿Qué hace ese bastardo en nuestro lado del río? —preguntó Swedborg—. ¿El maldito idiota no sabe que dos barcos que van a cruzarse deben conservar cada uno su lado del canal? Ocupa nuestra línea de paso.

—Podemos maniobrar más fácilmente que ellos —dijo Donegal—. Conviene avisarles y pasar de estribor a babor.

—Muy bien, Donegal. Vire a babor y envíele dos toques de silbato para indicar nuestra intención.

No hubo respuesta. Swedborg tuvo la sensación de que las luces del extraño remolcador se acercaban con rapidez mucho mayor que la que él hubiera supuesto, mucho más rápidamente que todos los remolcadores que él había visto arrastrando una hilera de lanchones. Advirtió horrorizado que el otro barco viraba hacia el nuevo curso del *Molly Bender*.

—¡Cuatro toques cortos de silbato para ese idiota! —gritó Swedborg.

Era la señal de peligro de la navegación fluvial; se emitían cuando no era posible entender el curso o las intenciones de la nave que se acercaba. Dos miembros de la tripulación de

Swedborg, despertados por los toques de la sirena, entraron medio adormilados en la cabina de mando, y reaccionaron instantáneamente, atónitos ante la proximidad de las luces de la nave que se acercaba. Era evidente que no se comportaba como un remolcador que arrastra una hilera de barcazas.

En los segundos restantes, Swedborg aferró un altavoz y gritó a la noche.

—¡Eh! ¡Viren a babor!

No le contestó voz alguna y tampoco se oyeron toques de sirena en la oscuridad helada. Las luces se aproximaban implacables al impotente *Molly Bender*.

Al comprender que la colisión era inevitable, Swedborg se aferró al marco de la ventana. En un esfuerzo de último momento, Donegal invirtió frenéticamente el movimiento de los motores, y giró a estribor la rueda del timón.

La última imagen que percibieron fue una monstruosa proa gris que emergía de la cellisca, a gran altura sobre la cabina, una maciza cuña de acero que ostentaba el número sesenta y uno.

Después, el pequeño pesquero se deshizo en pedazos que desaparecieron en las aguas heladas del río.

Pitt detuvo el coche frente a la entrada de la Casa Blanca. Jarvis bajó y anduvo unos metros, pero de pronto se volvió y miró a Pitt.

—Gracias por su ayuda —dijo con expresión sincera.

—¿Y ahora? —preguntó Pitt.

—Afronto el desagradable deber de despertar al presidente y los jefes del Estado Mayor Conjunto —dijo Jarvis con una sonrisa fatigada.

—¿En qué puedo ser útil?

—En nada. Ya ha hecho demasiado. Ahora es el turno del Departamento de Defensa.

—Las cápsulas de Muerte Rápida —dijo Pitt—. ¿Puede garantizarme que serán destruidas una vez que encuentren y aborden el buque?

—Solo puedo intentarlo; fuera de eso, no prometo nada.

—Eso no basta —dijo Pitt.

Jarvis estaba demasiado fatigado para discutir. Se encogió de hombros, como si ya nada tuviese importancia.

—Lo siento, pero así están las cosas. —Después mostró su pase al guardia y desapareció.

Pitt viró en redondo con el automóvil y siguió por la avenida Vermont. Unos tres kilómetros después encontró un café abierto toda la noche y entró en un aparcamiento. Después de pedir una taza de café a una empleada somnolienta, realizó dos llamadas. Finalmente, terminó el café, pagó y se fue.

54

Heidi Milligan se reunió con Pitt en la entrada del Hospital Naval Bethesda. Tenía los cabellos rubios semiocultos bajo un pañuelo y, a pesar de la fatiga que sus ojos expresaban, se la veía vibrante y extrañamente juvenil.

—¿Cómo está el almirante Bass? —preguntó Pitt.

Ella le dirigió una mirada tensa.

—Walt está luchando. Es un hombre resistente; conseguirá sobrevivir.

Pitt no la creía. Heidi se aferraba a un hilo de esperanza que se deshacía lentamente, y trataba de mostrarse valiente. Pasó el brazo alrededor de la cintura de la mujer, y la condujo por el pasillo.

—¿Puede hablar conmigo?

Ella asintió.

—Los médicos no lo ven con buenos ojos, pero Walt insistió en ello después de que le comuniqué su mensaje.

—No hubiera venido si no fuese importante —dijo Pitt.

Ella lo miró a los ojos.

—Comprendo.

Llegaron a la puerta y Heidi la abrió. Pitt se acercó al lecho del almirante.

Pitt odiaba los hospitales. El olor enfermizo y dulzón del éter, la atmósfera deprimente, la actitud despreocupada de los médicos y las enfermeras lo irritaban. Hacía mucho que había decidido que cuando llegase su hora moriría en su propia cama y en su casa.

Era la primera vez que veía al almirante después del episodio de Colorado, y lo que halló vino a confirmar su decisión. La palidez cerúlea del rostro del anciano parecía fundirse con la almohada, y la respiración entrecortada se confundía con el silbido del respirador artificial. Había tubos insertados en sus brazos, y otros desaparecerían bajo las sábanas para suministrarle alimentos y drenar los desechos del cuerpo. El cuerpo que antes era musculoso parecía demacrado.

Un médico se acercó y tocó el brazo de Pitt.

—Dudo de que tenga fuerzas para hablar.

La cabeza de Bass giró levemente hacia Pitt, y el anciano hizo un gesto débil con la mano.

—Acérquese, Dirk —murmuró roncamente.

El médico se encogió de hombros, como aceptando la situación.

—Permaneceré cerca, por si me necesita —dijo, y salió al pasillo y cerró la puerta.

Pitt acercó una silla a la cama y se inclinó sobre el oído de Bass.

—El proyectil de Muerte Rápida —dijo Pitt—. ¿Cómo funciona durante su trayectoria?

—Fuerza centrífuga… las muescas.

—Comprendo —replicó Pitt en voz baja—. Las muescas espirales del ánima del cañón imprimen un movimiento de rotación a la granada, y determinan una fuerza centrífuga.

—Activan un generador… que a su vez activa un pequeño altímetro de radar.

—Es decir, un altímetro barométrico.

—No… barométrico no funciona —murmuró Bass—. Las grandes granadas navales tienen alta velocidad con trayectoria recta… demasiado baja para una lectura barométrica exacta… debe usar radar para rebotar la señal desde tierra.

—Parece imposible que un altímetro de radar pueda soportar las elevadas fuerzas g cuando se dispara el cañón —dijo Pitt.

Bass sonrió débilmente.

—Yo lo diseñé… acepte mi palabra… el instrumento soporta el impulso inicial cuando se detona la carga de pólvora.

El almirante cerró los ojos y permaneció inmóvil, agotado por el esfuerzo. Heidi se acercó y apoyó una mano en el hombro de Pitt.

—Quizá debería regresar por la tarde.

Pitt meneó la cabeza.

—No tenemos tanto tiempo.

—Lo matará —dijo Heidi con los ojos llenos de lágrimas y expresión irritada.

La mano de Bass se movió sobre la sábana y sostuvo la muñeca de Pitt. Entreabrió los ojos.

—Necesitaba un minuto para respirar… no se vaya… es una orden.

Heidi vio la expresión compasiva en los ojos de Pitt, y de mala gana se alejó. Pitt volvió a inclinarse hacia el almirante.

—¿Qué ocurre después?

—Después que la granada alcanza la altura máxima y comienza el descenso a tierra, el indicador omnidireccional del altímetro indica la disminución de altura…

La voz de Bass se apagó, y Pitt esperó.

—A quinientos metros se abre un paracaídas. Aminora el descenso de la granada y activa un pequeño artefacto explosivo.

—A quinientos metros se abre el paracaídas —repitió Pitt.

—A trescientos metros el artefacto detona y abre la cabeza del proyectil; libera una masa de pequeñas bombas que contienen el organismo de Muerte Rápida.

Pitt reflexionó acerca de la descripción que el almirante ofrecía. Miró los ojos cada vez más apagados.

—El tiempo, almirante. ¿Cuánto tiempo transcurre entre la salida del paracaídas y la dispersión de MR?

—Hace mucho… no lo recuerdo.

—Por favor, inténtelo —imploró Pitt.

Era evidente que la condición de Bass empeoraba. Intentaba reaccionar, pero sus células cerebrales apenas respondían.

Después se aflojaron las líneas tensas de su rostro, y el anciano murmuró:

—Creo… no estoy seguro… treinta segundos… velocidad de descenso unos seis metros por segundo…

—¿Treinta segundos? —preguntó Pitt, procurando obtener confirmación.

La mano de Bass soltó la muñeca de Pitt, y cayó sobre la cama. El anciano cerró los ojos y entró en coma.

55

El único daño sufrido por el *Iowa* después de destrozar al *Molly Bender* consistió en unas pocas raspaduras en la pintura de proa. Fawkes no había detectado ni la más leve abolladura. Hubiera podido evitar la tragedia desviando la nave hacia babor, pero de esta forma el acorazado habría salido del sector más profundo del canal, e inevitablemente habría encallado.

Necesitaba hasta el último centímetro de espacio entre el lecho del río y el casco del *Iowa*. Todos esos meses, durante los cuales se habían retirado miles de toneladas de acero no esencial, habían elevado al barco desde el calado operativo de tiempos de guerra, unos trece metros, a pocos centímetros, menos de siete, y de ese modo Fawkes había conseguido un levísimo margen. Las grandes hélices ya estaban rozando el lodo del fondo, y ahora el *Iowa* venía dejando varios kilómetros de turbia estela.

Las innumerables excursiones de Fawkes de un extremo al otro del río, en la oscuridad, midiendo la profundidad de cada paraje, memorizando cada una de las boyas, y cada banco, ahora rendían sus frutos. A través de la cellisca menos intensa vio la boya iluminada en mitad del canal, frente a la isla de San Clemente. Uno o dos minutos más tarde sus oídos oyeron la campanilla sepulcral como si hubiera sido un viejo amigo. Se limpió en las mangas las manos sudorosas. Se aproximaba el momento más difícil de la operación.

Desde el instante mismo de soltar amarras, Fawkes se

había preocupado por el peligro que encerraban los bancos Kettle Bottom, un sector del río que tenía una longitud aproximada de diez kilómetros y que estaba cruzado por una red de bancos de arena que podían paralizar la quilla del *Iowa* e inmovilizarlo a muchos kilómetros de distancia de la meta.

Retiró una mano de la rueda del timón y descolgó un micrófono.

—Quiero una lectura permanente de la profundidad.

—Entendido, capitán —respondió por el altavoz una voz aguda.

Tres puentes más abajo, dos de los tripulantes negros de Fawkes se turnaban en la lectura de las profundidades, indicadas en una sonda modificada. Transmitían las lecturas en pies y no en brazas.

—Veintiséis pies… veinticinco… veinticuatro pies.

Los bancos de Kettle Bottom se aproximaron y las manos robustas de Fawkes aferraron la rueda del timón como si estuvieran pegadas a ella.

En la sala de máquinas, Emma fingía ayudar a la reducidísima tripulación que mantenía en funcionamiento la enorme nave. Todos estaban bañados en sudor, y trataban de desempeñar las tareas que normalmente requerían cinco veces más personal. La eliminación de dos motores había facilitado las cosas, pero aún había mucho que hacer, sobre todo si se tenía en cuenta el doble papel que les tocaba: maquinistas y, cuando llegase el momento, artilleros.

Como el trabajo físico no le atraía, Emma ayudaba distribuyendo grandes jarros de agua. En ese calor infernal nadie parecía prestar atención a su rostro poco conocido; de buena gana bebían el líquido que venía a reemplazar los fluidos corporales que estaban perdiendo por todos los poros.

Trabajaban a ciegas, sin saber qué ocurría más allá del casco, sin tener la menor idea del rumbo que la nave seguía. Lo único que Fawkes les había dicho, cuando el grupo subió a bordo, era que realizarían una breve práctica destinada a comprobar el estado de los viejos motores, y que dispararían algunas salvas con los cañones principales. Suponían que estaban saliendo de la bahía para internarse en el Atlántico. Por eso se desconcertaron cuando la nave se estremeció bruscamente y el casco comenzó a rechinar bajo sus pies.

El *Iowa* había tocado un banco. El lodo había reducido drásticamente la velocidad, pero de todos modos, la nave continuaba avanzando.

—Adelante a toda máquina —llegó la orden transmitida desde el puente. Los dos enormes ejes aceleraron sus revoluciones, mientras los motores aplicaban a la tarea sus 106.000 caballos de fuerza.

Los rostros de los hombres de la sala de máquinas expresaban confusión y desconcierto. Habían creído que estaban en aguas profundas.

Charles Shaba, el ingeniero jefe, llamó al puente.

—Capitán, ¿hemos encallado?

—Sí, muchacho, tocamos un banco que no está en las cartas —fue la sonora respuesta de Fawkes—. Continúen a toda máquina, hasta que hayamos pasado.

Shaba no compartía el optimismo de Fawkes. Se hubiera dicho que el barco avanzaba apenas. Las láminas bajo los pies vibraban mientras los motores se sometían a dura prueba. Después, poco a poco, sintió que el movimiento era un tanto más fácil, como si las hélices estuviesen trabajando en aguas más profundas. Un minuto después, Fawkes gritó desde el puente:

—¡Diga a los muchachos que ya hemos vuelto a aguas profundas!

Los hombres de la sala de máquinas volvieron a sus respectivas tareas con una sonrisa de alivio en el rostro. Un engrasador entonó una canción popular, y pronto todos formaron un coro, acompañado por el zumbido de las grandes turbinas.

Emma no se unió al coro. Solo él conocía la verdad que se ocultaba tras el extraño viaje del *Iowa*. Pocas horas más, y todos esos hombres estarían muertos. Lo cual podría haberse evitado si el fondo chato del *Iowa* hubiese encallado sin remedio en el banco. Pero no había ocurrido así.

Pensó que Fawkes era afortunado. Muy afortunado, de momento.

56

El presidente estaba sentado a una larga mesa de conferencias en las oficinas ejecutivas de emergencia, a unos cien metros bajo la Casa Blanca, y miraba a los ojos a Dale Jarvis.

—Dale, no necesito decirle que lo que menos deseo es una crisis durante los últimos días de mi gobierno, y menos aún una crisis que no puede esperar hasta mañana.

Jarvis sintió un escozor nervioso en los dedos. El presidente era conocido por su temperamento volcánico. Jarvis había visto más de una vez cómo su famoso bigote, que tanto complacía a los caricaturistas políticos, se erizaba de cólera. Como no tenía nada que perder excepto su empleo, Jarvis contraatacó.

—No acostumbro interrumpir su sueño, señor, ni los ensueños marciales de los jefes del Estado Mayor, a menos que me asista un motivo muy justificado.

Timothy March, secretario de Defensa, respiró hondo.

—Dale quiere decir que...

—Quiero decir —continuó Jarvis— que en un lugar de la bahía de Chesapeake hay un grupo de locos con un arma biológica que bien puede exterminar a toda una gran ciudad, y continuar matando Dios sabe durante cuántas generaciones.

El general Curtis Higgins, jefe del Estado Mayor Conjunto, dirigió una mirada dubitativa a Jarvis.

—No conozco ningún arma que tenga ese poder. Además, las existencias de gases de nuestro arsenal fueron neutralizadas y destruidas hace años.

—Ese es el cuento que ofrecimos al público —replicó Jarvis—. Pero todos los aquí presentes sabemos a qué atenernos. La verdad es que el Ejército nunca suspendió la investigación y la acumulación de armas biológicas y químicas.

—Cálmese, Dale. —Los labios del presidente esbozaron

una mueca bajo el bigote. Experimentaba un placer perverso en las disputas de sus subordinados. Con gesto sereno, destinado a aliviar la tensa atmósfera, se recostó en su sillón y apoyó una pierna en el brazo del asiento—. Sugiero que momentáneamente consideremos válida la advertencia de Dale.

—Se volvió hacia el almirante Joseph Kemper, jefe de Operaciones Navales—. Joe, como parece tratarse de una incursión naval, el asunto corresponde a su sector.

Kemper no encajaba muy bien con la imagen de un jefe militar. Era regordete y tenía los cabellos blancos; fácilmente podría habérselo confundido con el detective de un gran almacén. Examinó pensativo las notas que había redactado durante la exposición de Jarvis.

—Dos hechos confirman la advertencia del señor Jarvis. Primero, el acorazado *Iowa* fue vendido a la Malvis Bay Investment. Las fotografías tomadas por nuestro satélite revelan que hasta ayer estaba amarrado en el astillero Forbes.

—¿Y su situación actual? —preguntó el presidente.

Kemper no contestó; pulsó un botón de la mesa, y abandonó su silla. El panel de madera que cubría la pared del fondo se corrió y dejó al descubierto una pantalla de dos metros cincuenta por tres. Kemper descolgó un teléfono y dijo con voz neutra:

—Comiencen.

Una imagen de alta definición, recogida a gran altura sobre la tierra por una cámara de televisión, se reflejó en la pantalla. La calidad y el color eran muy superiores a los que podían encontrarse en un televisor doméstico común. La cámara del satélite penetraba las sombras y la masa de nubes de la madrugada como si estas no existieran, y proyectaba una imagen tan clara de la costa de la bahía de Chesapeake que parecía una foto de tarjeta postal. Kemper se acercó a la pantalla y describió un movimiento circular con el lápiz que usaba como puntero.

—Aquí tenemos la desembocadura del río Patuxent, y la cuenca entre Drum Point al norte y Hog Point al sur. —El lápiz se detuvo un momento—. Estas líneas pequeñas son los muelles del astillero Forbes… Un punto a favor del señor

Jarvis. Como puede ver, señor presidente, no hay indicios de la presencia del *Iowa*.

Obedeciendo una orden de Kemper, las cámaras comenzaron a recorrer el extremo superior de la bahía. Se vio un desfile de cargueros, barcos pesqueros y una fragata lanzamisiles, pero nada parecido al perfil voluminoso de un acorazado. Cambridge, a la derecha de la pantalla; poco después, la Academia Naval de Annápolis a la izquierda; el puente de peaje debajo de Punta Arenosa; y aún más lejos, el sector desde el río Patapsco hasta Baltimore.

—¿Qué hay al sur? —preguntó el presidente.

—Excepto Norfolk, ninguna ciudad importante a lo largo de quinientos kilómetros.

—Vamos, caballeros. Ni siquiera Merlín y Houdini reunidos podrían conseguir que desapareciera un acorazado.

Antes de que nadie pudiese contestar, un ayudante de la Casa Blanca entró en la sala de conferencias y depositó una hoja frente al presidente.

—Acaba de llegar del Departamento de Estado —dijo el presidente, mientras leía rápidamente el texto—. Un comunicado del primer ministro Koertsmann, de África del Sur. Nos previene urgentemente de un ataque inminente al territorio norteamericano, que será desencadenado por el Ejército Africano Revolucionario, y pide disculpas por cualquier participación indirecta de su gabinete.

—No es lógico que Koertsmann sugiera que él está enredado con su enemigo —dijo March—. Me parecería más lógico que negase categóricamente cualquier vínculo.

—Probablemente está adelantándose a los hechos —aventuró Jarvis—. Koertsmann debe de sospechar que estamos al tanto de la operación Rosa Silvestre.

El presidente continuó mirando las líneas escritas en el papel, como si rehusara aceptar la terrible verdad.

—Parece —dijo solemnemente— que el infierno amenaza desencadenarse sobre nosotros.

El puente había sido el único error de cálculo. La superestructura del *Iowa* era demasiado alta para pasar bajo el único obstáculo artificial que se alzaba entre Fawkes y su meta. El espacio vertical era casi un metro menor de lo que él había calculado.

Oyó más que vio cómo la cabina de madera terciada donde debía alojarse el jefe de tiro se desprendía de la plataforma de control y reventaba contra la saliente del puente.

Howard McDonald clavó los frenos y alcanzó a desviarse, mientras los cajones de botellas de leche se entrechocaban en su camión de reparto. McDonald, que estaba cruzando el puente Harry W. Nice para iniciar su reparto habitual de leche, creyó que un avión se había estrellado contra las vigas de sostén que se elevaban del camión. Permaneció inmóvil unos instantes, asustado, mientras los faros iluminaron una enorme pila de restos que bloqueaban las dos estrechas pistas, hacia el norte y hacia el sur. Dominado por el miedo, descendió del vehículo y se acercó, esperando hallar fragmentos destrozados de cuerpos humanos en medio de los restos.

Pero lo único que vio fue un conjunto de placas astilladas de madera gris. Su reacción inicial fue escudriñar el cielo bajo cubierto de nubes, pero lo único que vio fue una luz roja de aviso a los aviones, encendida en el extremo más alto del arco principal. Después, McDonald se acercó a la baranda y miró hacia abajo.

Excepto las luces que parecían pertenecer a una hilera de barcazas que estaban doblando por Punta Matías, hacia el norte, el canal estaba desierto.

57

Pitt, Steiger y el almirante Sandecker estaban de pie alrededor de un tablero de dibujo, en el hangar que Pitt ocupaba en el aeropuerto nacional de Washington, y examinaban un gran mapa de la costa.

—Fawkes modificó completamente al *Iowa* por muy buenas razones —estaba diciendo Pitt—. Cinco metros. Elevó cinco metros la línea de flotación.

—¿Está seguro de que sus cifras son exactas? —preguntó Sandecker—. Porque en ese caso quedan solo siete metros. —Meneó la cabeza—. No me parece verosímil.

—Me lo dijo un hombre que sabe a qué atenerse —contestó Pitt—. Mientras Dale Jarvis telefoneaba a la central de la Agencia Nacional de Seguridad, interrogué a Metz, el jefe del astillero. Juró que eran las medidas exactas.

—Pero ¿con qué fin? —preguntó Steiger—. Si retiró todos los cañones y los reemplazó por armazones de madera, el barco es totalmente inútil.

—La torre número dos y todo su equipo de control de fuego están intactos —dijo Pitt—. De acuerdo con la información de Metz, el *Iowa* puede descargar una salva de granadas de casi una tonelada a una distancia de treinta kilómetros.

Sandecker concentró la atención en encender un largo cigarro. Cuando consideró que había completado adecuadamente la operación, envió al techo una nube de humo azul y golpeó el mapa con los nudillos.

—Dick, su plan es absurdo. Estamos mezclándonos en un conflicto que nos sobrepasa.

—No podemos quedarnos sentados —dijo Pitt—. El presidente se dejará convencer por los estrategas del Pentágono y destruirá el *Iowa*... con lo cual lo más probable es que el viento disperse los gérmenes de la MR; o bien enviará un grupo de abordaje que se apodere de las granadas, con el propósito de incorporarlas al arsenal del ejército.

—Pero ¿de qué sirve una plaga que no puede controlarse? —preguntó Steiger.

—Puede tener la certeza de que asignarán fondos a todos los biólogos del país, con el fin de que encuentren un antídoto —replicó Pitt—. Y si alguien lo descubre, un día tendremos a un general o un almirante que se asusta e imparte la orden de dispersar los gérmenes. Por mi parte, no quiero llegar a viejo sabiendo que pude salvar miles de vidas y no hice nada.

—Bonito discurso —dijo Sandecker—. Coincido absolutamente, pero ninguno de nosotros puede competir con el Departamento de Defensa en la carrera por recuperar las dos cápsulas de MR.

—Si logramos embarcar un hombre en el *Iowa*, un hombre que desarme el mecanismo de los proyectiles y arroje al agua las esferas que contienen los organismos... —Pitt dejó inconclusa la frase.

—¿Usted es ese hombre? —preguntó Sandecker.

—De los tres, soy el mejor.

—Amigo, ¿no se olvida de mí? —preguntó acremente Steiger.

—Si todo el resto fracasa, necesitaremos una persona que maneje los mandos del helicóptero. Lo siento, Abe, pero yo no sé hacerlo, de modo que le corresponde a usted.

—Si lo plantea así —replicó Steiger con una sonrisa áspera—. ¿Cómo puedo negarme?

—El asunto es llegar al *Iowa* antes que los hombres de Defensa —dijo Sandecker—. Lo cual no es probable, porque ellos tienen la ventaja del reconocimiento por satélite.

—¿Y qué diría si le señalo que sabemos exactamente adónde se dirige el *Iowa*? —preguntó Pitt, sonriendo.

—¿Qué? —gruñó el escéptico Steiger.

—El calado es el indicio delator —contestó Pitt—. Hay una sola vía de agua al alcance de la nave comandada por Fawkes, y que exige un calado que no exceda los siete metros.

Sandecker y Steiger permanecieron en silencio, los rostros inexpresivos, esperando que Pitt desentrañara el misterio.

—La capital —dijo Pitt sin vacilar—. Fawkes piensa remontar el río Potomac y disparar contra Washington.

A Fawkes le dolían los brazos, y sudaba a causa de la intensa concentración; los hilos de sudor descendían por el rostro curtido y se perdían en la barba. De no haber sido por los movimientos de los brazos, se hubiera dicho que estaba fundido en bronce. Sentía un cansancio profundo. Había permanecido al timón del *Iowa* casi diez horas, llevando la enorme nave por canales para los cuales ciertamente no estaba diseñada. Tenía cubiertas de ampollas las palmas, pero eso no le importaba. Había comenzado el último tramo de su viaje imposible. La Pennsylvania Avenue ya estaba al alcance de los largos y mortíferos cañones de la torre número dos.

Por el telégrafo ordenó mayor velocidad, lo que acentuó la vibración que venía de las profundidades del barco. Como un viejo caballo de guerra al oír el sonido del clarín, el *Iowa* hundió sus hélices en el lodo del río y remontó la corriente de Cornwallis Nesk, sobre la orilla de Maryland.

El *Iowa* parecía un artefacto extraterrestre, o más bien un monstruo gigantesco que escupía humo y venía de las profundidades del infierno. Avanzó con mayor velocidad, haciendo balancear las boyas del canal. Era como si tuviera corazón y alma, y en cierto modo supiese que se trataba del último viaje y que pronto moriría… el último de los grandes acorazados.

Fawkes miró fascinado el resplandor de las luces de Washington, unos treinta kilómetros delante. La base de la Marina en Kuantico quedó atrás, mientras la masa irresistible del *Iowa* pasaba Hallowing Point y aceleraba frente a Gunston Cove. Restaba solo un recodo antes de que la proa entrase en el estrecho canal que terminaba en el límite de la pista de golf del parque Potomac Este.

—Veintitrés pies —informó por el altavoz—. Veintitrés… veintidós y medio…

El barco pasó frente a la boya siguiente, y sus hélices de seis metros y cinco paletas agitaron el limo del fondo, y la proa levantó cascadas de espuma blanca mientras hendía la corriente de cinco nudos.

—Veintidós pies, capitán. —La voz era apremiante—. Sigue veintidós… sigue, Dios mío, ¡veintiuno y medio! La nave golpeó el lecho del río, del mismo modo que un martillo se hunde en una almohada. El impacto pareció una sensación más conocida que sentida, cuando la proa se hundió en el lodo. Los motores continuaron zumbando y las hélices intentaban mover el agua, pero el *Iowa* permaneció inmóvil.

Ahora descansaba al pie de las laderas de Mount Vernon.

58

—No lo creí posible —dijo el almirante Joseph Kemper mientras contemplaba admirado la imagen del *Iowa* en la pantalla—. Llevar una fortaleza de acero a lo largo de ciento cuarenta kilómetros por un río estrecho y sinuoso en medio de la noche es una notable hazaña marina.

El presidente tenía expresión pensativa. Se masajeó las sienes.

—¿Qué sabemos de este Fawkes?

Kemper hizo un gesto a un ayudante, que depositó una carpeta azul ante el presidente.

—El almirantazgo británico atendió mi pedido de informes acerca del capitán Fawkes. El señor Jarvis agregó algunas notas extraídas de los archivos de la Agencia Nacional de Seguridad.

El presidente se caló unas gafas y abrió la carpeta. Después de unos minutos miró a Kemper.

—Muy buenos antecedentes. Quien lo eligió para la tarea sabía lo que hacía. Pero ¿por qué un hombre de antecedentes tan prestigiosos de pronto se complica en una aventura tan extraña?

Jarvis meneó la cabeza.

—Podemos imaginar que la masacre de su esposa y sus hijos por los terroristas lo trastornó un poco.

El presidente meditó las palabras de Jarvis, y se volvió hacia los jefes del Estado Mayor.

—Caballeros, estoy dispuesto a escuchar propuestas.

El general Higgins aceptó la invitación, retiró su silla y se acercó a la pantalla.

—Nuestros colaboradores han programado una serie de alternativas, todas basadas en el supuesto de que el *Iowa* transporta un agente biológico letal. Primero, podemos ordenar que un escuadrón de aviones F-1-20 destrocen el *Iowa* con misiles Copperhead. El ataque coincidiría con el fuego de apoyo de unidades del Ejército distribuidas en la orilla.

—Muy inseguro —dijo el presidente—. Si la destrucción

no es inmediata y total, es posible que dispersemos el agente Muerte Rápida.

—Segundo —continuó Higgins—. Un equipo de submarinistas de la Marina que se acerquen nadando al *Iowa* y tomen la sección de popa, donde hay espacio para que descienda un helicóptero. Después los marines descienden y toman la nave. —Higgins hizo una pausa, esperando algún comentario.

—Y si se clausuran los accesos al interior del barco —ahora hablaba Kemper—, ¿cómo entrarán los marines?

Jarvis respondió:

—De acuerdo con la gente del astillero, la mayor parte del blindaje y la superestructura del *Iowa* se reemplazó con madera. Los marines pueden abrirse paso hacia el interior del buque siempre y cuando los hombres de Fawkes no los liquiden mientras están desembarcando.

—Si todo lo demás fracasa —dijo Higgins—, la última alternativa es terminar el trabajo con un explosivo nuclear de escasa potencia.

Durante un minuto ninguno habló, porque nadie deseaba afrontar las consecuencias imprevisibles de la última propuesta del general. Finalmente, como era su obligación, el presidente tomó la iniciativa.

—Me parece que una pequeña bomba de neutrones sería el recurso más práctico.

—Por sí sola la radiactividad no destruirá el agente MR —dijo Jarvis.

—Además —agregó Kemper—, dudo de que los rayos letales puedan atravesar la torre. Una vez cerrada, es casi hermética.

El presidente miró a Higgins.

—Debo suponer que su gente ha sopesado las terribles posibilidades de este asunto.

Higgins asintió solemnemente.

—En definitiva, se trata del antiquísimo problema de sacrificar a unos pocos para salvar a muchos.

—¿Qué significa «pocos» para usted?

—Cincuenta a setenta y cinco mil muertos. Quizá doble número de heridos. Las pequeñas comunidades más próximas al *Iowa* y el sector densamente poblado de Alejandría serían los más afectados. Washington soportaría daños secundarios.

—¿Cuánto tardarán en llegar los marines? —preguntó el presidente.

—Ahora mismo están subiendo a los helicópteros —contestó el general Guilford, comandante de infantería de Marina—. Y los submarinistas están descendiendo por el río en una nave de la guardia costera.

—Tres unidades de combate con diez hombres cada una —agregó Kemper.

Sonó el teléfono que había al lado de la silla del general Higgins. Kemper extendió una mano y respondió: escuchó y devolvió el auricular a la horquilla. Miró a Higgins, que había permanecido de pie frente a la pantalla.

—Los equipos de comunicación han instalado cámaras en los promontorios que se elevan al sur del *Iowa* —dijo—. Dentro de pocos segundos comenzarán a transmitir imágenes.

Casi antes de que Kemper hubiese terminado de hablar, la imagen aérea proveniente de los satélites se ensombreció, y la reemplazó una imagen del *Iowa* que ocupó toda la pantalla con la superestructura de la nave.

El presidente se sirvió lentamente una taza de café, pero no la bebió. Miró la imagen del *Iowa* mientras su mente buscaba una decisión que solo él podía adoptar. Finalmente suspiró y se dirigió al general Higgins.

—Comenzaremos con los submarinistas y los marines. Si fracasan, llame a los aviones y ordene que sus fuerzas en tierra abran fuego.

—¿Y el ataque nuclear? —preguntó Higgins.

El presidente meneó la cabeza.

—Sean cuales fueren las circunstancias, no puedo asumir la responsabilidad de ordenar el asesinato en masa de mis propios compatriotas.

—Disponemos de media hora antes del amanecer —dijo en voz baja Kemper—. El capitán Fawkes necesita la luz diurna para apuntar sus cañones. Antes de retirarlo del servicio, se eliminaron del *Iowa* todos los sistemas de radar y control automático de fuego. No puede disparar con un mínimo de precisión a menos que tenga apostado un vigía que le informe por radio el alcance y la exactitud de fuego.

—¿Es posible que el vigía se encuentre apostado en un techo, a pocos metros de aquí? —dijo el presidente, mientras sorbía el café.

—No me sorprendería —contestó Kemper—. Sin embargo, no podrá transmitir mucho tiempo. Hemos instalado monitores de triangulación con computadoras que pueden localizarlo en pocos segundos.

El presidente suspiró.

—De modo, caballeros, que eso es todo por el momento.

—Hay otra posibilidad, señor presidente —dijo Higgins.

—Adelante.

—Los proyectiles de Muerte Rápida. Si los recuperamos intactos, sugiero que sean analizados por los laboratorios del Departamento de Defensa...

—¡Es necesario destruirlos! —intervino Jarvis—. Un arma tan terrible no debe conservarse.

—Creo que se ha suscitado un problema más inmediato —dijo Timothy March.

Al oír la voz de March todos se volvieron hacia la pantalla. Kemper cogió rápidamente el teléfono y gritó:

—¡Desvíen las cámaras hacia la popa, encima del *Iowa*!

Manos invisibles cumplieron la orden, y el perfil del acorazado se empequeñeció cuando la cámara amplió el área cubierta por la imagen. La atención general se concentró en el conjunto de luces de navegación de un avión.

—¿Qué les parece? —preguntó el presidente.

—Un helicóptero —replicó irritado Higgins—. Un condenado civil seguramente siente curiosidad y ha decidido husmear un poco.

Los hombres abandonaron sus sillas y se reunieron alrededor de la pantalla, mirando impotentes mientras el intruso se acercaba al acorazado encallado. Los observadores estaban tensos, y en sus miradas se leía un sentimiento de impotente frustración.

—Si Fawkes se asusta y comienza a disparar antes de que nuestras fuerzas se hayan desplegado —dijo Kemper con voz neutra—, mucha gente sufrirá.

El *Iowa* yacía inmóvil en medio del Potomac con los motores detenidos. Fawkes miró alrededor con cauteloso optimismo. La tripulación era diferente de las que había tenido bajo su mando años atrás. Algunos parecían casi niños, y todos llevaban los uniformes de camuflaje popularizados por el Ejército Africano Revolucionario. Excepto la eficiencia con que ejecutaban las tareas asignadas, no había en ellos nada que remotamente sugiriera que se trataba de personal naval sudafricano.

La tarea de Charles Shaba como jefe de máquinas había terminado al detenerse los motores, y de acuerdo con las órdenes impartidas ahora era oficial de artillería. Subió al puente y encontró a Fawkes inclinado sobre un pequeño receptor de radio. Saludó marcialmente a su jefe.

—Discúlpeme, capitán, ¿podemos hablar?

Fawkes se volvió y apoyó un brazo robusto sobre el hombro de Shaba.

—¿Qué ocurre? —dijo, sonriendo.

Complacido de hallar al capitán con buen ánimo, Shaba adoptó posición de firmes y formuló la pregunta que inquietaba a toda la tripulación.

—Señor, ¿dónde demonios estamos?

—¿Conoce el campo de pruebas de Aberdeen?

—No, señor.

—Es un terreno muy extenso donde los norteamericanos prueban sus armas.

—Pensé… es decir, los hombres creyeron que saldríamos al mar.

Fawkes miró por la ventana.

—No, muchacho, los yanquis han tenido la bondad de

permitirnos realizar práctica de artillería en este campo.

—Pero ¿cómo saldremos de aquí? —preguntó Shaba—. El barco está encallado.

Fawkes lo miró con expresión paternal.

—No se inquiete. Con la marea alta lo reflotaremos. Ya lo verá.

Shaba pareció aliviado.

—Capitán, los hombres se alegrarán de saberlo.

—Muy bien, muchacho. —Fawkes le palmeó la espalda—. Ahora, regrese a su puesto y ocúpese de cargar los cañones.

Shaba saludó y salió. Fawkes contempló al joven negro que se perdió en la oscuridad del corredor, y por primera vez experimentó un profundo sentimiento de pesar por lo que se disponía a hacer.

El sonido de un avión lo arrancó de su ensueño. Elevó los ojos al cielo cada vez más claro y vio las luces parpadeantes de un helicóptero que remontaba el río por el este. Cogió unos binoculares y apuntó al aparato cuando este pasó sobre el barco. Alcanzó distinguir, no muy claras, las letras ANIM. Agencia Nacional de Investigaciones Marinas, tradujo silenciosamente Fawkes. Por ese lado no había peligro. Probablemente regresaba a la capital después de una expedición oceanográfica. Sonrió a su propia imagen reflejada en el cristal, y en su interior se acentuó el sentimiento de seguridad.

Depositó los binoculares sobre el mostrador del puente y de nuevo concentró la atención en el receptor de radio. Acercó el auricular a un oído, y pulsó el botón del micrófono.

—Black Angus Uno llamando a Black Angus Dos. Cambio.

Una voz de acento inequívocamente sureño contestó casi al instante.

—Eh, hombre, no es necesario tanto formalismo en código. Se le oye con nitidez.

—Le agradeceré que ahorre palabras —dijo Fawkes.

—Mientras me paguen, usted es el jefe.

—¿Listo sobre el blanco?

—Sí, ahora moviéndose para ocupar la posición.

—Bien. —Fawkes consultó su reloj—. Cinco minutos y diez segundos hasta Hogmanay.

—Hog… ¿qué?

—Nochebuena en escocés.

Fawkes cerró el micrófono y observó satisfecho que el helicóptero de la ANIM había continuado su marcha serena hacia Washington, y desaparecía detrás de los promontorios del curso superior del río.

Casi en el mismo instante, Steiger movió los mandos e inclinó el helicóptero Minerva-M-88 trazando una amplia curva sobre la campiña de Maryland. Mantuvo bajo el aparato, y pasó rozando las copas de los árboles sin hojas, esquivando de tanto en tanto una torre de agua, y sonriendo al oír las palabras en los auriculares.

—Están comenzando a enfadarse —dijo distraídamente—. El general Fulano o Zutano dice que nos derribarán si no salimos enseguida del área.

—Acuse recibo —dijo Pitt—. Y dígale que acatamos la orden.

—¿Cómo nos identificamos?

Pitt pensó un momento.

—Dígale la verdad. Un helicóptero de la ANIM en misión especial.

Steiger se encogió de hombros y comenzó a hablar por el micrófono.

—El viejo general Fulano aceptó la versión —dijo Steiger luego. Inclinó la cabeza hacia Pitt—. Será mejor que se prepare. Calculo que disponemos de ocho minutos.

Pitt desabrochó el cinturón de seguridad y esperó hasta que Sandecker hizo lo mismo; después entró en el pequeño compartimiento de carga del helicóptero. —Hágalo bien la primera vez— dijo Pitt al oído de Steiger—, o producirá una fea mancha roja al costado del *Iowa*.

—Está hablando con un maníaco de la limpieza —dijo Steiger con una sonrisa descolorida—. Solo tiene que sujetarse bien y dejar el volante al viejo Abe. Si necesita soltarse antes de tiempo, trataré de que su trasero caiga sobre un hermoso almohadón acuático.

—Cuento con ello.

—Describiré una curva y vendré por el oeste, para disimular el helicóptero con la escasa oscuridad que aún resta. —Los ojos de Steiger no se apartaban del parabrisas—. Ahora apago las luces de navegación. ¡Buena suerte!

Pitt apretó el brazo de Steiger, pasó al compartimiento de carga del Minerva y cerró la puerta de comunicación. El compartimiento estaba helado. La compuerta de acceso estaba abierta, y el frío aire de la mañana penetraba en el recinto, que parecía una tumba de aluminio. Sandecker le tendió el extremo de la correa, y Pitt ajustó la anilla.

El almirante empezó a decir algo y después vaciló. Finalmente, con los duros rasgos faciales tensos a causa de la emoción contenida, murmuró:

—Lo espero para el desayuno.

—Me gustan los huevos revueltos —dijo Pitt.

Después, saltó al aire helado de la madrugada.

El teniente Alan Fergus, jefe de unidades de combate de submarinistas, se cerró el traje impermeable y maldijo los caprichos del alto mando. Apenas una hora antes lo habían despertado bruscamente y le habían ordenado que sin perder tiempo participara en el ejercicio más estúpido que le había tocado en sus siete años de servicio en la Marina. Se encasquetó la capucha de goma y trató de que esta le protegiese las orejas. Después, se acercó a un hombre alto y corpulento que estaba sentado en un sillón. Tenía los pies apoyados en la baranda del puente, y examinaba atentamente las aguas del Potomac.

—¿De qué se trata? —preguntó Fergus.

El teniente Oscar Kiebel, capitán de la lancha patrullera de la guardia costera que estaba transportando a Fergus y a sus hombres, curvó los labios en una expresión de disgusto y se encogió de hombros.

—No sé más que usted —dijo.

—¿Cree en todas esas idioteces acerca de un acorazado?

—No —dijo Kiebel—. He visto subir por el río a destructores de cuatro mil toneladas que se dirigían al astillero de la Marina en Washington, pero ¿un acorazado de cincuenta mil toneladas? Imposible.

—«Abordar y asegurar la popa para el descenso de los marines transportados en helicópteros» —dijo irritado Fergus—. Si quiere saber lo que pienso, estas órdenes son absolutamente estúpidas.

—Esta excursión me agrada menos que a usted. Pero yo también tengo que obedecer. —Sonrió—. Quizá es una fiesta sorpresa, con bebidas y mujeres liberadas.

—A las siete de la mañana ninguna de las dos cosas me interesa mucho. O por lo menos no me interesa aquí, en medio del río.

—Pronto sabremos a qué atenernos. Estamos a cinco kilómetros de punta Sheridan. Allí, nuestros objetivos estarán… —De pronto, Kiebel se interrumpió e inclinó la cabeza para escuchar—. ¿Oye eso?

Fergus aguzó el oído y se volvió, de cara a la estela de la lancha.

—Parece un helicóptero.

—Yo diría un murciélago que baja del cielo, sin luces —agregó Kiebel.

—¡Dios mío! —exclamó Fergus—. Los marines se han equivocado. Vienen demasiado temprano.

Un instante después, todos los ocupantes de la lancha miraron hacia arriba, mientras un helicóptero pasaba a sesenta metros de altura, como una sombra más oscura recortada contra el cielo gris. Todos estaban tan absortos mirando al oscuro y misterioso aparato que no vieron la forma confusa que lo seguía, debajo y un poco detrás del helicóptero, hasta que aquella pasó sobre el puente y se llevó consigo la antena de radio.

—¿Qué demonios era eso? —exclamó Kiebel, asombrado.

Pitt habría suministrado de buena gana la respuesta si hubiese contado con tiempo suficiente. Sostenido por la correa, colgando bajo el helicóptero de la ANIM apenas a quince metros sobre el río, solo atinó a adelantar las piernas un instante antes de chocar con la antena de la lancha patrullera. Los pies acusaron la mayor parte del impacto, y felizmente —y como reflexionó después, tuvo mucha suerte—. Los cables no se le enredaron en el cuerpo, porque de haber ocurrido eso lo habrían seccionado como a una hoja de lechuga.

El sol naciente cooperó ocultándose tras una capa baja de nubes oscuras; la luz filtrada desdibujó todos los detalles de la campiña circundante. El aire era áspero, y revelaba toda la energía de un frío polar que traspasaba las gruesas ropas de Pitt. Los ojos le lagrimeaban profusamente, y las mejillas y la frente le ardían como si les hubiesen clavado miríadas de alfileres.

Pitt estaba realizando un viaje que no hubiera podido hallar en un parque de diversiones. El Potomac era una mancha sobre la cual volaba, dejando atrás la corriente perezosa a la velocidad de casi trescientos kilómetros por hora. Los árboles de las orillas pasaban velozmente, como los automóviles en una autopista de Los Ángeles. Miró hacia arriba y alcanzó a ver un pequeño óvalo pálido sobre el fondo oscuro del helicóptero, y comprendió que era el rostro ansioso del almirante Sandecker.

Describió un movimiento lateral cuando Steiger inclinó el aparato para seguir un amplio recodo del río. El largo cordón umbilical que lo unía a una cabria del compartimiento de carga se arqueó en dirección contraria, desplazando hacia fuera el cuerpo de Pitt, como una marioneta. El impulso lo desvió a un lado, y Pitt se encontró mirando los terrenos de Mount Vernon. Después, el cable volvió a la posición vertical, y apareció ante él la enorme silueta del *Iowa*, con los cañones delanteros apuntando ominosamente hacia el curso superior del río.

Arriba, Steiger aminoró la velocidad del helicóptero. Pitt sintió que las correas del arnés le apretaban el pecho, a causa de la desaceleración, y se preparó para la caída. La superestructura de la nave ocupó el parabrisas de la cabina del helicóptero cuando Steiger lo llevó suavemente a una posición suspendida a estribor del barco, detrás del puente principal.

—¡Demasiado rápido! ¡Demasiado rápido! —murmuró Steiger, temeroso de que Pitt al balancearse se adelantara al helicóptero, más o menos como hubiera podido hacerlo el extremo de un péndulo.

Los temores de Steiger se justificaron. En efecto, Pitt describía un arco incontrolable, a cierta altura sobre el puente principal, donde quería descender. Después de pasar a pocos centímetros de la torre vacía de los cañones de cinco pulgadas, llegó al final de su arco. Era ahora o nunca. Se decidió, oprimió la hebilla para desprenderse y se separó del arnés.

En la puerta del helicóptero, Sandecker aguzaba la vista en la escasa luz del amanecer; contuvo la respiración mientras la figura encogida de Pitt caía detrás de la superestructura del *Iowa* y desaparecía. Después, también la nave quedó atrás, porque Steiger elevó el helicóptero en un ángulo empinado, y las paletas del rotor batieron el aire, y el artefacto cruzó la orilla arbolada y se alejó. Apenas el helicóptero se niveló, Sandecker soltó el cinturón de seguridad y regresó a la cabina.

—¿Lo ha conseguido? —preguntó ansiosamente Steiger.

—Sí, ya ha bajado —contestó Sandecker.

—¿En una sola pieza?

—Esperemos que así sea —dijo Sandecker, en voz tan baja que Steiger apenas lo oyó sobre el rugido del motor—. La esperanza es lo único que nos queda.

59

Mientras siguiese su camino, el helicóptero no preocupaba demasiado a Fawkes. No vio la forma humana que caía en la penumbra del amanecer, pues tenía la atención centrada en la lancha que bajaba por el río a gran velocidad. No dudó de que era un comité de bienvenida, por cortesía del gobierno de Estados Unidos. Habló por un micrófono.

—Señor Shaba.

—¿Señor? —respondió la voz de Shaba.

—Por favor, envíe a sus puestos a los hombres de las ametralladoras, y prepárese para rechazar a un grupo de abordaje.

Dios mío, pensó Fawkes, rechazar al grupo de abordaje. ¿Cuándo había sido la última vez que un capitán de un buque impartió esa orden?

—¿Se trata de un ejercicio, señor?

—No, señor Shaba, no es un ejercicio. Creo que algunos extremistas norteamericanos que apoyan a los enemigos de nuestro país pueden tratar de apoderarse del buque. Ordene a sus hombres que disparen sobre todo lo que amenace la seguridad de esta nave y su tripulación. Sus hombres pueden comenzar rechazando a la lancha terrorista que se aproxima por el oeste.

—Sí, capitán. —La transmisión radial no alcanzaba a disimular la excitación de Shaba.

Fawkes sentía el deseo cada vez más acuciante de ordenar a su ingenua tripulación que abandonase el *Iowa*; pero no podía resignarse a aceptar que estaba asesinando a sesenta y ocho hombres inocentes, a quienes se había inducido a creer que servían a un país que los trataba apenas mejor que al ganado. Fawkes tenía su propio método para rechazar los fríos tentáculos del sentimiento de culpa. Evocó la imagen de una granja incendiada y los cuerpos chamuscados de su esposa y sus hijos, y así fortaleció su decisión de afrontar la tarea.

Descolgó el micrófono.

—Batería principal.

—Capitán, batería principal preparada.

—Fuego individual a la orden. —Otra ojeada a los cálculos sobre la carta desplegada ante sus ojos—. Alcance veintitrés mil novecientas yardas. Ángulo de tiro, cero-uno-cuatro grados.

Fawkes miró como hipnotizado los tres cañones de sesenta y ocho pies que emergían de la torre número dos. Cada cañón y su mecanismo pesaban ciento treinta y cuatro toneladas, y ahora elevaban las bocas hercúleas para formar un ángulo de quince grados. De pronto se detuvieron, esperando la orden de desencadenar su terrible poder. Fawkes hizo una pausa, respiró hondo y oprimió el botón de transmisión.

—¿Está en posición, Angus Dos?

—Puede dar la orden —contestó el vigía.

—¿Señor Shaba?

—Listo para disparar, señor.

El momento había llegado. El viaje iniciado en una granja de Natal había continuado implacablemente hasta alcanzar este momento. Fawkes salió al puente, e izó en un mástil improvisado la bandera de combate del Ejército Africano Revolucionario. Después, regresó a la cabina de control y pronunció las palabras fatídicas.

—Señor Shaba, puede disparar.

Para los hombres de la lancha patrullera de la guardia costera fue como si de pronto se hubiesen arrojado a un holocausto.

Aunque solo uno de los cañones de la batería triple había disparado, la explosión formó una línea de turbulencia y descargó una masa de gas incandescente que alcanzó y envolvió a la pequeña embarcación. La mayoría de los hombres que estaban de pie cayó al suelo de la cubierta. Los que miraban hacia el *Iowa* en el momento de la descarga descubrieron que se les había chamuscado el cabello y que el resplandor los cegaba.

Casi antes de disiparse los efectos del disparo, el teniente Kiebel se había apoderado de la rueda del timón e imprimía a la lancha un brusco zig zag. De pronto el parabrisas que protegía el puente voló en pedazos. Durante una fracción de segundo el teniente Kiebel pensó que un enjambre de avispas lo atacaba. Alcanzó a oír el zumbido cerca de las mejillas y el cabello. Solo cuando su brazo derecho saltó de la rueda del timón y vio una sucesión de orificios rojos en la manga de su chaqueta, comprendió lo que estaba ocurriendo.

—¡Que sus hombres salten por la borda! —gritó a Fergus—. ¡Esos bastardos nos están disparando!

No necesitó repetir el mensaje. Fergus actuó instantáneamente, ordenando a sus hombres que buscasen la dudosa seguridad del río, y en algunos casos obligándolos a hacerlo. Como por milagro, Kiebel era el único herido. Solo en el puente y perfectamente visible, parecía un blanco ideal para los tiradores del *Iowa*.

Kiebel acercó tanto la lancha al casco del *Iowa* que los amortiguadores adheridos a la borda chocaron contra la gran pared de acero, y se rompieron. Fue una actitud sensata; los hombres que disparaban desde el acorazado no podían apuntar tan bajo, de modo que solamente consiguieron destruir parte del mástil de radar de la lancha patrullera. Después, Kiebel enfiló hacia aguas abiertas, y las balas se hundieron a unos quince metros a estribor, demostrando la mala puntería de sus sorprendidos adversarios. La distancia aumentó. Dirigió una rápida ojeada al río, y comprobó con alivio que Fergus y sus hombres habían desaparecido.

Había creado una distracción en beneficio de los submarinistas. Ahora, a ellos les correspondía continuar la operación. Satisfecho, Kiebel entregó el timón a su primer oficial y se sometió con desagrado a los cuidados de un suboficial, que trajo un botiquín de primeros auxilios y empezó a cortar la manga empapada de sangre de la chaqueta.

—Hijo de puta —murmuró Kiebel.

—Disculpe, señor, tendrá que aguantar todo lo posible.

—Para usted es fácil decirlo —rezongó Kiebel—. No pagó doscientos dólares por esta chaqueta.

Mientras caminaba por la acera del puente Arlington, el inspector Donald Fisk, de Aduanas, exhalaba el terso aire de la ciudad y con el aliento formaba nubes de vapor.

Había iniciado el camino de regreso, y pasaba junto al monumento a Lincoln, sin que sus pensamientos siguieran un curso fijo, quizá a causa del hastío del ejercicio. De pronto un sonido extraño lo indujo a detenerse bruscamente. Cuando el ruido se acentuó, le pareció el rugido de un tren de carga que acelera. Después se convirtió en un alarido, y de pronto apareció un enorme cráter en mitad de la calle Veintitrés, seguido por un tremendo estruendo y una lluvia de tierra y asfalto.

Fisk, que después de la explosión estaba rígido, comprobó sorprendido que no había sufrido ninguna herida. El proyectil había pasado sobre él, formando un ángulo con la calle, y había agotado su fuerza destructiva llevándola hacia el frente de su propia trayectoria.

A unos cien metros de distancia, el parabrisas de un camión de reparto voló hacia el interior del vehículo. El conductor consiguió detener el camión y descendió trastabillando de la cabina con el rostro ensangrentado.

Aturdido, el conductor extendió las manos hacia delante y gritó:

—¡No veo! ¡Socorro! ¡Por favor, ayúdenme!

Fisk trató de dominar su propio desconcierto, y caminó hacia el herido. Todavía faltaba una hora para que se iniciara el tránsito intenso de la mañana, y la calle estaba vacía. Pensó que era necesario llamar a la policía y conseguir una ambulancia. Fuera del camión, el único vehículo que vio fue una barredora municipal, que subía tranquilamente por la Independence Avenue, como si nada hubiese ocurrido.

—Angus Dos —llamó Fawkes—. Informe efecto real del fuego.

—Pues, le aseguro que destrozó la calle.

—Limite al mínimo sus observaciones —dijo irritado Fawkes—. No hay duda de que están escuchando su transmisión.

—Le informo, gran jefe. Su tiro fue setenta y cinco yardas corto y ciento ochenta yardas a la izquierda.

—Ya lo ha oído, señor Shaba.

—Corrijo, capitán.

—Ya puede disparar, señor Shaba.

—Sí, señor.

Bajo aquella torre de acero de mil setecientas toneladas, los artilleros sudafricanos negros transpiraban y cargaban las recámaras abiertas, gritando y maldiciendo al compás de los rechinantes mecanismos del montacargas, mientras cinco puentes más abajo el personal del polvorín enviaba arriba las granadas y las bolsas de seda que contenían la pólvora. Primero, un pisón mecánico metía en la recámara el proyectil perforante de punta cónica que pesaba mil trescientos kilos; y después se agregaba la carga de pólvora, unos trescientos kilos. Finalmente, la enorme tapa de la recámara se cerraba herméticamente. Y, obedeciendo a una orden, el gran cañón escupía su energía destructiva y reculaba un metro veinte en su montura de acero.

A unos veinte kilómetros de distancia, Donald Fisk estaba atendiendo al conductor lesionado, cuando de pronto el proyectil descendió desde el cielo y cayó sobre el monumento a Lincoln. En una milésima de segundo el cono balístico hueco del proyectil se desintegró al chocar contra el mármol blanco. Después, la pesada cápsula de acero duro que venía detrás se hundió en el monumento y explotó.

Fisk tuvo la sensación de que las treinta y seis columnas dóricas caían hacia fuera como los pétalos de una flor, antes de desmoronarse sobre el paisaje bien cuidado. Después, el techo y las paredes interiores se derrumbaron, y grandes trozos de mármol rodaron sobre los peldaños, como si hubieran sido los bloques de madera de un juego infantil, y ascendió al cielo una violenta bocanada de polvo blanco.

Mientras el rumor sordo de la explosión se difundía a través de Washington, Fisk se puso lentamente de pie, entumecido y atónito.

—¿Qué ha ocurrido? —gritó el conductor enceguecido—. Por Dios, dígame qué ha ocurrido.

—Tranquilícese —dijo Fisk. Hubo otra explosión.

El conductor hizo una mueca y apretó los dientes, agobiado por el dolor. Casi treinta astillas de vidrio se le habían enterrado en el rostro. Tenía un ojo cubierto de sangre coagulada; y el otro había desaparecido, cortado hasta la retina.

Fisk se quitó la chaqueta y la apretó contra las manos del chófer.

—Dóblela, rómpala o muérdala si es necesario para soportar el dolor, pero mantenga las manos lejos de la cara. Lo dejaré unos instantes. —Se interrumpió cuando oyó el sonido lejano de las sirenas que se aproximaban—. Ya viene la policía. Detrás llegará una ambulancia.

El conductor del camión asintió y se sentó en el bordillo de la acera, retorciendo la prenda hasta formar una pelota, y tironeando de la tela hasta que se le pusieron blancos los nudillos. Fisk atravesó la calle, extrañamente cómodo a pesar del frío que le mordía el cuerpo. Después de sortear los fragmentos irregulares de mármol que cubrían la escalera del monumento, llegó a lo que había sido la puerta de acceso, frente al estanque.

De pronto se detuvo, asombrado.

Allí, entre la gran masa de escombros y el polvo que comenzaba a posarse, la figura de Abraham Lincoln permanecía virtualmente indemne; las paredes y el techo de la estructura se habían agrietado y derrumbado, dispersándose por doquier, pero no habían afectado a la estatua de seis metros.

Incólume, el rostro extrañamente melancólico de Lincoln aún contemplaba solemnemente el infinito.

60

El general Higgins colgó con un fuerte golpe el auricular. Era su primera manifestación de malhumor.

—No pudimos atrapar al vigía —dijo con acritud—. Nuestros monitores lo localizaron, pero ya se había marchado cuando llegó la patrulla más próxima.

—Sin duda es una unidad móvil —dijo Timoty March—. Y como muchos coches tienen unidades de radio, identificar a ese bastardo será casi imposible.

—Nuestras fuerzas especiales y la policía municipal están bloqueando las principales intersecciones alrededor del Capitolio —dijo Higgins—. Si logramos que el vigía suspenda el contacto visual con los blancos, los artilleros tendrán que disparar a ciegas.

Los ojos del presidente estaban fijos en la pantalla y contemplaban con tristeza la imagen transmitida por satélite del destruido monumento a Lincoln.

—Un plan astuto —murmuró—. Algunos muertos significarían un titular periodístico para la mayoría de los norteamericanos. Pero si se destruye un monumento nacional, provoca una impresión muy profunda. Señores, estoy seguro de que esta noche muchos norteamericanos irritados estarán buscando el modo de demostrar su cólera.

—Si la granada siguiente contiene MR... Jarvis no completó la frase.

—Es como jugar a la ruleta —dijo March—. Dispararon dos granadas, es decir, hay dos posibilidades contra treinta y seis.

Higgins volvió los ojos hacia el almirante Kemper.

—¿Cuál es el ritmo de fuego del *Iowa*?

—El lapso entre la primera y segunda granada fue de cuatro minutos y diez segundos —respondió Kemper—. Un cincuenta por ciento más lento que la eficiencia alcanzada durante la guerra, pero un resultado meritorio en vista de que el equipo tiene cuarenta años, y disponen de una tripulación mínima.

—Lo que me asombra —dijo March— es que Fawkes usa únicamente el cañón del centro de la torre. Se diría que no quiere emplear los otros dos.

—Se ajusta a un plan —dijo Kemper—. Dispara una granada por vez, para obtener mayor efecto. El segundo disparo fue afortunado y dio en el blanco. Pueden estar seguros de que la próxima vez destapará los tres barriles. —Comenzó a sonar la campanilla del receptor, y su expresión se ensombreció—. El tercer disparo está de camino.

La cámara del satélite retrocedió para abarcar un radio de tres kilómetros alrededor de la Casa Blanca. Los ojos de todos recogieron la imagen a vista de pájaro de la ciudad; temían que ese proyectil llevase el agente Muerte Rápida, y al mismo tiempo trataban de adivinar cuál era el blanco buscado. De pronto hubo una explosión que pulverizó una sección de quince metros de calle y dos árboles sobre el lado norte de la Constitution Avenue.

—Apunta al edificio de los Archivos Nacionales —dijo el presidente con amargura—. Fawkes intenta destruir la Declaración de Independencia y la Constitución.

—Señor presidente, le pido que ordene un ataque nuclear contra el *Iowa*. —La piel habitualmente rojiza de Higgins había cobrado un matiz ceniciento.

El presidente parecía agobiado. Tenía los hombros encogidos, como una persona que siente frío.

—No —dijo finalmente.

Higgins dejó caer las manos y se desplomó en su asiento. Kemper golpeaba la mesa con un lápiz, y murmuraba por lo bajo.

—Hay otra solución —dijo pausadamente—. Podemos destruir la torre número dos del *Iowa*.

—¿Destruir la torre? —preguntó Higgins con expresión de escepticismo.

—Algunos F-21 llevan misiles perforantes Satán —explicó Kemper—. ¿Estoy en lo cierto, general Sayre?

—El general Miles Sayre, jefe de la fuerza aérea, confirmó la observación—. Cada avión tiene cuatro Satán, que pueden perforar más de dos metros de cemento.

—Comprendo la idea —dijo Higgins—. Pero ¿y la precisión? Si no dan en el blanco, pueden dispersar la MR.

—Puede hacerse —dijo Sayre, un hombre habitualmente taciturno—. Apenas los pilotos disparen los misiles pueden pasar el control de la trayectoria a las tropas de tierra. Sus hombres, general Higgins, están tan cerca del *Iowa* que pueden colar un Satán en un diámetro de medio metro.

Higgins levantó el teléfono y miró al presidente.

—Si Fawkes mantiene el mismo ritmo de fuego, disponemos de menos de dos minutos.

—Adelante —dijo sin vacilar el presidente.

Mientras Higgins impartía instrucciones a las fuerzas desplegadas alrededor del *Iowa*, Kemper consultaba antecedentes acerca de la construcción de la nave.

—La torre está protegida por un blindaje de acero de siete a diecisiete pulgadas de espesor —dijo Kemper—. Tal vez no la destruyamos, pero ciertamente dejaremos fuera de combate a la tripulación.

—Los submarinistas —dijo el presidente—. ¿Es posible informarles de nuestras intenciones?

—Lo haríamos si pudiéramos, pero el contacto radiofónico con ellos ha quedado interrumpido desde que se lanzaron al agua.

Fergus no podía comunicarse, porque una ametralladora instalada en la ciudadela del *Iowa* le había arrancado de las manos el transmisor. Una bala casi le había amputado un dedo de la mano izquierda antes de atravesar el transmisor y la palma derecha. La radio portátil también había desaparecido, asegurada al cinturón de un jefe de equipo que había recibido una bala en el pecho, y ahora descendía flotando sobre las aguas del río.

Durante el abordaje del *Iowa*, Fergus había perdido seis hombres de su grupo inicial de treinta. Habían trepado por los costados después de asegurar varios cables sobre las barandillas de popa. Los cables estaban unidos a escalas, y estas a su vez fueron elevadas hasta el nivel de la cubierta. Cuando llegaron al puente principal los submarinistas fueron recibidos por fuego nutrido. Individualmente y en pequeños grupos comenzaron a contestar los disparos de los defensores de la nave.

Fergus quedó separado de su grupo y se vio obligado a permanecer detrás de la base en abanico donde antes estaba la grúa destinada a mover los aviones. El sentimiento de frustración se imponía al dolor de las manos heridas. Se le estaba acabando el tiempo. Tenía orden de controlar el sector de aterrizaje antes de que los sudafricanos pudieran abrir fuego. Maldijo cuando la detonación del tercer cañonazo resonó por todo el río.

Por encima de la humareda pudo ver los helicópteros de la Marina suspendidos en el aire, esperando impacientes la señal de descender. Asomó cautelosamente la cabeza y miró. Las armas protegidas por el blindaje de acero del puente principal ignoraron provisoriamente a Fergus y concentraron la atención en sus hombres, que se habían adelantado.

Sujetando su arma automática, Fergus se incorporó y atravesó corriendo la cubierta, al mismo tiempo que disparaba para protegerse. Casi había logrado esconderse tras la cubierta de popa, cuando los hombres de Fawkes volvieron a prestarle atención, y una bala le atravesó la pantorrilla izquierda.

Trastabilló unos pasos, cayó y rodó bajo el cuerpo de la torre.

La nueva herida le dolía como si estuvieran quemándole todas las terminaciones nerviosas de la pierna. Estaba tendido sobre la cubierta y hundido en el dolor, cuando dos reactores emergieron del sol de la mañana y lanzaron su carga letal.

Si no hubiera sido por el dolor sordo que atenazaba cada centímetro de su cuerpo, Pitt habría jurado que estaba muerto. Casi lamentándolo, procuró disipar la bruma que enturbiaba su mente, y abrió los ojos.

Después, se pasó las manos por las piernas y el cuerpo. Lo peor que descubrió, aparte de una serie de contusiones, fueron un par de costillas rotas. Se tocó la cabeza, y suspiró agradecido cuando retiró los dedos limpios de sangre. Miró con extrañeza las astillas de madera que encontró clavadas en su hombro derecho.

Consiguió sentarse, y después rodó apoyándose en manos y rodillas. Todos los músculos le obedecían. Hasta ahí todo marchaba bien. Respiró hondo y se incorporó, y la hazaña lo satisfizo en la misma medida que si hubiese escalado el Everest. Un retazo de luz diurna se dibujaba a través de un agujero irregular, a varios metros de distancia, y hacia allí se encaminó.

Poco a poco su mente volvió a funcionar, y analizó por qué no se había convertido en papilla al caer sobre la superestructura del barco. Los paneles de madera de un cuarto de pulgada, instalados para sustituir a los tabiques de acero, habían suavizado el choque. Había atravesado el tabique externo como una bala de cañón, y deteriorado bastante la segunda pared, antes de aterrizar en un pasillo sobre el cual se abría la sala de oficiales. Así se explicaban las misteriosas astillas.

A través de la bruma recordó un gran estampido y una tremenda vibración. Supuso que eran los cañones de dieciséis pulgadas. Pero ¿con qué frecuencia habían disparado? ¿Cuánto tiempo había permanecido inconsciente? A sus oídos llegó el sonido de disparos de armas cortas. ¿Quién combatía contra quién? Desechó el pensamiento apenas formulado: en realidad, todo eso poco importaba. El tenía que resolver sus propios problemas.

Avanzó seis o siete metros por el pasillo, se detuvo y de un bolsillo extrajo una linterna y un papel plegado que contenía el plano del *Iowa*. Necesitó casi dos minutos para encontrar el lugar. Estudiar el laberinto de la disposición interior de un acorazado era como examinar el corte vertical de un rascacielos cuando uno está acostado junto a él.

Buscando el camino hacia el polvorín, Pitt recorrió en silencio el pasadizo. Había avanzado un corto trecho cuando la nave se estremeció bajo una sucesión de fuertes golpes. El polvo acumulado durante los largos años de receso del *Iowa* se levantó en nubes espesas. Pitt extendió los brazos para mantener el equilibrio, trastabilló y aferró el marco de una puerta que se había abierto oportunamente. Permaneció de pie, sofocado mientras se posaba el polvo y se atenuaba el temblor de la nave.

Casi le pasó inadvertido, y así habría ocurrido si una curiosidad indefinible no hubiese acicateado su mente. A decir verdad, no era curiosidad; más bien un hecho incongruente recogido por su visión periférica. Dirigió el haz de luz sobre un zapato marrón —un zapato marrón caro, hecho a mano— y vio que era el final de la pierna de un hombre de raza negra vestido elegantemente con un traje de calle que incluía chaleco. Tenía las manos separadas y atadas con cuerdas a las tuberías que cruzaban el techo de la cabina.

61

Hiram Lusana no pudo distinguir los rasgos del hombre que estaba de pie en el umbral de su prisión. Parecía alto, pero no tan alto como Fawkes. Era lo único que Lusana alcanzaba a distinguir; la linterna en las manos del desconocido lo enceguecía.

—Al parecer no le ha ido muy bien en el concurso de popularidad del barco —dijo una voz que parecía más cordial que hostil.

La forma oscura que estaba detrás de la luz se acercó, y Lusana sintió que sus ligaduras se aflojaban.

—¿Adónde me lleva?

—A ninguna parte. Pero si usted quiere llegar a viejo, le sugiero que salga de este buque antes de que vuele en pedazos.

—¿Quién es usted?

—No es que importe mucho, pero me llamo Pitt.

—¿Pertenece a la tripulación del capitán Fawkes?

—No, trabajo por mi cuenta.

—No entiendo.

Pitt desató la mano izquierda de Lusana, y sin contestar se ocupó de las ligaduras de la otra.

—Usted es norteamericano —dijo Lusana, más confundido que nunca—. ¿Ha conseguido arrebatar el barco a los sudafricanos?

—En eso estamos —dijo Pitt, mientras pensaba que le hubiera convenido traer un cuchillo.

—Entonces no sabe quién soy yo.

—¿Y quién es usted?

—Me llamo Hiram Lusana. Soy el jefe del Ejército Africano Revolucionario.

Pitt terminó de desatar el último nudo y retrocedió un paso; enfocó la linterna al rostro de Lusana.

—Sí, ahora lo reconozco. ¿Qué hace aquí? Creí que esta era una fiesta exclusivamente sudafricana.

—Me secuestraron cuando abordaba un avión para regresar a África. ¿Está al corriente de la operación Rosa Silvestre?

—Solo desde anoche. Pero mi gobierno lo sabe desde hace meses.

—Imposible —dijo Lusana.

—Créalo o no —Pitt se volvió y echó a andar hacia la puerta—. Como ya le dije, será mejor que salga del barco antes de que el numerito se descontrole.

Lusana vaciló, pero solo un segundo.

—¡Espere!

Pitt se volvió.

—Lo siento, pero no tengo tiempo.

—Por favor, escúcheme. —Lusana se acercó—. Si su gobierno y los medios de comunicación descubren mi presencia aquí, inevitablemente ignorarán la verdad para atribuirme la responsabilidad de todo el asunto.

—¿Y entonces?

—Permítame demostrar mi inocencia en este horrible asunto. Dígame qué puedo hacer para ayudar.

Pitt percibió que Lusana era sincero. Extrajo del cinturón una vieja automática Colt 45 y la entregó al hombre.

—Tome esto y cúbrame. Necesito las dos manos para sostener la linterna y estudiar el plano.

Un poco sorprendido, Lusana aceptó el arma.

—¿Me confía esto?

—Desde luego —dijo tranquilamente Pitt—. ¿Qué puede ganar disparando a la espalda a un desconocido?

Indicó a Lusana que lo siguiera, y avanzó con paso rápido por el pasillo, en dirección a la proa del barco.

La torre número dos había soportado el ataque de los misiles Satán. Su blindaje de acero estaba deformado y retorcido en ocho lugares, pero no había sido perforado. El cañón de babor aparecía severamente fracturado en la base, en el punto en que entraba en la torre.

Aturdido, Fawkes vio todo eso a través de los restos destrozados de las ventanas del puente. Como por arte de magia, él mismo no había sufrido heridas. Había estado de pie detrás de uno de los pocos tabiques de acero que aún quedaban, cuando los Satán habían acertado implacablemente en la torre número dos.

—Shaba, habla el capitán. ¿Me oye?

La única respuesta fue el débil ruido de la estática.

—¡Shaba! —gritó Fawkes—. Hable. Informe de los daños.

El altavoz volvió a la vida.

—¿Capitán Fawkes?

La voz no le era familiar.

—Sí, habla el capitán. ¿Dónde está Shaba?

—En el polvorín, señor. El montacargas está descompuesto. Fue a arreglarlo.

—¿Quién habla?

—Obasi, capitán, Daniel Obasi. —La voz tenía un acento adolescente.

—¿Shaba lo dejó a cargo?

—Sí, señor —dijo con orgullo Obasi.

—Hijo, ¿qué edad tienes?

Hubo un sonido áspero, como de tos.

—Disculpe, capitán. Aquí hay mucho humo. —Más toses—. Diecisiete.

Santo Dios, pensó Fawkes. De Vaal debía haberle enviado hombres experimentados, no niños imberbes. Estaba al mando de una tripulación completamente desconocida para él. Diecisiete años. La idea le provocó náuseas. ¿Valía la pena? Dios mío, ¿su venganza personal tenía un precio tan terrible?

Tratando de afirmar su decisión, Fawkes dijo:

—¿Puedes manejar los cañones?

—Creo que sí. Los tres están cargados y cerrados. Pero los hombres no tienen muy buen aspecto. Creo que es debido al impacto. La mayoría sangra por los oídos.

—¿Dónde estás ahora, Obasi?

—En la cabina del oficial de la torre. Aquí hace un calor terrible. No sé si los hombres podrán soportar mucho más. Algunos se han desmayado. Es posible que uno o dos hayan muerto. No puedo saberlo. Creo que los muertos son los que sangran por la boca.

Fawkes apretó el micrófono y su rostro expresó indecisión. Cuando el barco se hundiera, como sabía debía ocurrir, él quería estar de pie en el puente... el último capitán de acorazado que moriría de ese modo. Aunque muy poco, se alzó el velo, y Fawkes percibió la terrible dimensión de sus propios actos.

—Voy para allá —dijo.

—La puerta que da a cubierta no puede abrirse, señor. Tendrá que subir desde el polvorín.

—Gracias, Obasi. Quédate ahí. —Fawkes se quitó la vieja gorra de la Marina Real y se limpió el sudor y el polvo que le cubrían la frente. Miró a través de las ventanas destrozadas y estudió el río. La bruma fría se elevaba junto a las orillas y le recordaba los lagos escoceses por la mañana. Escocia: le parecía que habían transcurrido mil años desde la última vez que había visto Aberdeen.

Volvió a ponerse la gorra y de nuevo habló por el micrófono.

—Angus Dos, adelante, por favor.

—Aquí estoy, Angus Uno.

—¿Puntería?

—Ochenta yardas corto, pero en la línea justa. Compense la elevación.

—Su misión ha terminado, Angus Dos. Cuídese.

—Demasiado tarde. Creo que los tipos de uniforme caqui están alcanzándome. Adiós. Ha sido una fiesta interesante.

Fawkes miró fijamente el micrófono; quiso decir una palabra amable al hombre que jamás había visto, agradecerle por haber arriesgado la vida, aunque hubiera sido por un precio. No sabía quién era Angus Dos pero pasaría mucho tiempo antes de que pudiese gastar el dinero depositado en una cuenta bancaria extranjera por el ministro de Defensa sudafricano.

—Un barrendero de las calles —rezongó Higgins—. El vigía de Fawkes era un barrendero y se desplazaba en un coche municipal. Ahora mismo la policía está fichándolo.

—Así se explica que pudiera recorrer las calles sin despertar sospechas —dijo March.

Parecía que el presidente no oía. Su atención estaba concentrada en el *Iowa*. Veía claramente las figuras vestidas con trajes negros impermeables que corrían de un refugio al siguiente, deteniéndose solo para disparar antes de acercarse más y más a las ametralladoras que las diezmaban. El presidente contó diez submarinistas caídos en la cubierta.

—¿Podemos hacer algo para ayudar a esos hombres?

Higgins se encogió de hombros, en un gesto de impotencia.

—Si abrimos fuego desde la orilla, probablemente mataremos a más hombres de los que podemos salvar. Me temo que poco podemos hacer.

—¿Por qué no enviamos a grupos de asalto de los marines?

—Los helicópteros serán un blanco perfecto apenas aterricen en la cubierta del *Iowa*. Cada uno transporta cincuenta hombres. Sería una masacre y no conseguiríamos nada.

—Concuerdo con el general —dijo Kemper—. Los misiles Satán nos han dado un respiro. Parece que la torre número dos está fuera de combate. Podemos conceder más tiempo a los submarinistas… quizá dobleguen la resistencia terrorista en cubierta.

El presidente se recostó en el asiento y miró a los hombres que lo rodeaban.

—Entonces, esperemos... ¿es lo que me recomiendan? ¿Esperar y mirar, mientras los hombres mueren ante nuestros ojos en esa condenada pantalla de televisión?

—Sí, señor —contestó Higgins—. Esperemos.

62

Consultando el diagrama del barco y corriendo, Pitt condujo a Lusana a través de una serie de pasajes y corredores oscuros, y dejó atrás salones vacíos y húmedos, hasta que al fin se detuvo frente a una puerta. Hizo una pelota con el diagrama y lo arrojó a la cubierta. Lusana también se detuvo, esperando una explicación.

—¿Dónde estamos? —preguntó.

—Frente al depósito de proyectiles —contestó Pitt. Descargó su peso sobre la puerta, que se entreabrió de mala gana. Pitt se asomó a un salón mal iluminado y escuchó. Ambos oyeron a los hombres gritar por encima del estruendo metálico de las máquinas, el repiqueteo de cadenas y el zumbido de motores eléctricos. Los sonidos parecían provenir de arriba. Pitt se adelantó cautelosamente.

Las altas granadas perforantes estaban cuidadosamente alineadas, apoyadas en sus sostenes alrededor del montacargas, y las cabezas cónicas relucían amenazadoras iluminadas por dos bombillas que emitían una luz amarilla. Pitt pasó entre las granadas y miró hacia arriba.

En el puente superior, dos negros estaban inclinados sobre las puertas de acceso al montacargas y martillaban y maldecían al mismo tiempo que manipulaban un engranaje. Las explosiones soportadas por la nave habían trabado el mecanismo. Pitt se apartó de la abertura y comenzó a examinar las granadas. Había treinta y una, y solamente uno de los proyectiles tenía la cabeza redondeada.

La segunda cápsula de MR no estaba allí.

Pitt extrajo del cinturón unas herramientas y entregó la linterna a Lusana.

—Sosténgala mientras yo trabajo.

—¿Qué piensa hacer?

—Desactivar una granada.

—Si voy a volar en pedazos —dijo Lusana—, ¿puedo saber por qué.

—¡No! —replicó Pitt.

Se inclinó e hizo un gesto a Lusana, pidiendo que acercara la luz. Sus manos rodeaban el cono de la granada, con la misma suavidad con que los dedos de un ladrón de cajas fuertes tantea la combinación. Después de localizar los tornillos, los retiró cuidadosamente con un destornillador. Las roscas estaban deterioradas por el tiempo y tuvo que hacer uso de todas sus fuerzas. Tiempo, pensó Pitt desesperadamente; necesitaba tiempo antes de que los hombres de Fawkes reparasen el montacargas y regresaran al depósito de proyectiles.

De pronto se desprendió el último de los tornillos, y el cono superior cayó en sus manos. Tiernamente, como si fuese un niño dormido, lo depositó a un lado y escrutó el interior de la cápsula.

Después, Pitt empezó a desconectar la carga explosiva que debía destruir el cono y liberar el grupo de pequeñas bombas que contenían el agente MR. El procedimiento no era complicado ni particularmente difícil. Basándose en la teoría de que el exceso de concentración acentúa el temblor de las manos, Pitt silbaba tranquilamente por lo bajo, agradecido de que Lusana no lo agobiara con preguntas.

Pitt cortó los cables que conectaban con el altímetro de radar, y retiró el detonador explosivo. Se detuvo un momento, y del bolsillo de la chaqueta extrajo un pequeño saco para monedas. Lusana se sintió bastante divertido cuando vio que la leyenda inscrita en la tela decía: WHEATON SECURITY BANK.

—Jamás se lo he dicho a nadie —observó Lusana—, pero una vez asalté el camión blindado de un banco.

—En ese caso, ahora debe sentirse bastante cómodo —replicó Pitt. Retiró de la cápsula los pequeños recipientes con MR y los depositó suavemente en el saco.

—Un método muy astuto para entrar contrabando —dijo Lusana con una áspera sonrisa—. ¿Heroína o diamantes?

—Yo también desearía saberlo —dijo Patrick Fawkes mientras pasaba bajo el marco de la puerta y entraba en el compartimiento.

63

El primer impulso de Lusana fue disparar contra Fawkes. Giró sobre sí mismo, se agachó y alzó la Colt, confiando en que no podía errar a un blanco tan grande, y al mismo tiempo seguro de que el capitán tenía la ventaja del primer disparo. Lusana se contuvo a tiempo. Las manos de Fawkes estaban vacías. Venía desarmado.

Lusana bajó lentamente el arma y miró a Pitt, para ver cómo encaraba la situación. Pero Pitt no mostró la más mínima reacción. Continuó cargando el saco, como si la intromisión no hubiese tenido lugar.

—¿Tengo el honor de dirigirme a Patrick McKenzie Fawkes? —dijo al fin Pitt sin desviar los ojos.

—Sí, soy Fawkes. —Se acercó un poco, en el rostro una expresión de curiosidad—. ¿Qué están haciendo aquí?

—Disculpe si continúo mi trabajo —dijo Pitt—, pero estoy desactivando una cápsula de gas venenoso.

Pasaron quizá cinco segundos mientras Lusana y Fawkes asimilaban la breve explicación de Pitt; se miraron atónitos y volvieron los ojos hacia Pitt.

—Usted está loco —espetó Fawkes.

Pitt sostuvo en alto una de las bombas.

—¿Se parece a las cargas explosivas comunes?

—No, no se parece —admitió Fawkes.

—¿Un tipo de gas que ataca los nervios? —preguntó Lusana.

—Peor —contestó Pitt—. Un organismo letal que tiene un poder terrible. El vendedor de armas envió por error dos granadas que contenían ese organismo.

Sobrevino un silencio de incredulidad. Fawkes se acercó y examinó la granada y el pequeño recipiente que Pitt sostenía en la mano. Lusana se inclinó y también miró, sin saber muy bien qué debía buscar.

El escepticismo desapareció lentamente de los ojos de Fawkes.

—Le creo —dijo—. He visto muchas granadas de gas, y sé reconocerlas. —Miró intrigado el rostro de Pitt—. ¿Le importa decirme quién es usted y qué hace aquí?

—Después que encontremos y desactivemos la segunda granada —dijo Pitt apartándolo—. ¿Tienen otro almacén de proyectiles?

Fawkes meneó la cabeza.

—Excepto las tres granadas que disparamos, que pertenecían al tipo perforador, aquí están las... —Se interrumpió al comprender la situación—. ¡La torre! Todos los cañones están cargados y las recámaras cerradas. El segundo proyectil con la plaga debe de estar en uno de los tres cañones.

—¡Imbécil! —gritó Lusana—. ¡Imbécil y asesino!

Fue evidente el remordimiento que denotaron los ojos de Fawkes.

—No es demasiado tarde. Los cañones no dispararán si no doy la orden.

—Capitán, usted y yo buscaremos y neutralizaremos la segunda cápsula —dijo Pitt—. Señor Lusana, tenga la bondad de arrojar esto por la borda. —Entregó a Lusana el saco repleto de bombas MR.

—¿Yo? —exclamó Lusana—. No tengo la más mínima idea del modo de salir de este ataúd flotante. Necesitaré un guía.

—Siempre hacia arriba —dijo Pitt—. Tarde o temprano verá la luz del día. Después arroje el saco al lugar más profundo del río.

Lusana se disponía a salir cuando Fawkes apoyó la mano en el hombro del negro.

—Después ajustaremos nuestras cuentas.

Lusana lo miró.

—Será un placer —dijo. Y después, el jefe del Ejército Africano Revolucionario desapareció en la oscuridad, como una sombra.

A seiscientos metros Steiger modificó levemente el rumbo y el Minerva enfiló hacia el monumento a Jefferson y siguió un curso a lo largo de Independence Avenue.

—Hay mucha gente por aquí —dijo, señalando una escuadrilla de helicópteros militares que se desplazaban como un enjambre de abejas de un extremo a otro de la alameda del Capitolio.

Sandecker asintió y dijo:

—Manténgase alejado. Son propensos a disparar primero y preguntar después.

—¿Cuánto tiempo transcurrió desde el último disparo del *Iowa*?

—Casi dieciocho minutos.

—Quizá todo ha terminado —dijo Steiger.

—No desembarcaremos hasta asegurarnos —replicó Sandecker—. ¿Cómo estamos de combustible?

—Disponemos de cantidad suficiente para cuatro horas de vuelo.

Sandecker se removió en el asiento para aliviar las nalgas doloridas.

—Acérquese todo lo posible al edificio de los Archivos Nacionales. Si el *Iowa* dispara otra vez, puede estar seguro de que ese será el blanco.

—¿Cómo estará Pitt?

Sandecker no parecía demasiado inquieto.

—Sabe cuidarse. Pitt es el menor de nuestros problemas. —Desvió la cara y miró por una ventanilla lateral, de modo que Steiger no pudiese ver las arrugas de preocupación de su rostro.

—Yo debí haber ocupado su lugar —dijo Steiger—. Este asunto es estrictamente militar. Un civil no tiene derecho a arriesgar su vida haciendo un trabajo para el cual no fue entrenado.

—Imagino que usted sí recibió instrucción adecuada.

—Debe reconocer que mis credenciales son superiores a las de Pitt.

Sandecker no pudo evitar una sonrisa.

—¿Quiere apostar?

Steiger percibió el tono burlón del almirante.

—¿Qué quiere sugerir?

—Que se han burlado de usted, coronel.

—¿Burlado?

—Pitt tiene grado de mayor de la fuerza aérea.

Steiger miró de hito en hito a Sandecker.

—¿Quiere decir que sabe pilotar aviones?

—Casi todos los modelos, incluido este helicóptero.

—Pero él dijo...

—Sé lo que dijo.

Steiger pareció desconcertado.

—¿Y usted no dijo una palabra?

—Usted tiene esposa e hijos. Yo soy demasiado viejo. Dirk era el candidato lógico.

Steiger aflojó el cuerpo, y se hundió en el asiento.

—Será mejor que lo consiga —murmuró por lo bajo—. Por Dios, será mejor que lo consiga.

Pitt hubiese regalado de buena gana hasta el último centavo de su cuenta de ahorros para estar en cualquier lugar menos subiendo una escalera completamente a oscuras, en las entrañas de un barco que de un momento a otro podía convertirse en un infierno. Tenía la frente bañada de un sudor pegajoso y frío, febril. De pronto, Fawkes se detuvo y Pitt chocó contra él, del mismo modo que un ciego choca contra un roble.

—Por favor, no se muevan, señores.

—La voz llegó de un descanso sin luz, varios escalones más arriba—. Ustedes no pueden verme, pero yo estoy en condiciones de alojarles una bala en el corazón.

—Soy el capitán —replicó Fawkes con tono colérico.

—Ah, el propio capitán Fawkes. Empezaba a temer que lo había perdido. Contra lo que yo suponía, usted no estaba en el puente.

—¡Identifíquese! —exigió Fawkes.

—Me llamo Emma. Reconozco que no es muy masculino, pero para el caso sirve.

—Basta de tonterías. Déjeme pasar. —Fawkes subió dos escalones, pero la Hocker-Rodine escupió fuego y una bala pasó rozándole el cuello. Fawkes se detuvo en mitad de un movimiento—. Santo Dios, ¿qué quiere?

—Capitán, admiro la franqueza de su enfoque. —Emma hizo una pausa y después dijo—: Me ordenaron matarlo.

Lentamente, sin ser advertido por Fawkes, y según esperaba tampoco por el hombre del rellano, Pitt se inclinó sobre los escalones, protegido por el cuerpo corpulento del capitán. Poco a poco, comenzó a subir los peldaños como una serpiente.

—Dice que recibió órdenes —observó Fawkes—. ¿De quién?

—Mi empleador no importa.

—En ese caso, maldita sea, por qué tanta charla. ¿Por qué no me dispara en el pecho y acaba de una vez?

—Capitán Fawkes, no hago nada sin un propósito. Usted fue engañado. Creo que debería saberlo.

—¿Engañado? —gritó Fawkes—. Sus palabras son absurdas.

Una señal de alarma se disparó en el fondo de la mente de Emma, una alarma afinada por doce años de jugar al gato y el ratón. Permaneció inmóvil, en silencio, sin responder a la pregunta del capitán, mientras sus sentidos buscaban un ruido o un movimiento.

—¿Y qué pasa con el hombre que me acompaña? —preguntó Fawkes—. No tiene nada que ver con esto. No es necesario asesinar a un espectador inocente.

—Tranquilícese, capitán —dijo Emma—. Me han pagado por una sola vida. La suya.

Con dolorosa lentitud, Pitt levantó la cabeza hasta que

estuvo al nivel del rellano. Ahora podía ver a Emma. La luz era muy escasa, pero alcanzaba a distinguir la mancha pálida de un rostro y el perfil de una figura.

Pitt no esperó a ver más. Imaginaba que Emma dispararía sobre Fawkes en medio de una frase, después de distraerlo con una conversación sin sentido. Un truco antiguo pero eficaz. Afirmó los pies en los peldaños, respiró hondo y se lanzó contra las piernas de Emma, al mismo tiempo que sus manos manoteaban el arma.

El silenciador escupió una llamarada al rostro de Pitt, y un dolor lacerante le golpeó el costado derecho de la cabeza cuando aferró el brazo de Emma. El impacto lo hundió en la inconsciencia y empezó a caer interminablemente. Una caída en las profundidades de la nada.

64

Acicateado por el movimiento de Pitt, Fawkes cargó escaleras arriba como un rinoceronte enfurecido, y echó todo su peso sobre los cuerpos de los dos hombres. Pitt perdió el sentido y cayó a un lado. Emma se debatió para apuntar con el arma, pero Fawkes de un golpe la arrojó a un lado, como si hubiera sido un juguete en las manos de un niño. Entonces, Emma extendió la mano hacia la ingle de Fawkes, le aferró el pene y los testículos y los retorció implacablemente.

Fue un error. El capitán rugió como un trueno, y reaccionó descargando sus puños macizos sobre el rostro de Emma. Pero aun así Emma continuó presionando.

Aunque la ingle le dolía como si se la quemaran con un hierro candente, Fawkes comprendió que no debía tratar de apartar las manos que lo aferraban. Con movimientos serenos, como un hombre que sabe exactamente lo que se propone, sujetó la cabeza de Emma y comenzó a golpearla contra el suelo de metal del rellano, aplicando a la tarea hasta el último ápice de fuerza de sus enormes brazos. La presión cedió, pero movido por la cólera y el dolor, el capitán Fawkes continuó machacando la cabeza, hasta que el cráneo de Emma se convirtió en papilla. Cuando al fin se agotó su furia, Fawkes rodó a un lado y se masajeó suavemente la ingle, mientras profería maldiciones.

Un minuto después se incorporó, aferró el cuello de las chaquetas de los dos hombres inertes y los arrastró escaleras arriba. Otro breve tramo, algunos metros por un corredor y llegó a una puerta de recepción de carga en la línea superior de estribor del casco del *Iowa*. Abrió la puerta lo suficiente para dejar entrar la luz del día y examinar la herida de Pitt.

La bala había rozado la sien izquierda de Pitt, y Fawkes supuso que en el peor de los casos el resultado sería una desagradable cicatriz. Después miró a Emma. La piel que aún podía verse a través de la máscara de sangre que cubría el rostro del asesino estaba azulándose. Fawkes revisó los bolsillos y encontró únicamente un cargador de cambio para la pistola Hocker-Rodine. Un chaleco salvavidas inflable estaba atado alrededor de un grueso jersey de lana.

—De modo que no sabes nadar, ¿eh? —dijo Fawkes, sonriendo—. No creo que necesites esto.

Le retiró el chaleco a Emma y lo ajustó al cuerpo de Pitt. Metió una mano en el bolsillo de su propia chaqueta y extrajo un pequeño bloc, y escribió varias frases con un lápiz. Después extrajo su bolsa de tabaco, vació el contenido, introdujo el bloc y aseguró el paquete bajo la camisa de Pitt. Tiró de la cuerda que activaba la botella de CO_2 y el chaleco comenzó a inflarse con un silbido.

Fawkes retornó a Emma, aferró el cadáver por el jersey y lo arrastró hacia la compuerta abierta. El peso era excesivo para el ángulo que formaba el brazo de Fawkes, y el jersey se deslizó sobre la cabeza de Emma. Un detalle de la parte superior del torso de Emma llamó la atención de Fawkes. Era una faja de nailon muy apretada contra el pecho. Extrañado, Fawkes deshizo un minúsculo nudo, y el nailon cayó, mostrando dos pequeños montículos de puntas rosadas.

Durante un momento, Fawkes quedó como petrificado.

—¡Cristo! —murmuró, desconcertado.

En efecto, Emma había sido una mujer.

Dale Jarvis señaló la pantalla.

—Allí, debajo de la segunda torre. Al lado del casco.

—¿Qué ve? —preguntó el presidente.

—Alguien abrió la compuerta delantera de carga —contestó Kemper. Se volvió hacia el general Higgins—. Avise a sus hombres que algunos miembros de la tripulación pueden tratar de escapar.

—No podrían acercarse ni a tres metros de la orilla —dijo Higgins.

Observaron cómo se retiraba la compuerta, y un hombre enorme se acercaba al borde y arrojaba lo que parecía un cuerpo. El bulto tocó el agua y desapareció. Poco después regresó con otro cuerpo, pero esta vez lo bajó con una cuerda hasta que tocó suavemente el agua —y lo hizo con delicadeza, según pareció a los hombres reunidos en la sala de conferencias—, y finalmente la figura inerte se balanceó y flotó, alejándose del barco. Después, el gigante recuperó la cuerda y cerró la puerta.

Kemper impartió una orden a su ayudante.

—Comuníquese con la guardia costera y dígales que recojan al hombre que desciende por el río.

—¿Qué significa esta escena? —La pregunta del presidente reflejó los pensamientos de los hombres reunidos alrededor de la mesa.

—Lo desagradable del asunto —dijo tranquilamente Kemper— es que quizá nunca lo sepamos.

Después de un lapso que le pareció infinito, Hiram Lusana encontró una puerta que se abría sobre el puente principal. Salió trastabillando, el cuerpo helado a causa de la escasa protección de su traje de calle, aferrando con ambas manos el saco lleno de pequeñas bombas. La súbita irrupción de la luz diurna lo encegueció, de modo que hizo una pausa para acostumbrar los ojos.

Estaba de pie bajo la cabina de control de fuego de popa, a pocos metros de la torre número tres. De todas partes llegaba el sonido de disparos de armas cortas, pero su mente se concentraba en la eliminación de los recipientes que contenían la Muerte Rápida, y no prestaba atención al tiroteo. Vio el río y echó a correr hacia los tabiques que formaban el límite de la cubierta. Aún le faltaban seis o siete metros cuando un hombre cubierto con un traje impermeable negro emergió de las sombras de la torre y lo encañonó con su arma.

El teniente Alan Fergus ya no sentía el dolor candente del orificio en la pierna, ni el sufrimiento de ver a sus hombres destrozados. Todo su cuerpo temblaba de odio hacia los responsables de la masacre. No le importaba que el hombre que tenía enfrente vistiera traje de calle y no uniforme, o que pareciera carecer de armas. Fergus vio únicamente a un hombre que estaba asesinando a sus amigos.

Lusana se detuvo bruscamente y miró a Fergus. Nunca había visto tan fría malignidad en el rostro de un hombre. Se miraron separados apenas por cuatro o cinco metros, tratando de comunicarse sus pensamientos en tan breve instante. Entre ellos no se cruzó una sola palabra, solo hubo una extraña forma de comprensión. El tiempo pareció detenerse y todos los sonidos se convirtieron en un confuso telón de fondo.

Hiram Lusana comprendió que su lucha por dejar atrás la miseria de su infancia había culminado allí. Había llegado a comprender que jamás podría ser el jefe de un pueblo que nunca lo aceptaría del todo como a uno de los suyos. Su destino era evidente. Podría hacer más por los oprimidos de África convirtiéndose en mártir de su causa.

Lusana aceptó la invitación de la muerte. Dirigió a Fergus una silenciosa sonrisa de perdón y corrió hacia los mamparos.

Fergus apretó el gatillo y soltó una ráfaga de fuego. El golpe súbito de tres balas en el costado impulsó hacia delante a Lusana, en una danza convulsa que lo dejó sin aliento. Milagrosamente, continuó de pie, y trastabilló al dar un paso.

Fergus volvió a disparar.

Lusana cayó de rodillas, y continuó esforzándose por alcanzar el límite de la cubierta. Fergus lo miró con admiración, preguntándose qué impulsaba a aquel negro extrañamente vestido de civil a no hacer caso de por lo menos una docena de balas en el cuerpo.

Con los ojos pardos enturbiados por el dolor, y con una decisión explicable únicamente en un hombre que no puede desviarse del objetivo, Lusana se arrastró sobre la cubierta, sosteniendo contra el estómago el saco para monedas y dejando un rastro sangriento cada vez más ancho.

Los tabiques estaban apenas a un metro. Consiguió acercarse un poco más, a pesar de las sombras que comenzaban a enturbiarle la visión, y de la sangre que le brotaba por la comisura de la boca. Con una fuerza interior que nacía de la desesperación final, arrojó el saco.

El bulto quedó suspendido sobre la barandilla durante un instante que pareció eterno, vaciló y después cayó al río. El rostro de Lusana golpeó contra la cubierta y el hombre cruzó la entrada al mundo del olvido.

El interior de la maciza torre hedía a sudor y sangre, y a la fragancia acre de la pólvora y el aceite recalentado. Casi todos los miembros de la tripulación aún estaban aturdidos por el impacto, y tenían los ojos vidriosos, ensombrecidos por la confusión y el miedo; el resto yacía en diferentes posturas antinaturales, y sangraba profusamente. Una carnicería, pensó Fawkes, una condenada carnicería. Dios mío, no soy mejor que los asesinos que masacraron a mi familia.

Se asomó al hueco del ascensor que comunicaba con el polvorín, y vio a Charles Shaba martillar con una maza una plataforma para granadas que había quedado atascada tres metros bajo el piso de la torre. Las puertas del ascensor, diseñadas con el fin de evitar que una falla en la recámara de un cañón transmitiese la explosión al polvorín, estaban abiertas y atascadas; al verlas, Fawkes tuvo la sensación de que miraba un pozo sin fondo. De pronto, el oscuro recinto pareció temblar, y el marino comprendió súbitamente el problema. El aire estaba demasiado enrarecido y no permitía respirar. Los que habían sobrevivido a la confusión provocada por los misiles Satán estaban muriendo por falta de oxígeno.

—¡Abran la compuerta externa! —rugió—. ¡Necesitamos un poco de aire fresco!

—No es posible, capitán —contestó una voz desde el otro extremo de la torre—. No podemos moverla.

—¡Los ventiladores! ¿Por qué no funcionan?

—Los circuitos están destruidos —dijo otro hombre entre toses—. El único aire que recibimos es el que viene por los tubos del polvorín.

En medio de la bruma y las sombras, Fawkes apenas podía distinguir los rasgos del hombre que hablaba.

—Busque algo para abrir la compuerta. Necesitamos recibir aire.

Se abrió paso entre los cuerpos, pasó junto al mecanismo del enorme cañón y se acercó a la puerta que daba a la cubierta principal. Al ver el obstáculo representado por una cloaca de acero de siete pulgadas de espesor, Fawkes comprendió la magnitud de lo que se proponía hacer. Los únicos elementos favorables eran los goznes destruidos, y los dos centímetros de luz que se filtraban sobre el borde superior, donde la explosión había hundido hacia dentro la puerta de acero.

Alguien le tocó el hombro y Fawkes se volvió. Era Shaba.

—Capitán, lo oí desde el montacargas. Pensé que podía necesitar esto. —Entregó a Fawkes una pesada barra de acero de un metro veinte de largo y siete centímetros de grosor.

Fawkes no perdió tiempo en agradecérselo. Introdujo la barra en el espacio libre e hizo palanca. Se le enrojeció el rostro a causa del esfuerzo, y le temblaron los brazos, pero la puerta no se movió.

La obstinación del metal no sorprendió a Fawkes. Un viejo proverbio escocés decía que un hombre jamás conseguía nada la primera vez. Cerró los ojos y respiró hondo, tratando de ventilar los pulmones. Todas las células de su cuerpo se concentraron en el intento de reunir la fuerza total de los poderosos músculos. Shaba lo miró, fascinado. Jamás había visto tal demostración de absoluta concentración. Fawkes volvió a insertar la barra, hizo una breve pausa y finalmente siguió intentándolo. Shaba tuvo la sensación de que el capitán se había convertido en piedra; no había signos evidentes de esfuerzo, ni tensión de los músculos. El sudor comenzó a brotar en la frente de Fawkes y los tendones del cuello se hincharon y tensaron, y cada músculo adquirió la dureza de la roca por obra del supremo esfuerzo; después, lentamente, de un modo increíble, la puerta chirrió cuando el acero raspó el acero.

Shaba no podía creer que alguien poseyera tanta fuerza; tampoco podía conocer el secreto que llevaba a Fawkes a sobrepasar sus energías normales. Entre el borde de la puerta y la pared de la torre se formaron dos centímetros más de luz. Después siete centímetros… quince… y bruscamente el acero maltratado y retorcido se desprendió de los goznes rotos y cayó sobre cubierta con un resonante eco metálico.

Casi inmediatamente el hedor y el humo que invadían la torre fueron reemplazados por aire fresco y húmedo. Fawkes se apartó a un lado y arrojó al suelo la barra. Tenía las ropas empapadas de sudor, y el torso estremecido, mientras recuperaba el aliento y el corazón volvía a latir normalmente.

—Desocupen las recámaras y aseguren los cañones —ordenó.

Shaba lo miró, atónito.

—El pisón mecánico perdió presión hidráulica. No podemos usarlo para retirar las granadas.

—Al diablo con el pisón —rezongó Fawkes—. Háganlo con las manos.

Shaba no contestó. No tuvo tiempo. El cañón de un arma asomó por la puerta abierta y una ráfaga de balas barrió el recinto, silbando al costado de Fawkes.

Shaba no tuvo tanta suerte. Cuatro balas le entraron casi simultáneamente por el cuello. Cayó de rodillas, los ojos mirando a Fawkes, moviendo la boca pero sin pronunciar palabra, mientras un chorro de sangre le corría por el pecho.

Fawkes permaneció inmóvil, impotente, y vio morir a Shaba. De pronto lo embargó una cólera terrible, y bajó la mano y aferró el cañón del arma. El cañón le quemó la mano, pero Fawkes estaba más allá del dolor. Tiró fuertemente, y el submarinista que estaba fuera y que se negaba obstinadamente a soltar su arma, pasó volando por la estrecha abertura y aterrizó dentro, el dedo índice todavía curvado sobre el gatillo.

No hay miedo en el hombre que está seguro de que morirá. Fawkes no tenía tal certidumbre. Tenía el rostro pálido de miedo, miedo de morir antes de conseguir desactivar la granada de Muerte Rápida alojada en uno de los tres cañones.

—¡Maldito estúpido! —gruñó mientras el submarinista le descargaba un puntapié en el estómago—. Los cañones… en los cañones… una plaga…

El submarinista se retorció violentamente y con la mano libre lanzó un golpe a la mandíbula de Fawkes. Como trataba de desviar de su cuerpo el cañón del arma, Fawkes no podía hacer más que encajar el golpe. Comenzaba a perder fuerzas cuando retrocedió a tropezones y cayó sobre la abertura de la puerta, al mismo tiempo que con un último esfuerzo procuraba arrebatar el arma a su adversario. En cambio, la carne se le desprendió de las palmas y los dedos, y Fawkes no tuvo más remedio que soltarse.

El submarinista se echó a un lado y bajó el arma, apuntando al estómago de Fawkes.

Daniel Obasi, el joven sentado en la cabina de tiro de la torre, contempló con atónito horror cómo el dedo del submarinista se cerraba sobre el gatillo. Trató de gritar, de distraer al asesino de traje negro, pero tenía la garganta seca como arena y solo consiguió emitir un murmullo. Impulsado por la desesperación, pensando que era la única esperanza de salvar la vida de su capitán, Obasi puso el botón rojo de «fuego».

65

No había modo de invertir el proceso, de detener la secuencia de fuego. Las cargas de pólvora detonaron y de las bocas situadas en el centro y a estribor salieron dos proyectiles; pero en el cañón de babor la cápsula quedó atascada a causa del daño provocado por los misiles Satán. En la base del tubo, los gases de la explosión quedaron atrapados en el exterior. Un cañón nuevo podría haber soportado el tremendo retroceso y la presión abrumadora, pero aquella recámara cansada y herrumbrosa ya estaba fuera de uso, de modo que se partió y voló. En un segundo una erupción volcánica de llamas invadió el interior de la torre, bajó por el tubo del montacargas que conducía al polvorín e incendió los barriles de pólvora apilados abajo.

El *Iowa* voló por los aires.

En el instante fugaz en que Patrick Fawkes salió despedido por una puerta de comunicación, percibió la inutilidad, el terrible desperdicio de sus actos. Extendió las manos hacia su amada Myrna, para rogar su perdón un momento antes de caer y aplastarse contra el piso de acero de la cubierta.

La granada perforadora del cañón de estribor alcanzó su cenit y comenzó a descender atravesando la cúpula de piedra caliza del edificio de los Archivos Nacionales. Por un extraño azar atravesó las veintiuna hileras de libros y registros, perforó el piso de granito del salón de exposiciones a menos de tres metros de la vitrina que guarda la Declaración de Independencia, y acabó medio enterrada en el piso de cemento del subsuelo.

La granada número dos había fallado.

No así la número tres.

Activado por su minúsculo generador, el altímetro de radar del recipiente de Muerte Rápida comenzó a enviar señales al suelo y a registrar la trayectoria descendente. La cápsula bajó cada vez más, hasta que a una altura aproximada de quinientos metros un impulso eléctrico determinó que se soltara el paracaídas, y un paraguas de seda anaranjada fluorescente apareció en el cielo azul. Por extraño que parezca, a pesar de que tenía treinta años el material soportó la súbita tensión sin que cedieran las costuras.

A bastante profundidad bajo las calles de Washington, el presidente y sus asesores permanecían inmóviles en sus asientos, y parpadeaban siguiendo el descenso implacable del proyectil. Al principio, como los pasajeros del *Titanic*, que se negaban a creer que el enorme transatlántico estuviera hundiéndose, parecían en trance, incapaces de percibir el verdadero alcance de los hechos que se desarrollaban frente a ellos, aferrándose a la idea de que en realidad el mecanismo de la cápsula debía fracasar, y que el proyectil caería sin consecuencias sobre el césped de los jardines.

Después, asaltados por un temor cada vez más intenso, todos comenzaron a sentir el doloroso aguijón de la desesperación.

Una leve brisa soplaba desde el norte y empujaba al paracaídas hacia los edificios del Instituto Smithsoniano. Los soldados que habían bloqueado las calles alrededor del monumento a Lincoln y el edificio de los Archivos Nacionales y la multitud de empleados del gobierno sorprendidos cuando se dirigían a su trabajo, miraban temerosos, mientras un bosque de manos apuntaba al cielo.

Alrededor de la mesa de conferencias el aire estaba cargado de tensión, y el sentimiento de ansiedad había alcanzado proporciones insoportables. Jarvis ya no podía continuar mirando. Se llevó las manos a la cabeza.

—Acabados —dijo, con voz ronca—. Estamos acabados.

—¿No hay nada que pueda hacerse? —preguntó el presidente con los ojos fijos en el objeto que flotaba en la pantalla.

Higgins se encogió de hombros, derrotado.

—Si disparamos contra ese monstruo, solo conseguiremos dispersar las bacterias. Aparte de eso, me temo que no podemos hacer nada.

Jarvis vio un relámpago de comprensión en los ojos del

presidente, la terrible comprensión de que habían llegado al final del camino. Lo imposible no podía ocurrir, no podía ser aceptado, pero allí estaba. La muerte para millones de personas estaba a pocos segundos y unos centenares de metros de distancia.

Tan absortos estaban en la escena que no advirtieron el punto lejano que comenzaba a crecer. El almirante Kemper fue el primero en verlo; rara vez se le escapaba nada. Abandonó su silla y miró atentamente, como si sus ojos fueran rayos láser. Los demás finalmente también lo advirtieron, y entretanto el punto se agrandó y se convirtió en un helicóptero que avanzaba en línea recta hacia la cápsula.

—Qué demonios significa… —murmuró Higgins.

—Parece el mismo idiota bastardo que anduvo rondando alrededor del *Iowa* —observó Kemper.

—Esta vez le volaremos el culo —dijo Higgins, y extendió la mano hacia el teléfono.

El sol se reflejó en el fuselaje del helicóptero y por un instante lo convirtió en una mancha luminosa. El artefacto creció, y poco después pudieron verse las grandes letras negras pintadas sobre el costado.

—ANIM —dijo Kemper—, es uno de los helicópteros de la Agencia Nacional de Investigaciones Marinas.

Jarvis apartó las manos de la cara y alzó los ojos, como si de pronto despertara de un sueño profundo.

—¿ANIM?

—Véalo usted mismo —confirmó Kemper, señalando. Jarvis miró. Luego, como si estuviera sufriendo un ataque de locura, derribó su silla y extendió la mano sobre la mesa, arrancando el teléfono que sostenía Higgins.

—¡No! —gritó.

Higgins lo miró, asombrado.

—¡Déjelos en paz! —exclamó Jarvis—. El piloto sabe lo que hace.

Jarvis estaba absolutamente seguro de que Dirk Pitt movía los hilos del drama que se desarrollaba sobre la ciudad. Un helicóptero de la ANIM y Pitt. Debía existir una relación entre ambos. Un minúsculo destello de esperanza brotó en Jarvis mientras observaba la distancia cada vez más corta entre el helicóptero y la cápsula.

El Minerva enfiló el paracaídas anaranjado como un toro carga contra la capa del matador. Sería una carrera contra el tiempo. Steiger y Sandecker habían sobrestimado la trayectoria de la cápsula de Muerte Rápida, y estaban cerca del edificio de los Archivos Nacionales cuando vieron abrirse el paracaídas, a medio kilómetro del lugar en que ellos estaban. Perdieron un tiempo precioso mientras Steiger manipulaba el artefacto, para realizar la peligrosa jugada que Pitt había concebido pocas horas antes.

—Ya perdimos doce segundos —anunció impasible Sandecker desde la puerta de la cabina.

Dieciocho segundos hasta la detonación, pensó Steiger.

—El gancho y el cable preparados —dijo Sandecker.

Steiger meneó la cabeza.

—Es muy peligroso. Solo podremos hacer una pasada. Tendremos que enredarlo en la máquina.

—Paralizará las paletas del rotor.

—Es el único modo —replicó Steiger.

Sandecker no discutió. Con movimientos rápidos se instaló en el asiento del copiloto y se ajustó el cinturón de seguridad.

La cápsula era visible. Steiger observó que estaba pintada con el azul reglamentario de la Marina. Empujó las palancas de las dos turbohélices y al mismo tiempo retrajo el control de velocidad. La velocidad del Minerva disminuyó tan bruscamente que los dos hombres sintieron la intensa presión de los cinturones.

—Seis segundos —dijo Sandecker.

La sombra del enorme paracaídas cubría el helicóptero cuando Steiger desvió la máquina a estribor. La violenta maniobra envió el extremo puntiagudo del helicóptero contra las cuerdas del paracaídas. La seda anaranjada se desplomó y cubrió el parabrisas, tapando el sol. Las cuerdas se enredaron alrededor del eje del rotor, antes que el material viejo y fatigado cediese y se desgarrara. El resto se enredó alrededor del fuselaje y casi paralizó al Minerva, que ahora debía soportar el peso del proyectil.

—Dos segundos —masculló Sandecker.

El Minerva caía llevado por el peso de la granada. Steiger recuperó la posición inicial manejando el control de inclinación, dando la máxima aceleración a los motores, y utilizando los estabilizadores con una rápida sucesión de movimientos.

Los dos motores lucharon bajo el peso. Sandecker había dejado de contar. El tiempo se había acabado. La aguja del altímetro oscilaba a los trescientos metros. Sandecker se asomó por una ventanilla abierta y miró la cápsula que se balanceaba bajo el fuselaje, esperando la explosión.

Las paletas del rotor del Minerva batieron el aire, originando un golpeteo sordo que podía oírse a muchos kilómetros, sobre el mar de caras de expresión absorta vueltas hacia el cielo. El paracaídas, el proyectil y el helicóptero estaban juntos, suspendidos en el aire. Sandecker desvió la atención hacia el altímetro. No se había movido. Una pátina de sudor relucía sobre su frente.

Pasaron dos segundos, que parecieron dos años a Sandecker. Steiger, absorto en su tarea, manipulaba los controles. El almirante no podía hacer más que esperar. Era la primera vez en su vida que se sentía inútil.

—Sube, cabrón, sube —rogó Steiger al Minerva.

Sandecker miró el altímetro, como hipnotizado. Le pareció que la aguja comenzaba a sobrepasar la marca de los trescientos metros. ¿Era que lo deseaba, o el instrumento había registrado realmente un número más alto? Después, lentamente, de un modo casi infinitesimal, pareció que la aguja se movía.

—Estamos subiendo —dijo con voz temblorosa.

Steiger no contestó.

El ritmo de ascenso comenzó a aumentar. Sandecker permaneció inmóvil mientras no tuvo la certeza de que sus ojos no le jugaban una mala pasada. Pero al fin se convenció de que no había motivos de temor. La aguja ascendía lentamente hacia la cifra siguiente.

66

Hubiera sido imposible describir el alivio que experimentaron los hombres reunidos en las oficinas ejecutivas de emergencia. Si se les hubiera preguntado, habrían concordado unánimemente en que jamás habían visto nada tan maravilloso en el curso de sus vidas. Incluso el agrio general Higgins sonreía como jamás se lo había visto sonreír. La sofocante nube de la destrucción de pronto se había disipado, y cuando el Minerva comenzó a elevar su carga letal a una altura segura todos empezaron a dar vivas.

El presidente se hundió en su sillón y se concedió el placer de encender un cigarro. Miró a Jarvis a través de una nube de humo.

—Según parece, Dale, es usted clarividente.

—Solo ha sido una conjetura bien informada, señor presidente —respondió Jarvis.

El almirante Kemper cogió su teléfono.

—¡Comuníqueme con ese helicóptero de la ANIM! —ordenó.

—Todavía no estamos a salvo —dijo Higgins—. Esa gente no puede continuar volando eternamente.

—Estamos en contacto. —El breve anuncio llegó por uno de los altavoces dispuestos a los lados de la pantalla.

Kemper habló por su teléfono, al mismo tiempo que mantenía los ojos fijos en los movimientos del Minerva.

—Aquí el almirante Joseph Kemper, del Estado Mayor Conjunto. Helicóptero de la ANIM, identifíquese. Una voz serena y clara replicó:

—Jim Sandecker, Joe. ¿Qué le ocurre?

El presidente se enderezó en el sillón.

—¿El director de la ANIM?

Kemper asintió.

—¡Usted sabe muy bien lo que me ocurre! —explotó el almirante.

—Ah, sí, la cápsula de Muerte Rápida. Supongo que conoce sus propiedades.

—Las conozco.

—Y quiere saber qué pienso hacer con ellas.

—En efecto, me gustaría saberlo.

—Apenas lleguemos a los mil quinientos metros —dijo Sandecker—, el piloto, coronel Abe Steiger, y yo enfilaremos directamente hacia el mar, y arrojaremos a esa hija de puta tan lejos de la costa como lo permita el combustible de esta máquina.

—¿A qué distancia cree que llegarán? —preguntó Kemper.

Hubo una pausa, mientras Sandecker consultaba con Steiger.

—Aproximadamente mil kilómetros al este de la costa de Delaware.

—¿El proyectil está seguro?

—Creemos que sí. Nos sentiríamos más cómodos si no tuviéramos que depender de los instrumentos y pudiéramos disfrutar del paisaje.

—¿Qué ocurre?

—La tela del paracaídas cubre nuestro parabrisas. Podemos ver únicamente hacia abajo.

—¿Podemos ayudarle? —preguntó Kemper.

—Sí —replicó Sandecker—. Avisen a todos los aviones militares y comerciales que se aparten de nuestro camino hacia el mar.

—De acuerdo —dijo Kemper—. También ordenaré que un buque de rescate se acerque al lugar donde probablemente caerán.

—Negativo, Joe. El coronel Steiger y yo apreciamos el gesto, pero sería malgastar inútilmente muchas vidas.

Kemper no contestó de inmediato. Sus ojos expresaron un pesar muy hondo. Después dijo:

—Entendido. Fuera.

—¿No hay modo de salvarlos? —preguntó Jarvis.

Kemper meneó la cabeza.

—La triste verdad es que el almirante Sandecker y el coronel Steiger están suicidándose. Cuando se acabe el combustible del helicóptero y la máquina caiga al mar, el proyectil la acompañará. Una vez desciendan a trescientos metros, la cápsula dispersará el agente MR. El resto se sobrentiende.

—Pero seguramente podrán cortar la tela del paracaídas y volar un tramo antes de caer —insistió Jarvis.

—Comprendo el punto de vista del almirante Kemper —dijo Higgins—. La respuesta está en la pantalla. El paracaídas es la mortaja del helicóptero. Las cuerdas rodean la base del rotor, y cuelgan sobre la cara opuesta a la entrada del compartimiento de carga. Aunque el artefacto se sostuviera en el aire sin cambiar de posición, un hombre no podría trepar por el exterior y cortar las cuerdas con un cuchillo.

—¿No pueden abandonar el helicóptero antes de que caiga? —preguntó Jarvis.

El general Sayre meneó la cabeza.

—A diferencia de los aviones, los helicópteros carecen de sistemas automáticos de control. Es necesario dirigir personalmente cada maniobra. Si la tripulación lo abandona, el artefacto cae.

—Si intentáramos rescatarlos desde el aire —dijo Kemper—, podríamos recoger a uno de los hombres, pero no a los dos.

—¿No podemos hacer nada? —La voz de Jarvis tenía un leve temblor.

El presidente contempló un momento la mesa lustrada. Al fin, dijo:

—Roguemos que alejen de nuestras costas esa horrible peste.

—¿Y si lo consiguen?

—En ese caso, presenciaremos impotentes cómo mueren dos hombres valerosos.

El agua helada devolvió la conciencia a Pitt. Durante los primeros instantes, mientras parpadeaba para defenderse de la luz del sol, su mente trató de determinar dónde estaba, y de comprender por qué flotaba en aquel río frío y contaminado. Unos instantes más tarde, el dolor retornó, y sintió la cabeza como el extremo de un clavo martillado.

Sintió una vibración en el agua, oyó un sonido apagado y poco después divisó una lancha de la guardia costera que emergía de la luz del sol y enfilaba hacia él. Dos hombres vestidos con trajes impermeables se deslizaron sobre la borda de la embarcación y aseguraron a Pitt con un cable. Se dio la señal, y la cabria lo retiró del agua y lo depositó suavemente sobre la cubierta.

—Es un poco temprano para practicar natación —dijo un gigante que tenía el brazo en cabestrillo—. ¿O está ensayando para cruzar el canal de la Mancha?

Pitt miró alrededor y vio los vidrios rotos y la madera astillada sobre el puente de la lancha.

—¿De dónde vienen? ¿De una batalla naval?

El gigante sonrió y contestó:

—Íbamos a nuestro amarradero cuando recibimos orden de rescatarlo del agua. Soy Oscar Kiebel, comandante de lo que hace un rato era la mejor lancha del Servicio Fluvial.

—Dirk Pitt. Soy de la ANIM.

Kiebel entrecerró los ojos.

—¿Cómo llegó al acorazado?

Pitt miró la antena rota de la lancha.

—Creo que le debo una antena de radio.

—¿Fue usted?

—Lamento haberme alejado sin ofrecer explicaciones, pero no había tiempo de preparar un informe del accidente.

Kiebel indicó una puerta.

—Es mejor que entre… Le vendaremos la cabeza. Parece que recibió un buen golpe.

En ese momento Pitt vio una gran nube de humo que se elevaba sobre un recodo del Potomac.

—El *Iowa* —dijo—. ¿Qué pasó con el *Iowa*?

—Estalló.

Pitt se apoyó en la borda.

Kiebel sostuvo a Pitt con el brazo sano, y uno de sus hombres trajo una manta.

—Será mejor que se tranquilice y descanse. Un médico estará esperando en el muelle.

—Eso no importa —dijo Pitt—. Ya no importa.

Kiebel lo condujo a la cabina del piloto, y le ofreció una humeante taza de café.

—Lamento que no haya bebidas alcohólicas a bordo. El reglamento lo prohíbe. De todos modos es un poco temprano. —Se volvió y a través de la puerta habló con el oficial de comunicaciones—. ¿Qué se sabe del helicóptero?

—Ahora está sobre la bahía de Chesapeake.

—Caramba, es una máquina de la ANIM —dijo Kiebel—. ¡Maldita sea! Una granada de la última salva del *Iowa* descendió en paracaídas, y ese idiota del helicóptero la pescó en el aire.

—¡Gracias a Dios! —dijo Pitt cuando al fin comprendió la situación—. Una radio. Necesito utilizar su radio.

Kiebel vaciló. Podía ver la urgencia en los ojos de Pitt.

—No está bien permitir que los civiles usen los aparatos militares de comunicación...

Pitt lo interrumpió. Su piel entumecida por el frío comenzaba a recuperar la sensibilidad, y percibió que algo le apretaba el estómago, bajo la camisa. Su rostro mostró una expresión de desconcierto cuando retiró un paquetito y lo miró intrigado.

—Y esto, ¿de dónde demonios sale?

Steiger contemplaba con desconfianza el indicador de temperatura, mientras la aguja ascendía hacia el rojo. La costa del Atlántico todavía estaba a cien kilómetros de distancia, y lo que él menos deseaba era que se fundiese una de las turbinas.

El del aparato de radio pestañeó y el almirante pulsó el botón de transmisión.

—Soy Sandecker. Adelante.

—Ya puedo comerme esos huevos revueltos —dijo Pitt con voz crepitante a través de los auriculares.

—¡Dirk! —exclamó Sandecker—. ¿Se encuentra bien?

—Un poco maltrecho, pero todavía vivo.

—¿Y la otra cápsula? —preguntó ansiosamente Steiger.

—Desarmada —contestó Pitt.

—¿Y el agente MR?

El tono de Pitt no expresó incertidumbre.

—Arrojado al río.

A lo sumo, Pitt podía suponer que Hiram Lusana había arrojado al río los recipientes; pero no pensaba sugerir a Steiger y al almirante que tal vez todos sus esfuerzos habían sido inútiles.

Sandecker informó a Pitt acerca de la situación del paracaídas, y explicó que la perspectiva no era muy halagüeña. Pitt escuchó sin interrumpir. Después que el almirante concluyó, Pitt formuló una sola pregunta.

—¿Cuánto tiempo pueden permanecer en el aire?

—El combustible puede durar unas dos horas y media —contestó Steiger—. Mi problema inmediato está en los motores. Tienen dificultades y están recalentándose a causa del paracaídas.

—Es probable que la tela esté bloqueando parcialmente los accesos de aire.

—Acepto ideas brillantes, ¿Tiene alguna?

—En efecto, la tengo —respondió Pitt—. Escúcheme. Restableceré contacto dentro de dos horas. Entretanto, arrojen todo lo que puedan. Asientos, herramientas, todo lo que puedan desprender del helicóptero para reducir el peso. Hagan lo que sea necesario, pero manténganse en el aire hasta que vuelva a comunicarme con ustedes. Fuera.

Cerró el micrófono y se volvió hacia el teniente Kiebel.

—Debo desembarcar cuanto antes.

—Llegaremos en ocho minutos.

—Necesitaré transporte —dijo Pitt.

—Todavía no sé cómo encaja usted en este embrollo —dijo Kiebel—. Y por lo poco que sé, debería arrestarlo.

—No es momento para jugar a policías y ladrones —replicó Pitt—. Dios mío, ¿tengo que hacerlo todo? —Se inclinó sobre el operador de radio—. Póngame con la central de la ANIM y la Compañía Stransky, por ese orden.

—Usa con mucha libertad a mis hombres y mi equipo.

Pitt no dudó de que si Kiebel hubiese tenido los dos brazos sanos, lo habría derribado de un puñetazo sobre cubierta.

—¿Qué debo hacer para obtener su cooperación?

Kiebel dirigió una mirada asesina a Pitt; después, lentamente, los ojos oscuros se suavizaron y los labios se curvaron en una sonrisa.

—Diga «por favor».

Pitt lo hizo, y exactamente doce minutos después viajaba de regreso a Washington en un helicóptero de la guardia costera.

67

Las dos horas transcurrieron con dolorosa lentitud para Steiger y Sandecker. Habían dejado atrás la costa de Delaware en Slaughter Beach, y volado ochocientos kilómetros sobre el Atlántico. El tiempo continuaba relativamente sereno, y las escasas nubes de tormenta se mantenían cortésmente alejadas.

Todo lo que no estaba atornillado, y algunas cosas que sí lo estaban, habían salido volando por la puerta del compartimiento de carga. Sandecker calculaba que se habían desprendido de unos doscientos kilos. Esa limpieza, y la pérdida de peso determinada por la disminución del combustible habían impedido que los maltratados motores se recalentaran en el esfuerzo por mantener en el aire al Minerva excesivamente cargado.

Sandecker iba sentado en el suelo, la espalda apoyada contra el tabique de la cabina. Había retirado todos los asientos, excepto el de Steiger. El esfuerzo físico de las últimas dos horas lo había agotado. Le ardían los pulmones, y los brazos y las piernas estaban entumecidos por la fatiga.

—¿Alguna comunicación... noticias de Pitt?

Steiger meneó la cabeza sin apartar los ojos de los instrumentos.

—Silencio absoluto —dijo—. Por otra parte, ¿qué podemos pretender? Pitt no es un hacedor de milagros.

—Lo he visto hacer cosas que parecieron imposibles a otros.

—Estoy seguro que fue un intento patético de infundirnos falsas esperanzas. —Steiger inclinó la cabeza hacia el reloj del panel—. Dos horas y ocho minutos desde el último contacto. Creo que no volveremos a verlo.

Sandecker estaba demasiado fatigado para discutir. Como quien se encuentra rodeado de una bruma espesa, extendió la mano, levantó unos auriculares, los aplicó a sus oídos y cerró los ojos. Una suave paz comenzaba a envolverlo cuando una voz estridente irrumpió por los auriculares y lo despertó del todo.

—Eh, tío, vuelas tan mal como te encamas.

—¡Giordino! —exclamó Steiger.

Sandecker pulsó el botón de transmisión.

—Al, ¿desde dónde llama?

—Casi un kilómetro detrás y unos setenta metros debajo.

Sandecker y Steiger se miraron asombrados.

—Usted debería estar en el hospital —dijo Sandecker con voz sorda.

—Pitt obtuvo mi libertad bajo palabra.

—¿Y dónde está Pitt? —preguntó Steiger.

—Mirando su trasero, Abe —replicó Pitt—. Estoy manejando los controles del Catlin M-200 de Giordino.

—Llega tarde —dijo Steiger.

—Lo lamento, estas cosas llevan tiempo. ¿Cuánto combustible le queda?

—Menos que nada —bromeó Steiger—. Puedo volar dieciocho o veinte minutos más, con suerte.

—Un buque noruego está a unos cien kilómetros, rumbo dos-siete-cero. El capitán ha retirado de la cubierta principal a todos los pasajeros. Lo lograrán...

—¿Está loco? —lo interrumpió Steiger—. Un buque de pasajeros, la cubierta principal... ¿de qué está hablando?

Pitt continuó imperturbable.

—Apenas hayamos cortado las cuerdas del proyectil, diríjanse hacia el barco.

—Amigos, cómo los envidio —dijo Giordino—. Dentro de un rato estarán tumbados al borde de una piscina, bebiendo cócteles.

—¡Bebiendo cócteles! —repitió el desconcertado Steiger—. ¡Dios mío, esos dos han enloquecido!

Pitt se volvió hacia Giordino, que ocupaba el asiento del copiloto, y señaló el yeso que le cubría una pierna.

—¿Estás seguro de que podrás manejar los mandos con eso en la pierna?

—Lo único que este yeso me impedirá hacer —dijo Giordino, al mismo tiempo que con la mano le aplicaba un ligero golpe— es rascarme la herida.

—Entonces, adelante.

Pitt retiró las manos de la palanca de control, abandonó el asiento y entró en el compartimiento de carga del Catlin. La compuerta abierta dejaba entrar un frío intenso. Un hombre de piel muy clara y rasgos nórdicos, ataviado con prendas multicolores de esquiar, estaba inclinado sobre un objeto negro largo y rectangular, montado en un trípode de gruesas patas. Era evidente que el doctor Paul Weir no era un hombre aficionado a viajar en mitad del invierno en aviones sacudidos por corrientes de aire.

—Estamos en posición —dijo Pitt.

—Un instante —replicó Weir moviendo apenas los labios, que ya estaban adquiriendo un color azulino—. Estoy armando los tubos de enfriamiento. Si no circula agua alrededor de la unidad de energía, el artefacto se calcinará.

—Imaginaba un equipo más sofisticado —dijo Pitt.

—Señor Pitt, los láser de gran alcance con gas argón no están destinados a las películas de ciencia ficción. —El doctor Weir continuó hablando mientras practicaba el examen definitivo de los cables de conexión—. Están destinados a emitir

364

un haz coherente de luz con muchas aplicaciones prácticas.

—¿Tiene la fuerza necesaria para ejecutar la tarea?

Weir se encogió de hombros.

—Dieciocho vatios concentrados en un minúsculo rayo que libera solo dos kilovatios de energía no parece mucho, pero le aseguro que es suficiente.

—¿Cuánto debemos aproximarnos al proyectil?

—El curso divergente del rayo nos obliga a acercarnos todo lo posible. Menos de quince metros.

Pitt pulsó el botón del micrófono.

—¿Al?

—Adelante.

—Acércate a unos trece metros del proyectil.

—A esa distancia estaremos al alcance de la turbulencia del rotor del helicóptero.

—No podemos evitarlo.

Weir movió la llave principal del láser.

—¿Me oye, Abe? —preguntó Pitt.

—Sí, adelante.

—La idea es que Giordino se acerque bastante, de modo que con un rayo láser podamos cortar las cuerdas del paracaídas que sujetan el proyectil.

—Conque ese es el juego —dijo Sandecker.

—Ese es el juego, almirante. —Pitt habló con voz neutra, casi indiferente—. Ahora estamos acercándonos. Mantengan el curso. Si les parece bien comiencen a rezar, y empezaremos de una vez.

Giordino movió los controles con la precisión de un artesano relojero, y puso el Catlin al lado y ligeramente debajo del Minerva. Comenzó a sentir los golpes de las corrientes de aire, y sus manos se cerraron más fuertemente sobre los mandos. En el compartimiento de carga el violento temblor de la máquina movía todo lo que estaba atado. Pitt miraba alternativamente el proyectil y a Weir.

El físico jefe de Instrumental Stransky se inclinó sobre el cabezal emisor del rayo láser. No mostraba indicio de miedo o ansiedad. Más bien parecía complacerse en la operación.

—No veo ningún rayo —dijo Pitt—. ¿Está funcionando?

—Lamento echar por tierra sus ilusiones —contestó Weir, pero el rayo láser de argón es invisible.

—¿Y cómo puede apuntarlo?

—Con esta mira telescópica de rifle, que cuesta treinta dólares. —Tocó el tubo redondo, que había sido atornillado al aparato—. Con él no ganaré el Premio Nobel, pero para el caso es suficiente.

Pitt se acostó boca abajo y se arrastró hasta que su cabeza sobrepasó el umbral de la compuerta abierta. El viento frío hizo que el vendaje de su cabeza se agitara como una bandera batida por un huracán. El proyectil colgaba bajo el helicóptero, formando un ángulo no muy cerrado en el rotor de la cola. Al verlo, Pitt pensó que era difícil creer que en un recipiente tan pequeño estaba contenido un mundo de sufrimiento y muerte.

—¡Más cerca! —gritó Weir—. ¡Necesito tres metros más!

—Acércate tres metros —dijo Pitt por el micrófono.

—Si nos acercamos más podremos usar unas tijeras —murmuró Giordino. Tal vez sentía profunda ansiedad, pero en todo caso no lo demostraba. Su rostro mostraba la expresión de un hombre medio adormilado. Solo los ojos ardientes sugerían la concentración exigida por las maniobras exactas que imponían al Catlin. Tenía la sensación de que bajo el yeso la pierna estaba bañada en sudor; y las terminaciones nerviosas protestaban irritadas.

Ahora Pitt podía ver algo… el ennegrecimiento de las cuerdas retorcidas sobre el proyectil. El rayo invisible había dado en el blanco y estaba fundiendo los hilos de nailon. Se preguntó cuántos eran. Quizá unos cincuenta.

—¡Está recalentándose! —Dos palabras y la sensación de que se le paralizaba el corazón—. ¡Aquí hace demasiado frío! —gritó Weir—. Los tubos de enfriamiento se han congelado.

Los ojos de Weir se volvieron hacia la mira telescópica. Pitt alcanzó a ver que varias cuerdas se cortaban, y que los extremos chamuscados se agitaban impulsados por el viento. El olor acre de los aisladores quemados comenzó a invadir la cabina.

—El tubo no soportará mucho más —dijo Weir.

Otra media docena de cuerdas se quemaron, pero el resto permaneció tenso. De pronto, Weir se enderezó y se quitó los guantes chamuscados.

—¡Dios mío, lo siento! —gritó—. ¡Se ha quemado el tubo!

El proyectil de Muerte Rápida aún colgaba ominosamente bajo el Minerva.

Transcurrieron treinta segundos mientras Pitt permanecía acostado, mirando fijamente el letal proyectil que se balanceaba en el aire. Su rostro no expresaba nada… a lo sumo una peculiar preocupación. Después, rompió el silencio.

—Hemos perdido el láser —anunció sin preámbulos.

—¡Mierda, mierda, mierda! —rugió Steiger—. ¿Por qué tenemos tanta mala suerte? —Su voz sonó desaforada a causa de la amargura y la frustración.

—¿Y ahora? —preguntó serenamente el almirante Sandecker.

—Maneje los controles y obligue a zambullirse a ese pavo gordo —contestó Pitt.

—¿Cómo?

—La última carta. Oblíguenlo a zambullirse. Cuando hayan acumulado suficientes fuerzas g, suban otra vez. Tal vez cambie la suerte de Abe y ese pasajero indeseado se desprenda.

—Será difícil —dijo Steiger—. Tendré que hacerlo con instrumentos. No veo nada con esa tela sobre el parabrisas.

—Los acompañaremos —dijo Giordino.

—No se acerquen demasiado, porque les contagiaremos el resfriado —dijo Steiger. Apartó el helicóptero del Catlin—. Esperemos que este bebé no esté constipado. —Empujó hacia delante la palanca de mando.

El Minerva inclinó el morro en un ángulo de setenta grados. Sandecker apoyó los pies en la base del asiento de Steiger y manoteó buscando un punto de apoyo. Los hombres que miraban fascinados desde el Catlin vieron el morro del helicóptero apuntar hacia el mar.

—Siga un ángulo de descenso menos cerrado —dijo Pitt—. El proyectil está empezando a acercarse al rotor de cola.

—Entendido —dijo Steiger con voz tensa y áspera—. Es como lanzarse desde un edificio con los ojos cerrados.

—Va bien —lo tranquilizó Pitt—. No acelere demasiado. Si sobrepasa siete factores g perderá las paletas de los rotores.

—No me agradaría.

Mil trescientos metros.

Giordino no intentó acompañar de cerca a Steiger. Siguió a cierta distancia del Minerva, manteniendo al Catlin en una curva descendente bastante suave. Concluido su trabajo, el doctor Weir buscó la tibieza de la cabina de control.

La acentuada inclinación del suelo de la cabina del helicóptero hizo que el almirante Sandecker se sintiera como un hombre entre la espada y la pared. Los ojos de Steiger pasaban bruscamente del altímetro al indicador de la velocidad del aire y al dial que mostraba el horizonte artificial; y un instante después volvía a repetir la operación.

Mil metros.

Pitt podía ver que la tela del paracaídas se agitaba peligrosamente cerca del rotor, pero decidió guardar silencio. Steiger ya tenía problemas suficientes, y no necesitaba más advertencias ominosas. Desvió los ojos hacia el mar, que se acercaba rápidamente al Minerva.

Steiger comenzó a sentir una vibración cada vez más intensa. El ruido del viento aumentaba a medida que se elevaba la velocidad. Durante una fracción de segundo contempló la posibilidad de mantener en la misma posición la palanca de mando, y acabar con aquella tortura. Pero entonces, por primera vez ese día, pensó en su esposa y sus hijos, y el deseo de volver a verlos avivó su fiera decisión de vivir.

—¡Abe, ahora! —gritó por los auriculares la voz de Pitt—. ¡Arriba!

Steiger tiró hacia atrás la palanca.

Setecientos metros.

El Minerva se estremeció como resultado del tremendo arrastre gravitatorio que se ejercía sobre cada remache de su estructura. Permaneció suspendido en el aire, mientras el proyectil, reaccionando ante la fuerza como un peso unido al extremo de un péndulo gigante, se arqueó hacia fuera. Las últimas cuerdas del paracaídas, que habían resistido la acción del rayo láser, se tensaron como las cuerdas de un violín. Por grupos de dos y tres comenzaron a deshilacharse.

En el mismo instante en que parecía que el proyectil de Muerte Rápida volvería sobre el helicóptero para destrozarlo, se desprendió del todo y cayó al mar.

—¡Ha caído! —gritó Pitt.

Steiger estaba demasiado agotado para contestar. Luchando por aclarar su visión, oscurecida por el súbito cambio de orientación del helicóptero, Sandecker consiguió incorporarse y tocó el hombro de Steiger.

—Diríjase al buque de pasajeros —dijo con voz fatigada, pero que al mismo tiempo expresaba profundo alivio.

Pitt no miró al Minerva, que en ese momento describía una curva y se dirigía hacia la salvación. Mantuvo los ojos fijos en el proyectil, hasta que su superficie azul se fundió con el azul de las aguas y desapareció totalmente.

Diseñado para descender a dieciocho pies por segundo, el proyectil cayó velozmente trescientos metros sin que el cabezal explotase. El mecanismo de detonación se retrasó hasta que fue demasiado tarde. A la velocidad de casi ciento veinte metros por segundo, el agente biológico, que representaba la amenaza de extinción masiva, se zambulló en las aguas del mar profundo.

Pitt continuaba mirando cuando la minúscula cicatriz blanca provocada por el choque del proyectil contra las aguas se cerró en el movimiento incansable de las olas.

Contemplar la muerte de una nave orgullosa es una experiencia que acongoja el corazón. El presidente se sentía profundamente conmovido, y no apartaba los ojos de las densas nubes de humo que se elevaban del *Iowa*, mientras las lanchas de las brigadas de incendios trataban de acercarse a ese infierno, en un fútil esfuerzo por apagar las llamas.

Estaba acompañado por Timothy March y Dale Jarvis; los

jefes militares habían regresado a sus respectivos despachos en el Pentágono, para iniciar las correspondientes investigaciones, dictar los correspondientes informes e impartir las correspondientes órdenes.

Pocas horas más tarde el miedo se habría olvidado, y los medios de comunicación empezarían a clamar pidiendo sangre, exigiendo el castigo de los culpables.

El presidente había determinado un curso de acción. Era necesario calmar el clamor público. Nada se ganaría proclamando que la incursión había sido un acto infame. Con la mayor delicadeza posible, era necesario echar tierra sobre el asunto.

—Acaba de llegar la noticia de que el almirante Bass falleció en el Hospital Naval de Bethesda —anunció en voz baja Jarvis.

—Sin duda debió de ser un hombre muy fuerte para soportar todos estos años la terrible carga del secreto de la Muerte Rápida —dijo el presidente.

—Y ahora todo ha terminado —murmuró March.

—Todavía está la isla Rongelo —observó Jarvis.

—Sí —asintió el presidente—, todavía falta resolver ese problema.

—No podemos permitir que sobreviva el más mínimo resto del agente.

El presidente miró a Jarvis.

—¿Qué propone hacer?

—Borrar la isla del mapa —replicó Jarvis.

—Imposible —dijo March—. Los soviéticos armarán un escándalo si detonamos una bomba. Ambas naciones han respetado durante dos décadas la moratoria que impide las pruebas nucleares en la superficie terrestre.

Una leve sonrisa curvó los labios de Jarvis.

—Los chinos todavía no firmaron el pacto.

—¿Y bien?

—Pues que aprovechamos las enseñanzas de la operación Rosa Silvestre —explicó Jarvis—. Enviamos uno de nuestros submarinos nucleares a la menor distancia posible de la costa china, y le ordenamos que lance un explosivo nuclear en la isla Rongelo.

March y el presidente se miraron. Después se volvieron hacia Jarvis, esperando oír el resto del plan.

—Si nadie puede probar que los norteamericanos estuvieron preparándose para realizar una prueba, y no tenemos naves de superficie ni aviones en un radio de tres mil kilómetros de la zona de la explosión, los rusos no dispondrán de pruebas concretas contra nosotros. Por otra parte, sus satélites espía inevitablemente informarán que la trayectoria del misil se originó en territorio chino.

—Podríamos hacerlo, si somos discretos —dijo March, comenzando a interesarse en el plan—. Por supuesto, los chinos negarán su responsabilidad. Y después de las habituales acusaciones del Kremlin, de nuestro propio Departamento de Estado y de otras irritadas naciones que condenarán a Pekín, el episodio pasará a segundo plano y será olvidado al cabo de dos semanas.

El presidente fijó los ojos en el vacío, mientras luchaba con su conciencia. Por primera vez en casi ocho años sentía la vulnerabilidad absoluta de su cargo. La armadura del poder exhibía finas grietas que podían ensancharse bruscamente como consecuencia de golpes imprevistos.

Finalmente, con el aspecto fatigado de un hombre dos veces mayor que él, se levantó de su sillón.

—Ruego a Dios —dijo con los ojos impregnados de tristeza— que yo sea el último individuo de la historia que ordena un ataque nuclear.

Después, se volvió y caminó lentamente hacia el ascensor que lo llevaría de regreso a la Casa Blanca.

EL PAPEL DEL TONTO

Umkono, África del Sur - Enero de 1989

El calor del sol matutino agobiaba a los dos hombres que, sosteniendo las cuerdas, bajaban lentamente la caja de madera hasta el fondo de la fosa. Después aflojaron las cuerdas, y estas produjeron un ruido peculiar al rozar los bordes afilados del ataúd.

—¿Realmente no desea que cubra el féretro? —preguntó un sepulturero de piel de ébano mientras enroscaba la cuerda alrededor de su hombro musculoso.

—Gracias, yo me ocuparé de eso —dijo Pitt, al mismo tiempo que entregaba al hombre unos billetes sudafricanos.

—No quiero pago —dijo el sepulturero—. El capitán fue mi amigo. Podría cavar cien tumbas y jamás le pagaría toda la bondad que demostró en vida hacia mi familia.

Pitt asintió, comprensivo.

—Tomaré prestada su pala.

El sepulturero le entregó la herramienta, estrechó la mano de Pitt y curvó los labios en una amplia sonrisa. Luego, hizo un gesto con la mano y se alejó por un estrecho sendero que llevaba del cementerio a la aldea. Pitt miró alrededor. La vegetación era abundante, pero áspera. Del suelo se desprendían nubes de vapor a medida que el sol se elevaba en el cielo. Con una manga se enjugó la frente perlada de sudor y luego se sentó bajo una mimosa, mirando los frutos plumosos y amarillos y las espinas blancas y largas, y oyendo el estrépito de los cálaos a lo lejos. Después volvió los ojos hacia la gran lápida de granito puesta a la cabecera de la tumba.

AQUÍ YACE
LA FAMILIA FAWKES

Patrick McKenzie
Myrna Clarissa
Patrick McKenzie, hijo
Jennifer Louise

Reunidos para toda
la eternidad
1988

Pitt pensó que el capitán había demostrado cualidades de profeta. La lápida había sido tallada meses antes de la muerte de Fawkes a bordo del *Iowa*. Apartó una hormiga extraviada y dormitó las dos horas siguientes. Lo despertó el ruido de un automóvil.

El chófer uniformado, un sargento, frenó el Bentley, descendió y abrió la puerta trasera. Del vehículo descendió el coronel Joris Zeegler, seguido por el ministro de Defensa Pieter de Vaal.

—Un lugar muy tranquilo —dijo De Vaal.

—Este sector se ha mantenido en calma desde la masacre de Fawkes —explicó Zeegler—. Señor, creo que la tumba está por aquí.

Pitt se puso de pie y se sacudió las ropas mientras ellos se acercaban.

—Ha sido muy amable de su parte venir hasta aquí —dijo, tendiendo la mano.

—Le aseguro que no fue un esfuerzo muy grande —dijo De Vaal con arrogancia. Hizo caso omiso de la mano extendida de Pitt, y con escaso respeto se sentó en la lápida de Fawkes—. Por mera coincidencia, el coronel Zeegler había organizado una gira de inspección del norte de la provincia de Natal. Un pequeño desvío y una breve escala fuera de programa. Nadie resultó perjudicado.

—Esto no llevará mucho tiempo —dijo Pitt, mientras examinaba distraídamente sus gafas de sol, en busca de posibles manchas—. ¿Usted conoció al capitán Fawkes?

—Aprecio el hecho de que su ruego bastante extraño de reunirse conmigo en un cementerio rural fue apoyado por altas esferas de su gobierno, pero debe entender que estoy aquí por cortesía, no para responder preguntas.

—Entiendo —dijo Pitt.

—Sí, una vez estuve con el capitán Fawkes. —De Vaal fijó los ojos en el horizonte—. Creo que fue en octubre. Poco después de que mataran a toda su familia. Le expresé mis condolencias en nombre del Ministerio de Defensa.

—¿Él aceptó su oferta de dirigir la incursión contra Washington?

De Vaal ni siquiera pestañeó.

—Qué tontería. Ese hombre quedó desequilibrado como consecuencia de la muerte de su esposa y sus hijos. Planeó y dirigió exclusivamente por su cuenta toda la incursión.

—¿De veras?

—Mi posición y mi jerarquía no me permiten tolerar su grosería. —De Vaal se puso de pie—. Buenos días, señor Pitt.

Pitt lo dejó caminar casi siete metros antes de decir:

—Ministro, nuestra sección de espionaje estuvo al tanto de Rosa Silvestre casi desde el principio.

De Vaal se detuvo bruscamente, se volvió y miró a Pitt.

—¿Lo sabían? —Regresó, y se encaró con el hombre de la ANIM—. ¿Sabían de la operación Rosa Silvestre?

—Eso debería sorprenderlo menos que a nadie —dijo amablemente Pitt—. Después de todo, usted les pasó la información.

La altivez de De Vaal comenzó a derrumbarse, y miró a Zeegler en busca de apoyo. Los ojos del coronel lo miraron sin pestañear, y su rostro tenía la dureza de la piedra.

—Absurdo —dijo De Vaal—. Usted formula una acusación insensata y sin ningún fundamento.

—Reconozco que no dispongo de todos los datos —dijo Pitt—. Pero a decir verdad entré tarde en el juego. Ministro, fue un bonito plan, y cualquiera fuese el resultado usted se beneficiaba. La intención no era que el plan tuviese éxito. La idea de atribuir la culpa al Ejército Africano Revolucionario con el fin de atraer simpatías hacia la minoría blanca sudafricana no fue más que una cortina de humo. El verdadero propósito era incomodar y derrocar al partido del primer ministro Koertsmann, de modo que el Ministerio de Defensa contase con una excusa que le permitiera imponer un nuevo gobierno militar encabezado precisamente por Pieter de Vaal.

—¿Por qué hace esto? —dijo ásperamente De Vaal—. ¿Qué espera ganar?

—No me gusta que los traidores se beneficien —replicó Pitt—. Por cierto, ¿cuánto ganaron usted y Emma? ¿Tres, cuatro, cinco millones de dólares?

—Pitt, está divagando. El coronel Zeegler puede explicarle que Emma era un agente a sueldo del Ejército Africano Revolucionario.

—Emma pasaba informaciones de los archivos del Ministerio de Defensa a cualquier revolucionario negro que estuviese dispuesto a pagarlos, y después dividía los ingresos con usted. Una actividad lateral muy lucrativa, De Vaal.

—No estoy obligado a escuchar esas tonterías —dijo el ministro. Hizo un gesto a Zeegler y señaló el Bentley.

Zeegler no se movió.

—Lo siento, ministro, pero creo que debe escuchar al señor Pitt.

De Vaal casi se sofocó de rabia.

Joris, usted sirvió bajo mis órdenes diez años. Sabe bien que castigo severamente la insubordinación.

—Lo sé, señor, pero creo que debemos permanecer aquí, sobre todo en vista de las circunstancias.

—Zeegler señaló a un negro que venía caminando entre las tumbas. Su rostro mostraba una expresión sombría y decidida, y vestía el uniforme del Ejército Africano Revolucionario. En una mano sostenía un largo y curvo cuchillo marroquí.

—El cuarto actor del drama —dijo Pitt—. Permítanme presentarles a Thomas Machita, el nuevo jefe del Ejército Africano Revolucionario.

Aunque el séquito del ministro no llevaba armas, Zeegler no parecía preocupado. De Vaal se volvió y miró a su chófer, al mismo tiempo que señalaba a Machita.

—¡Sargento! ¡Mátelo! ¡Por Dios, mátelo!

El sargento mantuvo los ojos fijos en el horizonte, como si el ministro no existiese. De Vaal se volvió hacia Zeegler con ojos aterrorizados.

Joris, ¿qué pasa?

Zeegler no contestó; su rostro era una máscara inexpresiva. Pitt señaló la tumba abierta.

—El capitán Fawkes llamó la atención sobre la traición que usted cometió. Quizá estaba desequilibrado como resultado de la muerte de su familia, y lo cegaba el deseo de venganza, pero comprendió que había sido horriblemente engañado cuando usted envió a Emma con orden de matarlo. Era una parte necesaria del plan. Si lo capturaban vivo, podría haber revelado su participación directa. Además, no podía correr el riesgo de que él supiera que usted mismo había ordenado el ataque a su granja.

—¡No! —La palabra brotó como un alarido de la garganta de De Vaal.

—El capitán Patrick McKenzie Fawkes era el único habitante de África del Sur que podía ejecutar la operación Rosa Silvestre. Usted ordenó asesinar a su esposa e hijos porque sabía que un hombre agobiado por el dolor buscaría venganza. La masacre fue un golpe genial. Incluso los funcionarios del ministerio no pudieron descubrir ninguna relación entre los atacantes y las organizaciones insurgentes conocidas. A ninguno se le ocurrió que su propio jefe había traído a un grupo de mercenarios negros de Angola.

Los ojos de De Vaal mostraron una desconcertada desesperación.

—¿Cómo pudo saber todo eso?

—Como corresponde a un buen oficial de Inteligencia, el coronel Zeegler continuó investigando hasta que llegó a la verdad —dijo Pitt—. Y lo mismo que la mayoría de los capitanes del mar, Fawkes llevaba un diario. Yo estaba con él cuando Emma intentó matarlo. Fawkes me salvó la vida antes de que el barco volase. Pero antes guardó su diario, así como algunas observaciones acerca de usted, en un bolso impermeable, que deslizó bajo mi camisa. Las páginas incluían datos muy interesantes, especialmente para el presidente y el director de la Agencia Nacional de Seguridad.

»A propósito —continuó Pitt—, ese hipócrita mensaje que usted envió, en un intento de implicar al primer ministro Koertsmann, en realidad nunca fue tomado en serio. La Casa Blanca siempre creyó que Rosa Silvestre fue concebida y ejecutada sin conocimiento de Koertsmann. De modo que su plan cuidadosamente elaborado para derrocar a su propio gobierno fracasó por completo. En definitiva, Fawkes lo venció, aunque haya sido de manera póstuma. Los restantes detalles fueron suministrados por el mayor Machita, que concertó un armisticio con el coronel Zeegler durante el tiempo necesario para eliminarlo a usted. Con respecto a mi presencia, pedí y obtuve el papel de maestro de ceremonias en vista de mi deuda con el capitán Fawkes.

De Vaal miró a Pitt con expresión de derrota. Se volvió hacia Zeegler.

—Joris, ¿usted aceptó traicionarme?

—Nadie puede ser fiel a un traidor.

—Si jamás un hombre mereció morir, De Vaal, es precisamente usted —dijo Machita. El odio parecía brotar de todos sus poros.

De Vaal ignoró a Machita.

—Ustedes no pueden ejecutar a un hombre de mi jerarquía. La ley exige un proceso.

—El primer ministro Koertsmann desea que no haya escándalo. —Zeegler habló sin mirar a los ojos de su jefe—. Sugirió la posibilidad de que usted muriese en el cumplimiento del deber.

—Eso me convertiría en mártir. —Un minúsculo destello de confianza pareció restablecer un poco el aplomo de De Vaal—. ¿Me ve en el papel de mártir?

—No, señor. Por eso aceptó mi propuesta de que usted

desapareciese. Es mejor que sea un misterio insoluble y no un héroe nacional.

Demasiado tarde, De Vaal vio el brillo del acero cuando el cuchillo de Machita se hundió entre su ingle y su ombligo. Los ojos del ministro de Defensa parecieron salirse de las órbitas. Trató de hablar y alcanzó a mover los labios, pero el único sonido fue un jadeo gutural. Una mancha roja comenzó a extenderse sobre su uniforme.

Machita mantuvo la mano apretando la empuñadura del cuchillo, y contemplando la muerte que se cernía sobre De Vaal. Después, cuando el cuerpo comenzó a desplomarse, Machita le imprimió un movimiento hacia atrás, y De Vaal cayó en la tumba abierta. Los tres hombres se acercaron al borde y miraron el cuerpo, y varios hilos de tierra comenzaron a caer sobre él.

—Un lugar apropiado para su ralea —murmuró Machita.

Zeegler había palidecido. Estaba acostumbrado a ver muertos en el campo de batalla, pero esto era muy distinto.

—Diré al chófer que cierre la tumba.

Pitt meneó la cabeza.

—No es necesario. En su diario Fawkes me formuló una última petición. Y me prometí a mí mismo satisfacerla.

—Como quiera. —Zeegler dio media vuelta para alejarse.

Pareció que Machita quería decir algo; pero cambió de idea y echó a andar hacia las malezas que rodeaban el cementerio.

—Un momento —dijo Pitt—. No pueden desperdiciar esta oportunidad.

—¿Oportunidad? —preguntó Zeegler.

—Después de unirse para eliminar un cáncer que amenazaba con destruir a todos, sería estúpido separarse sin discutir francamente las diferencias.

—Pura pérdida de tiempo —dijo Zeegler despectivamente—. Thomas Machita sabe hablar solo con la violencia.

—Señor Pitt, como todos los occidentales tiene usted una idea muy superficial de nuestra lucha —respondió Machita con expresión estoica—. Hablar no cambia lo que debe ser.

A su debido tiempo, el gobierno sudafricano racista caerá ante el empuje de los negros.

—Tendrán que pagar caro antes de que la bandera de los negros flamee sobre Ciudad del Cabo —dijo Zeegler.

—Necios —dijo Pitt—. Ambos están haciendo el papel del tonto.

Zeegler lo miró.

—Señor Pitt, quizá usted lo crea así. Pero nosotros pensamos que el problema tiene una dimensión que ningún extranjero puede medir.

El coronel se dirigió a su automóvil, y Machita se internó en la selva.

La tregua había concluido. El abismo era tan profundo que nadie podía cruzarlo.

Un sentimiento de impotencia mezclado de cólera se apoderó de Pitt.

—¿Qué importará todo esto dentro de mil años? —gritó a los dos hombres.

Alzó la pala y con movimientos lentos comenzó a llenar la tumba. No quería mirar a De Vaal. Pronto oyó el golpe de la tierra sobre la tierra y comprendió que nadie volvería a ver al ministro de Defensa.

Una vez terminó, y cuando hubo dado forma apropiada al túmulo, abrió una caja depositada sobre la hierba, junto a la lápida, y retiró cuatro plantas florecidas. Las plantó cuidadosamente en el suelo, en las cuatro esquinas de la tumba de los Fawkes. Después se incorporó y retrocedió un paso.

—Descanse en paz, capitán Fawkes. Y que la posteridad no lo juzgue con excesiva severidad.

Sin sentir remordimiento ni tristeza, sino más bien una especie de paz, Pitt se puso bajo un brazo la caja vacía, apoyó en el hombro la pala, y se dirigió a la aldea de Umkono.

Detrás, las cuatro bungavillas arqueaban sus flores hacia el sol africano.

OMEGA

Pacífico Sur - Enero de 1989

La isla Rongelo —en realidad un minúsculo atolón— era un solitario fragmento de tierra que flotaba aislado en la inmensidad del océano Pacífico. Su masa se elevaba un par de metros sobre las aguas, y como su perfil era tan bajo no se la veía desde quince o veinte kilómetros de distancia. Impulsadas por el viento y las mareas, las olas rompían contra el frágil arrecife que rodeaba la estrecha franja de arena blanca, y después cerraban filas del lado opuesto, y avanzaban centenares de kilómetros antes de encontrar otra vez tierra firme.

La isla carecía de vegetación, excepto unas pocas palmeras podridas, de troncos destruidos por los tifones. En el punto más alto, los esqueletos del doctor Vetterly y sus ayudantes, blanqueados y porosos después de tantos años, yacían sobre formaciones irregulares de coral, y las cuencas vacías de los cráneos miraban al cielo, como si esperasen el momento de su liberación.

Al atardecer, las nubes de tormenta que se habían formado detrás de Rongelo recibieron los rayos solares cada vez más débiles, y resplandecieron unos instantes mientras el misil descendía silenciosamente desde el espacio, seguido a poca distancia por el zumbido de su paso a través de la atmósfera.

De pronto, un resplandor blanco azulado iluminó el mar en un radio de centenares de kilómetros, y una gran bola de fuego envolvió el atolón. En menos de un segundo la tremenda mesa se elevó e hinchó como una burbuja monstruosa. Los colores cegadores de su superficie pasaron del anaranjado al rosado, y finalmente al púrpura oscuro. La ola de fuego y calor se deslizó sobre el agua como un rayo, aplanando la marejada que batía la isla.

Después, la bola de fuego se desprendió de la superficie y ascendió hacia el cielo, absorbiendo millones de toneladas de coral antes de escupirlas en un géiser de vapor y restos. La masa se ensanchó hasta alcanzar un diámetro de ocho kilómetros, y en menos de un minuto el infierno alcanzó una altura de cuarenta mil metros. Después permaneció suspendida, y poco a poco se enfrió y formó una inmensa nube oscura que derivó lentamente hacia el norte.

La isla Rongelo había desaparecido. Solo quedaba una depresión de cien metros de profundidad y tres kilómetros de ancho. El mar inundó rápidamente la fosa y cubrió todos los rastros de la herida abierta. El sol tenía un extraño matiz verde amarillento cuando desapareció en el horizonte.

El agente Muerte Rápida había dejado de existir.